O GUIA DE SOBREVIVÊNCIA A ZUMBIS

Max Brooks

O GUIA DE SOBREVIVÊNCIA A ZUMBIS

Proteção total contra os mortos-vivos

Ilustrações de Max Werner

Tradução de
Amanda Orlando e Gabriela Fróes

Rocco

Título original
The Zombie Survival Guide
Complete Protection from the Living Dead

EDITORA ROCCO LTDA.
Av. Presidente Wilson, 231 – 8º andar
20030-021 – Rio de Janeiro, RJ
Tel.: (21)3525-2000 – Fax: (21)3525-2001
rocco@rocco.com.br
www.rocco.com.br

Printed in Brazil / Impresso no Brasil

preparação de originais
RYTA VINAGRE

CIP-Brasil. Catalogação-na-fonte.
Sindicato Nacional dos Editores de Livros, RJ.

Brooks, Max

B888g O guia de sobrevivência a zumbis: proteção total contra os mortos-vivos/Max Brooks; ilustrações de Max Werner; tradução de Amanda Orlando e Gabriela Fróes. – Rio de Janeiro: Rocco, 2006.
il.;

Tradução de: The zombie survival guide: complete protection from the living dead
Apêndice
ISBN 85-325-2064-2

1. Zumbis – Humor, sátira etc. 2. Humorismo americano. I. Título.

06-1739 CDD – 817
CDU – 821.111(73)-3

Para mamãe e papai.
E para Michelle,
que fez a luta pela vida
valer a pena.

SUMÁRIO

INTRODUÇÃO

Os mortos caminham entre nós. Zumbis, necrófilos – não importa como sejam rotulados, esses sonâmbulos são a maior ameaça para a humanidade, perdendo apenas para os próprios homens. Chamá-los de predadores e a nós de presas seria pouco correto. Eles são uma praga, e a raça humana seu hospedeiro. As vítimas de sorte são devoradas, os ossos roídos até que fiquem limpos e a carne é consumida. Os menos afortunados juntam-se às fileiras de seus atacantes, sendo transformados em monstros carnívoros. As operações convencionais são inúteis contra essas criaturas, assim como o pensamento convencional. A ciência de acabar com a vida, desenvolvida e aperfeiçoada desde o começo de nossa existência, não pode nos proteger contra um inimigo que não possui uma "vida" para ser exterminada. Mas será que isso significa que os mortos-vivos são invencíveis? Não. Essas criaturas podem ser contidas? Sim. A ignorância é o mais forte aliado do morto-vivo, o conhecimento é seu mais mortal inimigo. Foi por isso que este livro foi escrito: para oferecer o conhecimento necessário para sobreviver a essas feras subumanas.

Sobrevivência é a palavra-chave que deve ser lembrada – não vitória nem conquista, apenas sobrevivência. Este livro não lhe ensinará a ser um caçador de zumbis profissional. Qualquer pessoa que deseje dedicar a vida a tal profissão deve procurar treinamento em outro lugar. Este livro não foi escrito para a polícia, forças militares ou qualquer órgão do governo. Estas organizações, se escolherem reconhecer e preparar-se para a ameaça, terão acesso a recursos que vão além daqueles disponíveis para o cidadão comum. É para esses civis que este guia de sobrevivência foi escrito – cidadãos comuns, pessoas com tempo e recursos limitados e que, todavia, recusam-se a ser vitimadas.

Naturalmente, muitas outras habilidades – um grande senso de sobrevivência, liderança e até mesmo noções de primeiros socorros – serão necessárias em qualquer encontro com os mortos-vivos. Nada disso está incluído neste livro, já que essas informações podem ser encontradas em textos convencionais. O bom senso ditará o que mais deve ser estudado como complemento para este manual. Subseqüentemente, todos os temas que não possuem ligação direta com os mortos-vivos foram omitidos.

Neste livro, você aprenderá a reconhecer seu inimigo, escolher as armas certas, obterá dados sobre técnicas de assassinato, preparação e improviso quando na defensiva, durante fugas ou em situação de ataque. Esta obra também discute a possibilidade de um cenário apocalíptico, no qual os mortos-vivos substituem a humanidade como a espécie dominante no planeta.

Não desdenhe qualquer capítulo deste livro como drama hipotético. Cada migalha de informação foi acumulada mediante pesquisas e experiências árduas. Dados históricos, experimentos de laboratório, pesquisa de campo e eventos presenciados por testemunhas oculares (incluindo o próprio autor) foram utilizados na criação deste livro. Até mesmo o cenário apocalíptico é uma extrapolação de acontecimentos da vida real. Muitas ocorrências verdadeiras são relatadas no capítulo que reúne as insurreições registradas. O estudo desses casos irá provar que cada lição deste livro é baseada num fato histórico.

Como costuma se dizer, o conhecimento é apenas uma parte da luta pela sobrevivência. O resto deve vir de você.

Escolhas pessoais e desejo de viver devem ser preeminentes quando os mortos começarem a se erguer. Sem isso, nada mais lhe protegerá. Ao chegar à última página deste livro, faça a si mesmo uma única pergunta: o que você irá fazer – terminar sua existência numa aceitação passiva ou ficar de pé e gritar: "Não serei vítima deles! Eu sobreviverei!"? A escolha é sua.

NOTA DO AUTOR

Graças ao fato de este livro ter sido escrito por um cidadão dos Estados Unidos da América, suas páginas contêm referências a aspectos do *American way of life*. Sem dúvida exemplos como a adoração cultural por automóveis e armas de fogo podem parecer estranhos, até mesmo inúteis, quando relacionadas com a crise internacional. Isso pode ser verdade. Alguns exemplos americanos são realmente inaplicáveis, mas as lições que se escondem por trás deles não! A filosofia deste livro nunca foi estritamente americana. Suas táticas e estratégias aplicam-se a seres humanos com espírito de sobrevivência de todo o mundo, independente de nacionalidade e localização.

A ameaça zumbi é realmente um problema internacional. Cidadãos da Europa Oriental e das Ilhas Britânicas, com suas densas populações, ausência (relativa) de crimes violentos e mais de duas gerações onde reina a paz, a solidez e a prosperidade econômica talvez estejam atualmente mais vulneráveis aos mortos-vivos do que em qualquer outro período da história. Qualquer um que acredite que o parlamento americano possa resolver um ataque zumbi tão facilmente quanto soluciona uma greve de motoristas de caminhão, faria bem em estudar a respeito da última vez em que uma praga tornou-se epidemia em seu país. Uma insurreição pode ter início com quatro zumbis na Andaluzia, Espanha, e em três semanas estar infestando milhares de cidadãos em Lake District, Inglaterra.

Da mesma forma, os cidadãos de países geograficamente isolados como Austrália e Nova Zelândia estão correndo o sério risco de acalentarem um falso senso de segurança. Como poderemos ver nas próximas páginas, incluindo uma coletânea de ataques registrados, a distância física nunca é um impedimento. Os moradores desses países devem buscar segurança em suas vastas imensidões subpovoadas. Em teoria, essa informação está correta, o Outback ou os Alpes Meridionais poderiam fornecer proteção adequada, mas como você seria capaz de chegar lá, como viveria e o que faria se encontrasse zumbis até mesmo nesses locais?

De Glasgow à Cidade do Cabo, de Dublin a Hobart, este livro é perfeito para você. Chegará o tempo em que deixaremos de lado nossas fronteiras artificiais e nos uniremos contra a ameaça comum da extinção. Dificilmente essa será uma época de nacionalismo improdutivo e fora de moda. Os mortos-vivos nos ameaçam como se fôssemos um único mundo e é só como um único mundo que poderemos sobreviver.

OS MORTOS-VIVOS: MITOS E REALIDADES

Ele vem da sepultura. Seu corpo é o lar de vermes e imundícies. Não há vida em seus olhos, nem calor em sua pele ou batimentos em seu peito. Sua alma é vazia e negra como o céu noturno. Ele ri diante da lâmina, cospe na flecha, para que estes não firam suas entranhas. Pela eternidade ele irá caminhar pela terra, sentindo o aroma do doce sangue dos vivos, banqueteando-se sobre os ossos dos condenados. Tenha cuidado, pois ele é o morto-vivo.

– TEXTO HINDU OBSCURO, CERCA DE 1000 a.C.

ZUM-BI: sub. masc. ZUM-BIS pl. 1. Corpo animado que se alimenta da carne de seres humanos vivos. 2. Um feitiço de vodu que faz com que os mortos se levantem de suas sepulturas. 3. O deus – cobra vodu. 4. Pessoa que se movimenta ou age atordoadamente "como um zumbi". *[palavra originária do oeste da África]*

O que é um zumbi? Como eles são criados? Quais são seus pontos fortes e quais são os fracos? Quais são suas necessidades e desejos? Por que são hostis com a humanidade? Antes de discutir qualquer técnica de sobrevivência, você deve primeiro aprender sobre aquilo a que você está tentando sobreviver.

Devemos começar separando a realidade da ficção. Os mortos que andam não são nenhum trabalho de "magia negra", tampouco outra força sobrenatural qualquer. Suas origens estão num vírus conhecido como *Solanum*, uma palavra latina utilizada por Jan Vanderhaven, que foi o primeiro a "descobrir" a doença.

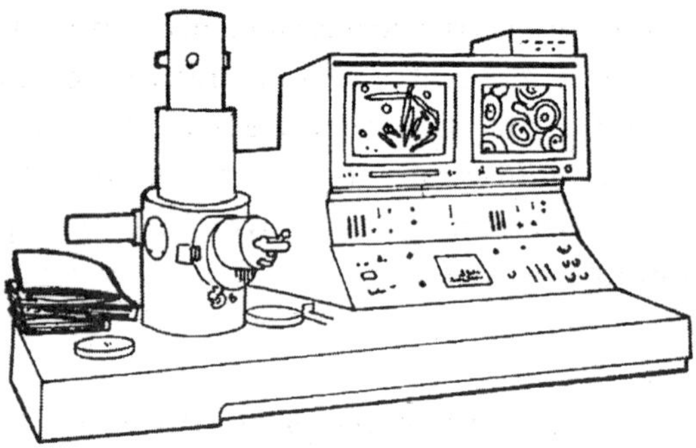

SOLANUM: O VÍRUS

O *Solanum* age na corrente sangüínea, a partir do ponto de entrada inicial do cérebro. Por meios que ainda não foram compreendidos em sua totalidade, o vírus usa as células do lobo frontal para multiplicação, destruindo-as durante o processo. Durante esse período, todas as funções corporais cessam. Quando o coração pára de bater, o indivíduo infectado é dado como "morto". O cérebro, entretanto, permanece vivo, ainda que em estado latente, enquanto os vírus realizam uma mutação nas células, transformando-as num órgão completamente novo. A característica mais crítica deste novo órgão é sua independência do oxigênio. Assim, já que esse importantíssimo recurso não é mais necessário, o cérebro morto-vivo pode ser utilizado, embora não dependa de maneira alguma do complexo mecanismo de manutenção do corpo humano. Uma vez que a mutação é concluída, esse novo organismo reanima o corpo numa forma que mantém pouca semelhança (psicologicamente falando) com o cadáver original. Algumas funções corporais permanecem constantes, outras operam com a capacidade modificada, e o restante é completamente paralisado. O novo organismo é um zumbi, um membro da horda dos mortos-vivos.

1. FONTES

Infelizmente, pesquisas extensas ainda não conseguiram isolar um exemplar do *Solanum* na natureza. A água, o ar e o solo em todos os ecossistemas, em todas as partes do mundo, mostraram-se negativos, assim como a fauna e a flora. No momento em que este livro é escrito, a pesquisa ainda continua.

2. SINTOMAS

A escala a seguir esquematiza o processo de um ser humano infectado (o que pode levar mais ou menos horas, dependendo do indivíduo).

Hora 1: Dor e descoloração (marrom-arroxeada) da área infectada. Imediata coagulação da ferida (já que a infecção é proveniente de uma escoriação).

Hora 5: Febre (37-39,5 graus Celsius), tremores, demência leve, vômito, dor aguda nas articulações.

Hora 8: Entorpecimento das extremidades e da área infectada, aumento da febre (39,5-41 graus Celsius), aumento da demência, perda da coordenação muscular.

Hora 11: Paralisia da parte inferior do corpo, dormência global, diminuição da freqüência cardíaca.

Hora 16: Coma.

Hora 20: Parada cardíaca. Atividade cerebral nula.

Hora 23: Reanimação.

3. TRANSFERÊNCIA

O *Solanum* é totalmente contagioso e totalmente fatal. Felizmente para a raça humana, o vírus não é inoculado pela água nem por ar. Nunca houve relatos de seres humanos que entraram em contato com o vírus através de elementos da natureza. A infecção pode ocorrer apenas por contato direto com os fluidos. A mordida do zumbi, apesar de ser de longe a mais reconhecida forma de transferência, não é, de modo algum, a única. Seres humanos têm sido infectados ao esfregar feridas abertas contra escoriações de zumbis ou ao receberem respingos dos restos dessas criaturas após uma explosão. A ingestão de carne infectada (uma vez que a pessoa não tenha feridas na boca), entretanto, resulta em morte permanente, e não em contágio. É provado que a carne infectada é altamente tóxica.

Nenhuma informação – histórica, experimental ou de qualquer outro tipo – trouxe à tona os resultados de relações sexuais com um espécime morto-vivo, entretanto, como já foi citado anteriormente, a natureza do *Solanum* sugere um alto poder infeccioso. As recomendações contra tal ato seriam inúteis, já que a única pessoa insana o suficiente para tentar deveria ser ignorada pelos zumbis para a própria segurança deles. Muitos argumentam que, dada a natureza coagulada dos fluidos corporais dos mortos-vivos, a probabilidade de contaminação deveria ser baixa. Entretanto, deve-se lembrar que até mesmo um único organismo é suficiente para iniciar o ciclo.

4. CONTÁGIO ENTRE ESPÉCIES

O *Solanum* é fatal para todas as criaturas vivas, independente de tamanho, espécie ou ecossistema. A reanimação, entretanto, ocorre apenas nos seres humanos. Estudos mostram que, ao infectar um cérebro não-humano, o *Solanum* expirará algumas horas após a morte de seu hospedeiro, fazendo com que a carcaça torne-se segura para ser manuseada. Animais infectados falecem antes que o vírus possa se multiplicar em seus corpos. A contaminação através de picadas de insetos, como as de mosquito, por exemplo, podem também ser descartadas. Experiências provaram que todos os insetos parasitas reconhecem e rejeitam hospedeiros infectados em 100% das ocasiões.

5. TRATAMENTO

Quando um ser humano é infectado, pouco pode ser feito para salvá-lo. Devido ao fato de o *Solanum* ser um vírus, e não uma bactéria, os antibióticos não surtem efeito. A imunização, a única maneira de combater um vírus, é igualmente inútil, já que até mesmo a mais minúscula dosagem pode levar a uma infecção totalmente desenvolvida. A pesquisa genética está em marcha. Os objetivos variam de anticorpos humanos mais fortes a estruturas celulares resistentes a contravírus criados para identificar e destruir o *Solanum*. As pesquisas para estes e outros tratamentos mais radicais estão ainda nos primeiros estágios, sem nenhum sucesso previsível num futuro próximo. Experiências em campos de batalha levaram à amputação imediata do membro infectado (dependendo da localização da mordida), mas estes tratamentos são, na melhor das hipóteses, dúbios, com uma taxa de menos de 10% de sucesso. É mais provável que o ser humano infectado esteja condenado desde o momento em que o vírus entra em seu organismo. Caso o ser humano infectado escolha o suicídio, deve lembrar-se de que o cérebro deve ser eliminado primeiro. Foram registrados casos nos quais indivíduos recentemente infectados, que morreram por diferentes meios de contágio pelo vírus, foram no entanto reanimados. Estes casos normalmente ocorrem quando o indivíduo falece após a quinta hora de contágio. De qualquer maneira, qualquer pessoa morta após ser mordida ou infectada de alguma outra forma pelos mortos-vivos deve ser descartada (veja "Descarte" na página 42).

6. REANIMANDO OS QUE JÁ ESTÃO MORTOS

Tem-se sugerido que corpos humanos recém-falecidos podem ser reanimados se o *Solanum* for introduzido após seu falecimento. Isto é uma falácia. Os zumbis ignoram carne necrosada e, por conseqüência, não conseguem transferir o vírus. Experimentos realizados durante a Segunda Guerra Mundial (ver "Ataques registrados", na página 243) provaram que a injeção de *Solanum* num cadáver seria ineficaz, pois a corrente sangüínea estagnada não seria capaz de transportar o vírus até o cérebro. Injeções administradas diretamente no cérebro morto seriam igualmente inúteis, já que as células mortas não poderiam reagir ao vírus. O *Solanum não* cria vida – ele a altera.

CARACTERÍSTICAS DOS ZUMBIS

1. HABILIDADES FÍSICAS

Em geral, acredita-se que os mortos-vivos possuem poderes sobre-humanos: força extraordinária, velocidade que beira a da luz, telepatia etc. As histórias variam de zumbis voando pelos ares ou escalando superfícies verticais como se fossem aranhas. Embora essas peculiaridades devam ter sido criadas para tornar mais fascinantes as encenações sobre essas criaturas, o necrófilo isolado está longe de ser um demônio mágico e onipotente. Nunca se esqueça de que o corpo de um morto-vivo é, para todos os propósitos práticos, humano. As mudanças que podem ocorrer estão na maneira como esse novo corpo reanimado é utilizado pelo cérebro agora infectado. Não há como um zumbi voar, a não ser que o humano que ele costumava ser pudesse fazê-lo. O mesmo serve para a projeção de campos de força, teletransporte, movimentos através de objetos sólidos, transformação em lobo, cuspir fogo e uma variedade de outros talentos místicos atribuídos aos mortos que andam. Imagine o corpo humano como um kit de ferramentas. O cérebro sonâmbulo possui estas ferramentas, e *apenas* estas, à sua disposição. E também não pode criar novos espécimes a partir do nada. Mas eles podem, como você verá, usar essas ferramentas em combinações muito poucos convencionais, ou levar sua durabilidade para além dos limites humanos a que estamos acostumados.

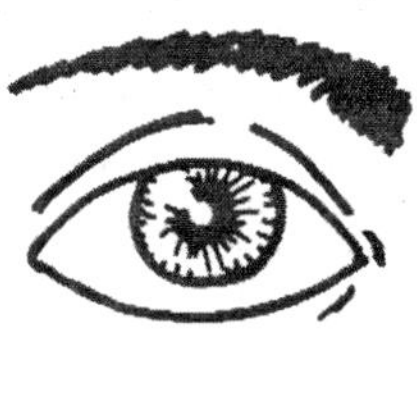

A. *Visão*

Os olhos de um zumbi não são diferentes dos de um ser humano normal. O que muda é a forma como o cérebro interpreta os sinais enviados pelos olhos enquanto estes ainda são capazes (dada sua taxa de decomposição) de transmitir sinais visuais. Os estudos são inconclusivos no que diz respeito às habilidades visuais dos mortos-vivos. Eles são capazes de avistar a presa a distâncias comparáveis com as capacidades dos seres humanos, mas se conseguem distinguir um humano de um ser de sua própria espécie ainda é controverso. Uma teoria sugere que o movimento realizado pelos homens, que são mais rápidos e suaves do que os mortos-vivos, é o que faz com que sejam notados pelos olhos dos zumbis. Têm sido realizadas experiências nas quais seres humanos tentam confundir os necrófilos que se aproximam ao imitar seus movimentos e adotando um andar trôpego, desajeitado e claudicante. Até a presente data, nenhuma dessas tentativas foi bem-sucedida. Sugere-se que os zumbis possuem visão noturna, um fato que explica sua capacidade de caçar durante a noite. Esta teoria foi desmascarada pelo fato de todos os zumbis serem experientes predadores noturnos, mesmo aqueles que não possuem olhos.

B. *Audição*

Não há dúvida de que os zumbis possuem uma excelente audição. Eles não apenas conseguem detectar sons, como também determinam a direção de onde vem o ruído. A amplitude básica parece ser a mesma dos seres humanos. Experiências com freqüências extremamente altas e baixas apresentaram resultados negativos. Os testes também revelaram que os zumbis são atraídos por qualquer ruído, não apenas por aqueles produzidos por seres vivos. Registrou-se que os necrófilos são capazes de notar sons ignorados pelos humanos vivos. A explicação mais provável, embora não comprovada, é a de que os zumbis dependem de todos os sentidos igualmente. Os seres humanos são orientados para privilegiar a visão desde que nascem, dependendo dos outros sentidos apenas se o sentido primário for perdido. Talvez essa não seja uma desvantagem compartilhada com os mortos que andam. Se tal hipótese for verdadeira, isso explicará a capacidade que essas criaturas possuem para caçar, lutar e se alimentar na escuridão total.

C. *Olfato*

Ao contrário do que acontece com a audição, o morto-vivo possui um olfato mais apurado. Tanto nas situações de combate quanto nos testes de laboratório, eles foram capazes de distinguir o odor de presas vivas sobre todos os outros. Em muitos casos, dadas as condições eólicas ideais, os zumbis reconhecem o cheiro de cadáveres frescos a uma distância de mais de um quilômetro e meio.

Novamente, isso não significa que os necrófilos possuem um olfato mais desenvolvido do que o dos seres humanos, mas simplesmente acreditam mais nesse sentido. Não se sabe exatamente que tipo de secreção sinaliza a presença da presa: suor, feromônios, sangue etc. No passado, as pessoas que procuravam se movimentar sem serem descobertas tentavam "mascarar" seu odor humano com perfumes, desodorantes ou outros produtos químicos de cheiro forte.

Nenhuma dessas tentativas foi bem-sucedida. Estão em andamento experiências que sintetizam os cheiros de criaturas vivas no intuito de atrair ou até mesmo repelir os mortos que andam. Um produto eficaz ainda está longe de ser criado.

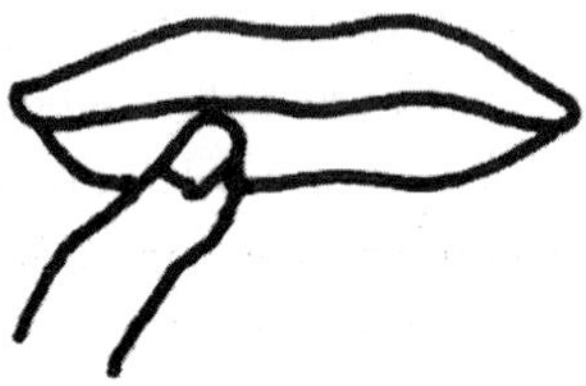

D. *Paladar*

Sabe-se muito pouco sobre as origens do paladar alterado dos mortos que andam. Os zumbis possuem a capacidade de distinguir a carne humana da de outros animais, e eles preferem a primeira. Os necrófilos também possuem uma notável capacidade de rejeitar carniça, preferindo carne recém-morta. Um corpo humano que está morto há mais de 12 ou 18 horas será rejeitado como comida. O mesmo serve para cadáveres que foram embalsamados ou preservados de outra forma. Se este fenômeno tem algo a ver com o "gosto", ainda não foi comprovado. Pode ter alguma relação com o cheiro ou, talvez, outro instinto ainda não descoberto.

Já no que diz respeito à razão pela qual os zumbis preferem exatamente a carne humana, a ciência ainda não encontrou nenhuma resposta para essa desorientadora, infeliz e aterrorizante pergunta.

E. *Tato*

Os zumbis literalmente não possuem sensações físicas. Todos os receptores nervosos espalhados ao longo do corpo permanecem mortos após a reanimação. Essa é verdadeiramente a maior e mais apavorante vantagem dos mortos-vivos sobre os seres humanos. Nós, como humanos, temos a capacidade de experimentar a dor física como um sinal de lesão corporal. Nosso cérebro classifica estas sensações, combina-as com experiências que as instigaram e, em seguida, arquiva a informação para utilizá-la como uma advertência contra lesões futuras. Esta é uma dádiva da psicologia e do instinto que permite a sobrevivência da espécie. É por isso que damos valor a virtudes como a coragem, que inspira as pessoas a realizarem ações apesar dos avisos de perigo. A incapacidade de reconhecer e evitar a dor é o que torna os mortos que andam tão formidáveis. Os ferimentos não serão percebidos e, por conseqüência, não deterão o ataque. Mesmo que o corpo de um zumbi esteja seriamente avariado, ele continuará a atacar até que nada mais reste.

F. *Sexto sentido*

As pesquisas históricas, combinadas com observação laboratorial e de campo, mostram que os mortos que andam são conhecidos por atacar até mesmo quando seus órgãos dos sentidos estão danificados ou completamente decompostos. Será que isso significa que os zumbis possuem um sexto sentido? Talvez. Os seres humanos vivos usam menos de 5% da capacidade cerebral. É possível que o vírus possa estimular outra habilidade sensorial que foi esquecida pela evolução. Esta teoria é uma das mais calorosamente debatidas na guerra contra os mortos-vivos. Até agora, nenhuma evidência científica foi encontrada para abalizar nenhum dos dois lados.

G. *Regeneração*

Apesar das lendas e do folclore ancestral, provou-se que a fisiologia dos mortos-vivos não tem poderes de regeneração. As células que sofrem lesões permanecem danificadas. Qualquer escoriação, independente de tamanho e natureza, permanecerá durante todo o restante da reanimação do cadáver. Diversos tratamentos médicos têm sido testados no intuito de simular o processo de cura em necrófilos que foram capturados. Nenhum deles foi bem-sucedido. Essa incapacidade de auto-regeneração, algo que os seres vivos têm como certo, é uma imensa desvantagem para os mortos-vivos. Por exemplo, todas as vezes em que fazemos algum tipo de esforço físico, rompemos nossos músculos. Com o tempo, eles são reconstruídos, tornando-se mais fortes do que antes. A massa muscular de um necrófilo permanecerá danificada, reduzindo sua eficiência.

H. *Decomposição*

Estima-se que a duração média do "ciclo vital" zumbi – ou seja, quanto tempo ele é capaz de funcionar antes de ficar completamente podre – é de três a quatro anos. Apesar de este dado parecer fantástico – um cadáver humano capaz de evitar os efeitos naturais da decomposição – suas causas podem ser encontradas na biologia básica. Quando um corpo humano morre, suas entranhas são imediatamente atacadas por bilhões de organismos microscópicos. Estes organismos estão sempre presentes, no ambiente externo e dentro do próprio corpo. Em vida, o sistema imunológico coloca-se como uma barreira entre esses organismos e seu alvo. Quando morremos, a barreira é removida. Os organismos começam a multiplicar-se exponencialmente enquanto se alimentam e, deste modo, decompõem o cadáver até o nível celular. O cheiro e a descoloração associados com qualquer carne em decomposição são processos biológicos relacionados com a ação desses micróbios. Quando você pede um bife maturado num restaurante, está pedindo um pedaço de carne que já começou a apodrecer; a carne originalmente dura é amaciada por microorganismos que decompuseram suas fibras rígidas. Num curto espaço de tempo, esse bife, assim como o cadáver humano, será dissolvido até desaparecer, deixando para trás apenas materiais muito duros ou que não servem de nutriente para nenhum micróbio, como ossos, dentes, unhas e cabelos. Este é o ciclo da vida normal, a maneira encontrada pela natureza de reciclar nutrientes na cadeia alimentar. Para deter o processo e preservar o tecido morto, é necessário colocar a carne num ambiente impróprio para bactérias, como em temperaturas extremamente altas ou baixas, banhadas em substâncias tóxicas como formol, ou, neste caso, saturadas de *Solanum*.

Quase todas as espécies de micróbios envolvidos no processo normal de decomposição humana têm repetidamente rejeitado carne contaminada com o vírus, efetivamente embalsamando o zumbi. Se não fosse por isso, combater os mortos-vivos seria fácil, bastaria evitá-los por algumas semanas ou até mesmo dias até que eles se deteriorassem, sobrando apenas os ossos. As pesquisas ainda não conseguiram determinar a causa desse fenômeno. Determinou-se que pelo menos algumas espécies de micróbios ignoram os efeitos repelentes do *Solanum* – caso contrário, os mortos-vivos iriam permanecer perfeitamente conservados para sempre. Também foi observado que condições naturais como a umidade e a temperatura possuem um papel igualmente importante. Os mortos-vivos que rondam as margens dos rios da Louisiana dificilmente durarão tanto quanto aqueles que habitam o seco e gélido deserto de Gobi. Situações extremas, como congelamento profundo ou imersão em fluido de preservativo, poderiam, de forma hipotética, permitir que uma espécie morta-viva existisse indefinidamente. Estas técnicas se tornaram conhecidas por permitirem que os zumbis ajam por décadas, até anos (ver "Ataques registrados" a partir da página 243). A decomposição não indica que um membro da horda dos mortos-vivos simplesmente irá cair. A deterioração pode afetar diversas partes dos corpos em horas diferentes. Espécimes foram encontrados com os cérebros intactos, mas com corpos praticamente desintegrados. Outros com o cérebro parcialmente apodrecido são capazes de controlar algumas funções corporais, entretanto, ficam completamente paralisados no que diz respeito a outras. Uma teoria popular que circulou recentemente tenta explicar a história de uma múmia do Egito antigo como um dos primeiros exemplares de um zumbi embalsamado. As técnicas de preservação permitiam que o corpo continuasse funcionando muitas centenas de anos depois de ser sepultado. Qualquer pessoa com um conhecimento rudimentar do antigo Egito acharia esta história risível: o mais importante e complicado passo na preparação fúnebre de um faraó era a retirada do cérebro!

I. *Digestão*

Evidências recentes desmentiram de uma vez por todas a teoria segundo a qual a carne humana serve como combustível para os mortos-vivos. O sistema digestivo dos zumbis é completamente adormecido. O complexo procedimento de processar a comida, extrair os nutrientes e excretar os resíduos não é necessário à fisiologia dos zumbis. Autópsias realizadas em mortos-vivos neutralizados demonstraram que a "comida" dessas criaturas permanece em seu estado original, sem ser digerida, durante todas as fases da digestão. Esse material parcialmente mastigado e em lento processo de apodrecimento continuará a ser acumulado enquanto o zumbi devorar mais vítimas, até que seja forçado pelo ânus, ou que literalmente provoque a explosão do estômago ou dos tubos intestinais. Embora este exemplo mais drástico de não-digestão seja raro, centenas de relatos de testemunhas oculares confirmam que os mortos-vivos possuem barrigas dilatadas. Foi descoberto no sistema digestivo de um espécime capturado, que passou por uma dissecação, mais de 95 quilos de carne humana! Relatos ainda mais raros confirmam que os zumbis continuam a se alimentar por muito tempo depois que seus sistemas digestivos sofrem a explosão interna.

J. *Respiração*

Os pulmões dos mortos-vivos continuam a funcionar no sentido de que inspiram o ar e o expiram do corpo. Esta função é responsável pelo grunhido típico dos zumbis. Entretanto, o que os pulmões e a química corporal não conseguem realizar é a extração de oxigênio e a remoção de dióxido de carbono. Dado que o *Solanum* elimina a necessidade das duas funções, todo o sistema respiratório torna-se obsoleto no corpo de um necrófilo. Isso explica como os mortos que andam conseguem "andar debaixo d'água" ou sobreviver em ambientes letais para os humanos. O cérebro dessas criaturas, como já foi mencionado anteriormente, é independente da presença de oxigênio.

K. *Circulação*

Seria um pouco inexato dizer que os zumbis não têm coração. Entretanto, *não* seria inexato dizer que eles não encontraram nenhuma serventia para este órgão. O sistema circulatório dos mortos-vivos é pouco mais do que uma teia de tubos inúteis preenchidos com sangue paralisado. O mesmo se aplica ao sistema linfático, assim como a todos os outros fluidos corporais. Apesar de esta mutação possivelmente ter ocorrido para dar aos mortos-vivos mais uma vantagem sobre a humanidade, ela se mostrou uma dádiva. A ausência de massa fluida evita que o vírus seja transmitido com facilidade. Se isso não fosse verdade, os combates corpo-a-corpo poderiam ser impossíveis, já que o ser humano na defesa seria quase certamente salpicado por sangue e/ou outros fluidos.

L. *Reprodução*

Os zumbis são criaturas estéreis. Seus órgãos sexuais são necrosados e impotentes. Foram realizadas tentativas de fertilizar óvulos de zumbis com espermatozóides humanos e vice-versa. Nenhuma delas foi bem-sucedida. Os mortos-vivos também não demonstram nenhum sinal de desejo sexual, nem pela própria espécie ou por seres humanos. Até que as pesquisas provem o contrário, o maior medo da humanidade – de que os mortos reproduzam os mortos – é uma reconfortante impossibilidade.

M. *Força*

Os necrófilos possuem a mesma força bruta que os vivos. A força que pode ser aplicada depende enormemente do tipo de indivíduo que o zumbi é. A massa muscular que uma pessoa tem em vida poderá ser tudo que ela terá na morte. Ao contrário de um corpo vivo, não há nenhuma comprovação de que as glândulas supra-renais funcionem nos mortos, negando aos zumbis as explosões de energia das quais os seres humanos desfrutam. A única vantagem palpável que os mortos-vivos possuem é um vigor espantoso. Imagine fazer ginástica ou qualquer outro ato que requeira esforço físico. É provável que a dor e a exaustão ditem os seus limites. Estes fatores não se aplicam aos mortos. Eles continuarão a agir, com a mesma energia dinâmica, até que os músculos que viabilizam os movimentos literalmente se desintegrem. Embora este fato contribua para o enfraquecimento progressivo dos necrófilos, também permitem um primeiro ataque poderoso. Muitas barricadas que teriam exaurido três ou até mesmo quatro seres humanos de corpo bem treinado, caíram graças à ação de um único zumbi determinado.

N. *Velocidade*

Os mortos que "andam" tendem a se mover de forma encurvada e manquejante. Mesmo sem ferimentos ou sem sofrer de um estado avançado de decomposição, a falta de coordenação contribui para seus passos vacilantes. A velocidade é determinada principalmente pelo tamanho da perna. Os necrófilos mais altos dão passos mais longos do que suas contrapartes mais baixas. Os zumbis aparentemente são incapazes de correr. O necrófilo mais rápido já observado movia-se a uma média de um passo a cada 1,5 segundo. Mais uma vez, como acontece com a força, a vantagem dos mortos sobre os vivos é a ausência de cansaço. Os seres humanos que acreditam poder deixar os perseguidores mortos-vivos para trás, fariam bem em lembrar da história da lebre e da tartaruga, acrescentando, é claro, que neste exemplo a lebre tem uma forte probabilidade de ser devorada viva.

O. *Agilidade*

O ser humano vivo mediano possui um nível de destreza 90% maior do que o do mais forte necrófilo. Muito desse fato se deve à rigidez geral do tecido muscular necrosado (daí seus passos desajeitados). O resto deve-se às funções cerebrais primitivas. Os zumbis têm pouca coordenação motora, uma de suas maiores fraquezas. Ninguém nunca observou um zumbi pulando, nem de um ponto para outro ou para cima e para baixo. Equilibrar-se numa superfície estreita também está além de suas capacidades. Nadar também é uma habilidade reservada aos seres humanos. A teoria propõe que, se um cadáver estivesse inchado o suficiente para emergir até a superfície, poderia apresentar o risco de boiar. Isto é raro, entretanto, já que a baixa taxa de decomposição não permitiria a acumulação de subprodutos gasosos. Zumbis que caem ou caminham por corpos aquáticos mais provavelmente irão encontrar-se vagando, desnorteados, pelo fundo, até que finalmente sejam dissolvidos. Eles podem ser bons escaladores, mas apenas sob certas circunstâncias. Se os zumbis perceberem uma presa acima deles, como, por exemplo, no segundo andar de uma casa, sempre tentarão escalar a construção. Os zumbis sempre tentam escalar qualquer superfície, não importando o quão impraticável ou até mesmo impossível seja a tarefa. Em praticamente todas as situações, exceto as mais fáceis, essas tentativas encontram o fracasso. Mesmo no caso de escadas, quando é necessária somente a simples coordenação de colocar uma mão acima da outra, apenas um em quatro zumbis é bem-sucedido.

2. PADRÕES DE COMPORTAMENTO

A. *Inteligência*

É repetidamente comprovado que nossa maior vantagem sobre os mortos-vivos é nossa capacidade de pensar. A capacidade mental de um zumbi mediano é um pouco menor do que a de um inseto. Em nenhuma ocasião eles demonstraram qualquer capacidade de raciocínio ou de emprego de lógica. Tentar completar uma tarefa, falhar e depois descobrir uma nova solução por tentativa e erro é uma capacidade compartilhada por muitos membros do reino animal, mas que não existe nos mortos que andam. Os zumbis têm repetidamente falhado em testes de inteligência laboratoriais, demonstrando estar no mesmo nível intelectual dos roedores. Um caso de campo mostra um ser humano de pé em uma das extremidades de uma ponte ruída com várias dezenas de zumbis do outro lado. Um por um, os mortos que andam se jogaram do parapeito numa tentativa inútil de alcançar a presa. Em nenhuma ocasião nem um único zumbi percebeu o que estava acontecendo e mudou sua tática de alguma maneira. Contrariando mitos e especulações, os zumbis nunca foram observados utilizando ferramentas de qualquer tipo. Até mesmo pegar uma pedra para usar como arma está além do alcance destas criaturas. Esse simples ato provaria o processo de pensamento básico envolvido em perceber que a pedra é uma arma mais eficiente do que a mão nua. Ironicamente, a era da inteligência artificial nos permite que nos identifiquemos mais facilmente com a mente de um zumbi do que nossos ancestrais mais "primitivos". Com raras exceções, mesmo os computadores mais avançados não possuem a capacidade de pensar por si mesmos. Eles fazem o que estão programados para fazer, nada mais. Imagine um computador programado para executar uma função. Esta função não pode ser interrompida, modificada ou apagada. Nenhum novo dado pode ser arquivado. Nenhum novo comando pode ser instalado. Esse computador irá desempenhar apenas essa única função, repetidamente, até que sua fonte de energia seja finalmente desligada. Este é o cérebro de um zumbi. Uma máquina guiada pelo instinto com uma só tarefa, imprevisível demais para ser programada e que pode apenas ser destruída.

B. *Emoções*

Sentimentos de qualquer tipo não são conhecidos pelos mortos que andam. Todas as formas de artilharia psicológica, das tentativas de enfurecer os mortos-vivos a provocar pena, acabaram em desastre. Alegria, tristeza, ansiedade, amor, ódio, medo – todos estes sentimentos e milhares de outros que constituem o "coração" humano são tão inúteis para os mortos-vivos quanto o próprio órgão em si. Quem sabe se essa é a maior fraqueza ou a grande força da humanidade? O debate continua e, provavelmente, perdurará para sempre.

C. *Memória*

Um conceito moderno é o de que o zumbi retém o conhecimento de sua antiga vida. Ouvimos histórias de mortos retornando aos locais onde moravam ou trabalhavam, operando máquinas que lhes eram familiares ou até demonstrando misericórdia para com seus entes queridos. Na verdade, não existe nenhum fragmento que comprove esta esperançosa idéia. Os zumbis possivelmente não podem reter lembranças da vida anterior nem em seu consciente nem no subconsciente, até porque estes estados mentais nem existem na fisiologia desses seres! Um necrófilo não será distraído pelo animal de estimação da família, parentes vivos, ambientes familiares etc. Independente do que uma pessoa foi na vida anterior, aquele ser não existe mais, sendo substituído pelo autômato irracional sem nenhum instinto além daquele responsável pela alimentação. Isto suscita outra pergunta: por que os zumbis preferem áreas urbanas ao campo? Primeiro, os mortos-vivos não preferem as cidades, mas simplesmente permanecem onde são reanimados. Segundo, a principal razão de os zumbis tenderem a ficar nas cidades em vez de aventurarem-se pelo campo é porque as zonas urbanas têm uma concentração maior de presas.

D. *Necessidades físicas*

Além da fome (que será discutida posteriormente), os mortos não demonstram nenhum desejo ou necessidades físicas expressas na vida mortal. Nunca se observou um zumbi dormindo ou descansando sob nenhuma circunstância. Eles não reagem ao calor ou ao frio excessivos. Em climas agressivos, eles nunca procuram por abrigo. Até mesmo algo simples como a sede é desconhecido para os mortos-vivos. Desafiando todas as leis da ciência, o *Solanum* cria o que pode ser descrito como um organismo 100% auto-suficiente.

E. *Comunicação*

Os zumbis não possuem habilidades lingüísticas. Apesar de suas cordas vocais terem a capacidade de falar, seus cérebros não a possuem. Sua única habilidade vocal parece ser um grunhido vindo do fundo da garganta. Este grunhido é liberado quando o zumbi identifica uma presa. O som permanecerá baixo e regular até que o contato físico seja realizado. O tom e o volume se alteram quando o zumbi inicia seu ataque. Esse som sinistro, tão tipicamente associado aos mortos-vivos, serve como um grito para arregimentar os outros zumbis e, como foi recentemente descoberto, uma poderosa arma psicológica (ver "Na defesa", página 98).

F. *Dinâmica social*

As teorias a respeito da função dos mortos-vivos como força coletiva sempre proliferaram, indo de um exército controlado por Satã, passando por um enxame semelhante a insetos controlados por feromônios até a mais recente idéia segundo a qual eles chegam a um consenso coletivo por telepatia. A verdade é que os zumbis não possuem organização social para ser relatada. Não há hierarquia, rede de comando, nem nenhuma medida que conduza a qualquer tipo de coletivização. Uma horda de mortos-vivos, independente do tamanho ou da aparência, é simplesmente uma massa de indivíduos. Se várias centenas de necrófilos convergirem para o local onde está a vítima, isso acontecerá porque cada um deles é guiado pelo próprio instinto. Os zumbis parecem não perceber uns aos outros. Nunca foram observados indivíduos reagindo diante da visão de seus semelhantes a qualquer distância. Isso faz com que voltemos à questão dos sentidos: como o zumbi distingue um de seus semelhantes de um ser humano ou outra presa a uma mesma distância? A resposta ainda precisa ser encontrada. Os zumbis evitam uns aos outros da mesma forma que evitam objetos inanimados. Quando se esbarram, não fazem nenhuma tentativa de relacionamento nem de estabelecer comunicação. Zumbis que se alimentam do mesmo cadáver irão repetidamente puxar a carne em vez de empurrar um concorrente para fora do caminho. A única sugestão de esforço comunitário é vista nos famosos ataques em bando: o grunhido dos necrófilos chamando os outros que estão no mesmo alcance auditivo. Uma vez que tenham escutado o grito, outros mortos-vivos quase sempre convergem para sua fonte. Um estudo recente teorizou que a ação de um explorador grunhindo para sinalizar o ataque para os outros seria um ato deliberado.

Entretanto, sabemos que isso ocorre apenas por acidente. O necrófilo que grunhe quando detecta uma presa faz isso graças a uma reação instintiva, e não como um alerta.

G. *Caçada*

Os zumbis são organismos migratórios, sem nenhuma consideração por território ou o conceito de *lar*. Eles podem viajar por quilômetros e, talvez, se tiverem tempo suficiente, cruzar continentes em busca de comida. Seus padrões de caça são variados. Os necrófilos podem se alimentar tanto à noite quanto durante o dia. Eles mais cambaleiam por uma determinada área do que realizam uma busca deliberada. Certas zonas ou estruturas não são destacadas como um abrigo mais provável de presas. Por exemplo, alguns sabem procurar por casas de fazenda e outras estruturas rurais, enquanto outros do mesmo grupo passam por esses locais sem lhes lançar nem um único olhar de relance. As zonas urbanas levam mais tempo para serem exploradas, o que explica por que os mortos-vivos permanecem por mais tempo nestas áreas, mas nenhum edifício possui precedência sobre os outros. Os zumbis parecem ser totalmente desatentos com relação ao que os cerca. Por exemplo, eles não movimentam os olhos de forma que possam captar as informações de um novo ambiente. Arrastando os pés silenciosamente, com quase 900 metros de campo de visão, eles vagam a esmo, independente da localização, até que uma presa seja detectada. Como foi discutido anteriormente, os mortos-vivos possuem a capacidade excepcional de detectar a localização exata de uma vítima. Uma vez que o contato é feito, o antes silencioso e distraído autômato transforma-se em algo mais semelhante a um míssil teleguiado. A cabeça vira-se imediatamente na direção da vítima. O maxilar cai, os lábios se retraem e, das profundezas do diafragma, vem o grunhido. Uma vez que o contato é realizado, os zumbis não podem ser distraídos de maneira alguma. Eles continuarão a perseguir sua presa, parando apenas quando perdem o contato, realizam um assassinato bem-sucedido ou são destruídos.

H. *Motivação*

Por que os mortos-vivos caçam os vivos? Já que foi comprovado que a carne humana não lhes serve de fonte nutricional, por que o instinto dessas criaturas as conduz ao assassinato? A verdade nos escapa. A ciência moderna, combinada com dados históricos, demonstra que os seres humanos vivos não são as únicas delícias do menu dos mortos-vivos. Equipes de resgate que entraram em áreas infestadas relataram continuamente que eles estripam toda a vida. Qualquer criatura, independente de tamanho ou espécie, é consumida num ataque zumbi. Entretanto, a carne humana é sempre preferível a qualquer outra forma de vida. Um experimento apresentou a um espécime capturado dois cubos de carne idênticos: um composto por material humano e outro animal. O zumbi repetidamente escolheu o cubo de carne humana. As razões que explicam este fenômeno ainda são desconhecidas. O que pode ser confirmado, sem qualquer sombra de dúvida, é que o instinto revelado pelo *Solanum* leva o morto-vivo a matar e devorar qualquer criatura viva que for descoberta. E parece não haver nenhuma exceção.

I. *Matando os mortos*

Apesar de ser um ato simples, destruir um zumbi pode estar longe de ser fácil. Como já vimos, os zumbis não necessitam de nenhuma das funções psicológicas de que os seres humanos precisam para sobreviver. A destruição ou danos severos causados nos sistemas circulatório, digestivo ou respiratório não trarão nenhum problema para um membro das hordas dos mortos que andam, já que essas funções não sustentam mais o cérebro. Colocando a coisa de maneira fácil, há milhares de maneiras de matar um ser humano – e apenas uma de matar um zumbi. O cérebro deve ser destruído, por qualquer meio possível.

J. *Descarte*

Os estudos têm mostrado que o *Solanum* ainda pode habitar o corpo de um zumbi exterminado por mais de 48 horas. Tenha extremo cuidado quando descartar cadáveres de mortos-vivos. A cabeça, em particular, representa o risco mais grave, dada sua concentração do vírus. Nunca lide com um cadáver de morto-vivo sem roupas de proteção. Trate-o da mesma forma que qualquer material tóxico altamente letal. A cremação é a forma mais segura e eficaz de descarte. Apesar dos boatos de que uma pilha de corpos em chamas espalharia o *Solanum*, levando a uma verdadeira epidemia pela nuvem de fumaça, segundo o senso comum, é impossível um vírus sobreviver ao calor intenso, principalmente quando exposto a chamas.

K. *Domesticação?*

Para reiterar, até os dias de hoje, o cérebro dos zumbis mostrou-se à prova de qualquer tipo de corrupção. Experiências que vão do uso de produtos químicos, a cirurgia e ação de ondas eletromagnéticas deram resultados negativos A terapia de modificação comportamental e outras tentativas semelhantes de condicionar os mortos-vivos como um tipo de animal de carga foram similarmente fracassadas. Mais uma vez, a máquina não pode ser substituída. Ela existirá como é, ou não existirá de forma alguma.

O ZUMBI VODU

Se os zumbis são criados por um vírus, e não de magia negra, então como explicar o chamado "zumbi vodu", uma pessoa que morreu, foi erguida de sua tumba e está amaldiçoada a passar a eternidade como escrava de uma pessoa viva? Sim, é verdade que a palavra "zumbi" procede originalmente da palavra kimbundu "nzúmbe", termo que descreve a alma da pessoa morta e, sim, os zumbis e a zumbificação fazem parte da religião afro-caribenha conhecida como vodu. Entretanto, a origem do nome é a única semelhança entre o zumbi vodu e o zumbi viral. Apesar de se dizer que os *houngans* (sacerdotes) do vodu podem transformar seres humanos em zumbis por meios mágicos, a prática se baseia de forma consistente e inegável na ciência. O "pó de zumbi", o instrumento utilizado pelo *houngan* para a zumbificação, contém uma neurotoxina muito potente (os ingredientes exatos são um segredo muito bem guardado). A toxina paralisa temporariamente o sistema nervoso humano, criando um estado de hibernação extrema. Uma vez que o coração, os pulmões e todos os outros órgãos do corpo passam a operar em níveis mínimos, compreende-se o fato de um legista inexperiente declarar morto um indivíduo paralisado. Muitos seres humanos foram enterrados enquanto estavam nesse estado, despertando aos gritos na escuridão total de seus caixões. O que faz com que este ser humano se torne um zumbi? A resposta é simples: dano cerebral. Muitos daqueles que são enterrados vivos usam rapidamente todo o ar contido no caixão. Os que se restabelecem (se tiverem sorte suficiente) quase sempre sofrem danos cerebrais devido à falta de oxigênio. Essas pobres almas caminham aos tropeços pelas imediações com poucas habilidades cognitivas ou, na verdade, livre-arbítrio, e são normalmente confundidas com os mortos-vivos. Como você pode distinguir um zumbi vodu do artigo genuíno? Os sinais reveladores são óbvios.

1. **Zumbis vodus demonstram emoções.** As pessoas que sofrem de dano cerebral induzido pelo pó de zumbi ainda são capazes de ter todos os sentimentos humanos normais. Elas sorriem, choram e até rosnam de raiva quando machucadas ou provocadas de alguma forma (algo que zumbis verdadeiros nunca fariam).

2. **Zumbis vodus demonstram raciocínio.** Como foi afirmado anteriormente, quando um verdadeiro zumbi encontra uma pessoa, ele imediatamente mira o alvo como se fosse uma bomba inteligente. Um zumbi vodu levará um minuto tentando descobrir quem ou que é aquela criatura. Talvez ele vá direto em sua direção, ou irá recuar, ou ainda continuará a observar enquanto o cérebro danificado tenta analisar a informação dada. O que o zumbi vodu *não* fará é erguer os braços, deixar que a mandíbula tombe, liberar um grunhido infernal e caminhar tropegamente na direção do alvo.

3. **Zumbis vodus sentem dor.** Um zumbi vodu que tropeça e cai sem dúvida nenhuma irá segurar o joelho machucado e lamuriar-se. Da mesma maneira, um zumbi que já esteja sofrendo de outro ferimento irá acariciá-lo, ou, pelo menos, ter consciência da existência daquela lesão. Zumbis vodus não ignoram cortes profundos em seus corpos, como fariam os verdadeiros zumbis.

4. **Zumbis vodus reconhecem o fogo.** Não é correto dizer que eles temem as chamas. Aqueles que sofreram lesões cerebrais muito severas podem não lembrar do que é o fogo. Eles pararão para examinar, talvez até estendam os braços para tocá-lo, mas recuarão uma vez que percebam que o fogo causa dor.

5. **Zumbis vodus reconhecem aquilo que os cerca.** Ao contrário dos zumbis verdadeiros, que reconhecem apenas presas, os zumbis vodus reagem a mudanças repentinas de luz, som, sabor e cheiro. Observaram-se zumbis vodus assistindo televisão ou acendendo luzes, ouvindo música, encolhendo-se ao ouvir um trovão ou mesmo percebendo a presença de outro de sua espécie. Este último dado foi fundamental em diversos casos de erro de identificação. Se os zumbis em questão não reagirem à presença do outro (eles olham para seu igual, produzem sons, chegam até a tocar o rosto um do outro), podem ter sido acidentalmente exterminados.

6. **Zumbis vodus NÃO possuem supersensibilidade.** Um ser humano que sofre os efeitos debilitantes do pó de zumbi é ainda um ser humano dependente da visão. Ele não pode agir perfeitamente na escuridão, ouvir um passo a quinhentos metros de distância ou sentir o cheiro de um ser vivo no vento. Os zumbis vodus de fato podem ser surpreendidos por alguém que se aproxime por trás deles. Entretanto, isso não é recomendado, já que um zumbi apavorado pode reagir com ira.

7. **Zumbis vodus podem se comunicar.** Embora isto nem sempre acontece, muitos destes indivíduos conseguem reagir a sinais audiovisuais. Muitos entendem palavras e alguns compreendem até frases simples. Diversos zumbis vodus têm a capacidade de falar de forma obviamente simples e em raras ocasiões conseguem manter conversas mais extensas.

8. **Zumbis vodus podem ser controlados.** Apesar de isso não ser verdadeiro em todos os casos, muitos seres humanos com danos cerebrais perderam muito de sua força de

> vontade, fazendo com que se tornem muito suscetíveis a sugestões. Um simples grito para que um indivíduo pare ou fuja pode ser suficiente para se livrar de um zumbi vodu. Isso acaba criando situações perigosas, onde pessoas confusas acreditam que podem controlar ou treinar zumbis de verdade. Em diversas ocasiões, seres humanos voluntariosos insistiram que podiam simplesmente ordenar que seus atacantes mortos-vivos parassem. Quando mãos geladas e apodrecidas agarraram seus membros, e dentes sujos e gastos morderam sua carne, essas pessoas descobriram, tarde demais, o tipo de criatura com que estavam lidando.

Estas instruções devem ter lhe dado uma boa idéia de como distinguir um zumbi vodu de um zumbi verdadeiro. Uma última observação: os zumbis vodu são quase sempre encontrados na África subsaariana, Caribe, América Central e do Sul, e no sul dos Estados Unidos. Apesar de não ser impossível encontrar pessoas que foram transformadas em zumbis por um *houngan* em outros locais, a probabilidade de isso acontecer é bem pequena.

O ZUMBI HOLLYWOODIANO

Desde que os mortos-vivos pisaram pela primeira vez na telona, o maior inimigo dessas criaturas deixou de ser o caçador e passou a ser a crítica. Acadêmicos, cientistas e até cidadãos conscientes argumentam que esses filmes retratam o morto-vivo de maneira fantástica e irreal. Elementos como armas visualmente atordoantes, seqüências de ação impossíveis, personagens humanos praticamente imortais e, acima de tudo, necrófilos mágicos, invencíveis e até cômicos engrossaram o caldo da já controversa sopa que é o "filme de zumbi". As críticas mais profundas argumentam que esse enfoque que privilegia "o estilo sobre a essência" do cinema sonâmbulo ensina ao telespectador humano lições que podem fazer com que ele seja morto num encontro real. Estas acusações tão graves requerem uma defesa igualmente séria. Embora os filmes de zumbi sejam baseados em acontecimentos reais, seu objetivo, que na verdade é o objetivo de quase todos os filmes de todos os gêneros, sempre foi, em primeiro lugar e antes de mais nada, divertir. A não ser que estejamos falando dos documentários propriamente ditos (e até algumas produções desse tipo são "adoçadas"), os cineastas precisam assumir algumas licenças poéticas para tornar seu trabalho mais palatável para o público. Até filmes baseados em fatos reais sacrificam a verdade para favorecer o roteiro. Certos personagens tornam-se amálgamas de indivíduos da vida real. Outros podem ser totalmente ficcionais no intuito de explicar certos fatos, facilitar o roteiro ou simplesmente adicionar tempero à cena. Pode-se argumentar que o papel do artista é desafiar, educar e esclarecer seu público. Pode ser verdade, mas tente transmitir conhecimento a uma platéia que pode sair do cinema ou cair no sono nos dez primeiros minutos do filme. Aceite esta regra básica da produção cinematográfica e você entenderá por que os filmes de zumbi hollywoodianos, em alguns casos licenciosamente, faltam com a realidade na qual são baseados. Em resumo, utilize essas adaptações cinematográficas da forma que os cineastas planejaram: como uma fonte de entretenimento temporário e despreocupado, e não como um auxílio visual à sua sobrevivência.

INSURREIÇÕES

Apesar de o ataque de cada zumbi ser diferente, dado o número, o terreno, a reação da população em geral etc., seu nível de intensidade pode ser medido em quatro tipos distintos.

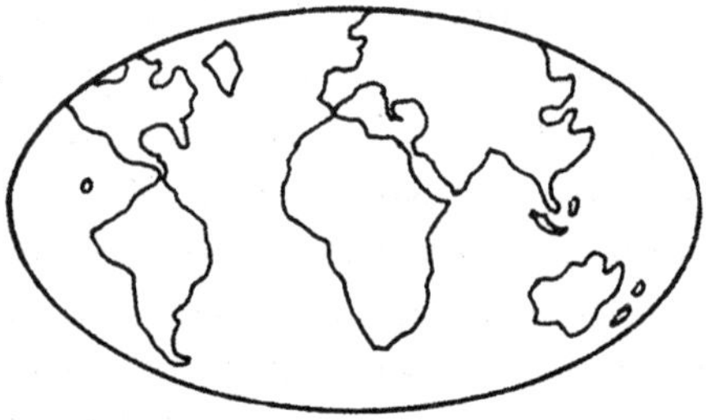

Tipo 1

Essa é uma insurreição de nível baixo, que acontece geralmente no interior de países do Terceiro Mundo ou em áreas rurais do Primeiro Mundo. O número de zumbis neste tipo de insurreição varia entre um e vinte. O total de baixas humanas (incluindo aqueles infectados) varia de um a cinqüenta. A duração total, do primeiro caso ao último (conhecido), irá variar entre 24 horas e 14 dias. A área infestada é sempre pequena, com não mais de 32 quilômetros de raio. Em muitos casos, as fronteiras naturais determinarão seus limites. A réplica será branda, que seja composta exclusivamente por civis ou receba algum apoio adicional dos representantes da lei do lugar. A cobertura da mídia será pequena, se houver. Caso a imprensa cubra o ocorrido, procure por histórias comuns como homicídios ou "acidentes". Esse é o tipo mais comum de ataque e também o mais fácil de passar desapercebido.

Tipo 2

As áreas urbanas ou rurais densamente povoadas estão incluídas nesse nível de ataque. O número total de zumbis pode variar de vinte a cem. O número total de baixas humanas pode atingir mais de várias centenas. A duração de ataques de Tipo 2 pode não ser mais longa do que a de ataques do Tipo 1. Em alguns casos, uma quantidade maior de zumbis pode causar conseqüências mais imediatas. Os ataques ocorridos em áreas rurais mais esparsamente povoadas podem se estender por um raio de mais de 160 km, enquanto um ataque urbano pode abranger apenas alguns quarteirões. Quase certamente será organizada uma repressão. Grupos compostos por civis serão substituídos por representantes da lei local, estadual e até mesmo federal. Para uma reação adicional militar, mesmo que em patamares mais baixos, será chamada a Guarda Nacional, nos Estados Unidos, ou seu equivalente no exterior. Em geral, para acalmar o pânico, essas unidades assumem um papel não-combatente, fornecendo assistência médica, contenção das multidões e apoio logístico. Ataques de Tipo 2 quase sempre atraem a imprensa. A não ser que o ataque aconteça numa parte do mundo realmente isolada ou em algum lugar onde a mídia seja estritamente controlada, a história será contada. Entretanto, isso não quer dizer que o caso será transmitido da maneira correta.

Tipo 3

Uma verdadeira crise. Os ataques de nível três, mais do que qualquer outro tipo, demonstram uma clara ameaça proclamada pelos mortos-vivos. O número de zumbis pode chegar a milhares, abrangendo uma área de várias centenas de quilômetros. A duração do ataque e uma possível e cansativa operação de limpeza podem levar vários meses. Não há nenhuma possibilidade de a imprensa abafar ou encobrir o acontecimento. Até mesmo sem a atenção da mídia, a imensa magnitude do ataque deixará muitas testemunhas oculares. Trata-se de uma batalha totalmente desenvolvida, com as forças da lei substituídas por unidades militares regulares. Será declarado estado de emergência na área infestada, assim como nas áreas vizinhas. Espere leis marciais, trânsito restrito de pessoas, suprimentos racionados, serviços federalizados e comunicação estritamente monitorada. A implementação de todas estas medidas, entretanto, levará tempo. A fase inicial será de caos, enquanto aqueles que estão no poder travam uma luta corpo-a-corpo contra a crise. Os tumultos, saques e pânico generalizado aumentarão os problemas dessas autoridades, promovendo o atraso de uma ação eficaz. Enquanto isso acontece, os que vivem nas áreas infestadas dependerão da benevolência dos mortos-vivos. Isolados, abandonados e cercados de necrófilos, só poderão contar consigo mesmos.

Tipo 4

(Ver "Vivendo em um mundo de mortos-vivos", página 209).

DETECÇÃO

Qualquer ataque de mortos-vivos, independente do tipo, tem um começo. Agora que o inimigo já foi definido, o próximo passo é a detecção precoce. Saber o que é um zumbi não irá ajudá-lo se você não for capaz de reconhecer uma invasão antes que seja tarde demais. Isso não impõe a construção de um "posto de comando zumbi" no seu porão, alfinetes pregados em mapas ou rondas com um rádio de ondas curtas a tiracolo. Só é necessário procurar os sinais que podem escapar de mentes não treinadas. Estes sinais incluem:

1. Homicídios nos quais as pessoas são executadas com tiros na cabeça ou decapitação. Isso acontece muito, pois as pessoas reconhecem uma invasão e tentam encontrar formas de resolver o problema à própria maneira. Quase sempre, essas pessoas são declaradas assassinas pelas autoridades locais e julgadas como tal.

2. Pessoas desaparecidas, especialmente em áreas inóspitas ou desabitadas. Preste atenção se um ou mais membros do grupo de resgate acabar sumindo. Se o caso for televisionado ou fotografado, veja que tipo de armamento a equipe está portando. Qualquer outra coisa além de um rifle por grupo pode significar que esta é mais do que uma mera operação de resgate.

3. Casos de "insanidade violenta" nos quais os indivíduos atacam amigos ou familiares sem utilizar armas. Descubra se o atacante mordeu ou tentou morder suas vítimas. Se isso ocorreu, alguma vítima ainda está no hospital? Tente descobrir se uma delas morreu misteriosamente nos dias seguintes à mordida.

4. Tumultos ou agitações civis que começam sem nenhuma provocação ou outra causa lógica. Segundo o bom senso, a violência em grupos de qualquer nível não ocorre simplesmente sem um catalisador, como tensão racial, ações políticas ou decisões legais. Mesmo a chamada "histeria em massa" sempre pode ter sua origem identificada. Se nada puder ser encontrado, a resposta pode estar em outro lugar.

5. Mortes baseadas em doenças nas quais a causa é indeterminada ou pareça muito suspeita. Comparadas com as que ocorriam um século atrás, as mortes por doenças infecciosas são raras em nosso mundo industrializado. Por esse motivo, novos ataques sempre viram notícia. Procure por estes casos, cuja natureza exata da doença é inexplicável. Também fique alerta para explicações suspeitas como o vírus do oeste do Nilo ou a doença da "vaca louca". Ambos podem ser exemplos de acobertamento por parte da mídia.

6. *Qualquer um* dos casos em que a cobertura da mídia seja proibida. Um acobertamento total por parte da mídia é raro nos Estados Unidos. A ocorrência de um desses casos pode ser considerada uma imensa bandeira vermelha. É claro que podem haver muitos outros motivos diferentes para um ataque de mortos-vivos. Então, mais uma vez, qualquer acontecimento que obrigue o governo, assim como a mídia que está a par dos acontecimentos e até cada um de nós a impor restrições, merece maior atenção. A verdade, independente de qual seja, não pode ser boa.

Uma vez que um acontecimento desafie sua racionalidade, não o perca de vista. Tome nota da localização e da distância. Busque por incidentes similares ao redor ou próximos ao local original. Se, em poucos dias ou semanas, estes incidentes ocorrerem, analise-os meticulosamente. Preste atenção na reação das forças da lei e de outros órgãos governamentais. Se reagirem com mais vigor a cada ocorrência, é evidente a probabilidade de que esteja acontecendo um ataque.

ARMAS E TÉCNICAS DE COMBATE

Eram pelo menos vinte deles: homens, mulheres, crianças. Começamos nosso ataque a uns setenta, ou oitenta metros. Podia ver grandes pedaços de carne soltando-se de seus corpos. Nossos tiros estavam atingindo os alvos. E eles não paravam de vir. Eles simplesmente não paravam de vir! Avistei um deles e puxei o dedo, lançando uma rajada a todo vapor de minha submetralhadora. Sei que detonei a espinha do alvo, pois o homem caiu como uma folha. Com as pernas ainda se contorcendo, ele continuava a rastejar na minha direção! A vinte metros, atacamos com o Vektor. E nada! Observei pedaços de órgãos e ossos brotando de suas costas. Vi membros serem literalmente serrados das juntas. A SS77 são as melhores metralhadoras já produzidas, 840 metros por segundo, 800 tiros por minuto, e não estava adiantando porra nenhuma! As granadas que tínhamos detonaram apenas um deles. Um! Seu corpo estraçalhado estava deitado inerte com uma cabeça que ainda tentava morder alguma coisa! [Nome omitido] *foi em frente com seu canhão antitanque. A porra do projétil atravessou direto o alvo macio e arrancou uma pedra que estava atrás dele! Finalmente, a cinco metros, utilizamos o resto de combustível que sobrou no lança-chamas. Os filhos-da-puta pegaram fogo como tochas, mas simplesmente não pararam! Um deles agarrou* [nome omitido] *e pôs fogo nele enquanto mordia seu pescoço. Vi o resto daquelas coisas cercá-lo enquanto a gente deu o fora para a selva, uma multidão de corpos em chamas se agachavam para despedaçar outra tocha humana que gritava. Filha-da-puta do demônio, que diabos a gente podia fazer?*

– MERCENÁRIO SÉRVIO DURANTE A GUERRA CIVIL DA ZAIRIA, 1994

Escolher a arma certa (*nunca* leve apenas uma) pode fazer a diferença entre uma pilha de zumbis mortos e se tornar um deles. Quando confrontado com um morto-vivo, é fácil acreditar na estratégia do supercomando: portar os armamentos mais pesados e poderosos possíveis e "mandar ver". Isso não é apenas um ato tolo – é suicídio. Zumbis não são guardas de acampamento de um filme de fuga caricato, que são destruídos em massa com a primeira e teatral saraivada de balas. Armar-se para um encontro com zumbis requer consideração cuidadosa, uma cabeça fria e uma análise prática de todos os fatores envolvidos.

REGRAS GERAIS:

1. OBEDEÇA À LEI!: As regulamentações que controlam armas como pistolas e explosivos dependem da sua região. Siga-as ao pé da letra. A punição pode variar de uma multa de bom tamanho a encarceramento. Em qualquer um dos casos, a ficha criminal resultante é algo com o qual você *não pode arcar*! Quando os mortos se levantarem, as forças da lei devem olhar para você como um cidadão modelo, alguém em quem se deve confiar e deixar em paz, e não um delinqüente com um passado duvidoso que deve ser interrogado no primeiro sinal de problema. Felizmente, como este capítulo irá mostrar, as armas mais simples e legais terão muito mais utilidade do que as máquinas de matar paramilitares.

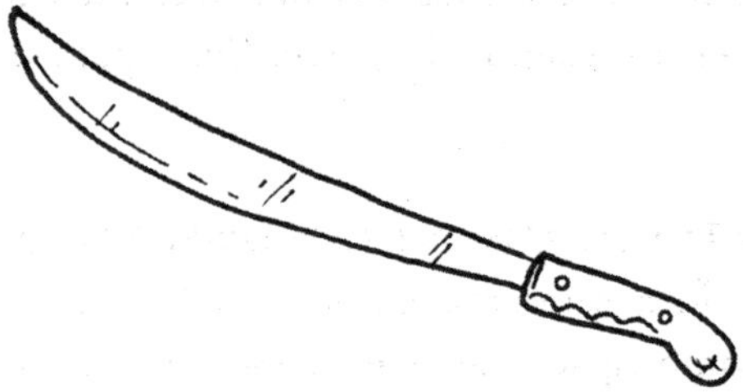

2. TREINE TODOS OS DIAS: Não importa a arma que você escolher, de um simples facão a um rifle semi-automático; ela deve ser uma extensão do seu corpo. Pratique o máximo possível. Se existirem cursos, inscreva-se. Aprender com instrutores qualificados irá poupar muito tempo e energia. Se o mecanismo puder ser desmontado, faça isso tanto à luz do sol quanto na mais completa escuridão até que você conheça cada pino, mola, curva e aresta dessa máquina. A prática lhe trará tanto experiência quanto confiança, duas características que você deve desenvolver para ser bem-sucedido na batalha contra os mortos-vivos. A história tem provado que um indivíduo bem treinado, armado apenas com uma pedra, tem mais chances de sobrevivência do que um iniciante com a mais recente maravilha tecnológica.

3. CUIDE DE SUAS FERRAMENTAS: As armas, independente de sua simplicidade, devem ser cuidadas como seres vivos. Qualquer um com experiência em armas de fogo sabe que a manutenção e a limpeza fazem parte da rotina de uso diário. Isso também se aplica a armas de luta corpo-a-corpo. As lâminas precisam de polimento e proteção contra a ferrugem. Empunhaduras precisam de verificação e manutenção. Nunca abuse de suas ferramentas e nem as exponha a danos desnecessários. Se possível, leve-as regularmente a profissionais experientes para que sejam testadas. Esses especialistas podem detectar defeitos ainda nos primeiros estágios, imperceptíveis para o usuário amador.

4. FIQUE ATENTO AOS ARTIGOS DISPONÍVEIS: Muitas empresas fornecem uma grande variedade de réplicas de armas, como espadas, arcos etc., que são fabricadas meramente para decoração. Sempre avalie o artigo escolhido

minuciosamente e assegure-se de que ele foi de fato projetado para o uso no mundo real. Não confie apenas nas palavras da empresa. “Pronto para a batalha” pode significar que o artigo pode suportar alguns golpes num palco de teatro, ou em alguma feira histórica, mas irá se partir em dois durante um confronto de vida ou morte. Se seus recursos permitirem, compre duas unidades do mesmo artigo e treine com uma delas ao máximo. Só então você deve confiar nas habilidades dessa arma.

5. FORTALEÇA A PRIMEIRA DAS ARMAS: O corpo humano, se cuidado e treinado de forma apropriada, é a maior arma existente na Terra. Os americanos são famosos por sua dieta ruim, falta de exercícios e um fetiche implacável pela tecnologia criada para poupar qualquer esforço. Em vez de “bicho-preguiça” um termo mais apropriado seria “gado”: gordo, preguiçoso, apático e pronto para ser comido. A Arma Número 1, a ferramenta biológica que é o nosso corpo, pode e deve ser transformada de presa em predador. Obedeça uma dieta rigorosa e um regime de adequação física. Concentre-se em exercícios cardiovasculares em vez daqueles que favorecem o desenvolvimento dos músculos. Monitore qualquer deficiência de saúde crônica que você possa ter, independente de sua gravidade. Mesmo que sua pior enfermidade seja uma alergia, você deve saber *exatamente* do que o seu corpo é capaz! Estude e torne-se mestre em pelo menos uma arte marcial. Assegure-se de que essa luta enfatize tanto táticas para escapar de imobilizações quanto para desferir golpes. Saber como escapar das garras de um zumbi é a habilidade mais importante que você pode ter ao se encontrar num combate corpo-a-corpo.

COMBATE CORPO-A-CORPO

Os combates corpo-a-corpo devem ser quase sempre evitados. Dada a falta de velocidade dos zumbis, é muito mais fácil correr (ou andar depressa) do que ficar parado e lutar. Entretanto, esse tipo de disputa pode ser necessária para destruir um zumbi a curta distância. Neste caso, frações de segundo são críticas. Um movimento errado, um momento de hesitação, e você pode sentir mãos frias agarrando seu braço ou dentes afiados e quebrados mordendo sua carne. Por essa razão acima de todas, escolher uma arma de combate corpo-a-corpo é mais importante do que qualquer outro armamento apresentado neste capítulo.

1. ARMAS DE CONCUSSÃO

Ao usar uma arma de concussão, o objetivo é esmagar o cérebro (lembre-se, a única maneira de matar um zumbi é destruindo seu cérebro). Isto não é tão fácil quanto parece. O crânio humano é uma das superfícies mais rígidas e mais resistentes que existem na natureza. Obviamente, o cérebro do zumbi também obedece a esta regra. Uma força extrema já é necessária para fraturá-lo, imagine então o que é preciso para despedaçá-lo. Entretanto, isso pode ser feito com um único golpe bem localizado. Errar o alvo ou fracassar no ato de quebrar o osso não lhe dará uma segunda chance.

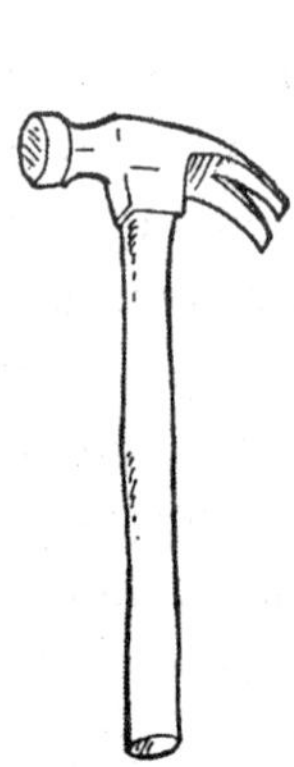

Bastões, cabos de machados e outros porretes de madeira são bons para tirar um zumbi do caminho ou rechaçar um ataque individual. O que falta a esse tipo de arma são o peso e força necessárias para um ataque letal. Um pedaço de cano de chumbo funcionará em um encontro com uma única criatura, mas é muito pesado para ser utilizado em movimento. Uma marreta possui o mesmo inconveniente e também requer prática de seu usuário para atingir um alvo em movimento. Tacos de alumínio são leves o suficiente para funcionarem em uma, talvez duas lutas, mas sabe-se que essas ferramentas entortam com o uso prolongado. O martelo básico de carpinteiro, que pode ser utilizado com apenas uma das mãos, tem um poder devastador, mas um alcance muito limitado. O cabo pequeno desta ferramenta permite que um zumbi agarre seu braço e o prenda. O cassetete da polícia, feito de acetato plástico (na maioria dos casos), é forte o suficiente para qualquer batalha, mas lhe falta poder letal para matar num único golpe (observação: esta arma foi projetada exatamente para isso).

A melhor arma de concussão é um pé-de-cabra de aço. Sua leveza relativa e constituição durável fazem do pé-de-cabra a ferramenta ideal para um combate corpo-a-corpo prolongado. A ponta curva e semi-afiada também permite a realização de perfurações através das órbitas dos olhos, atravessando diretamente a caixa craniana. Vários sobreviventes relataram ter matado zumbis desta forma. Outro benefício do pé-de-cabra é que esta ferramenta pode ser necessária para arrombar uma porta, deslocar um objeto pesado ou qualquer outra tarefa para o qual ela foi originalmente criada. Nenhuma dessas ações pode ser realizada com qualquer um dos objetos previamente mencionados. O modelo de titânio chega a ser mais leve e durável do que o de aço, e atualmente pode ser facilmente encontrado no mercado ocidental, provenientes de países da Europa Oriental e da antiga União Soviética.

2. ARMAS CORTANTES

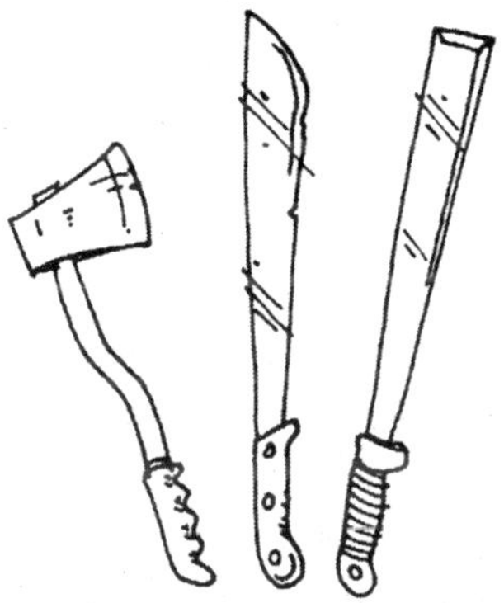

Qualquer tipo de lâmina possui vantagens e desvantagens sobre as armas de concussão. Aquelas que têm força suficiente para rachar o crânio raramente se mantêm intactos após várias repetições do mesmo golpe. Por essa razão, os decepamentos, particularmente a decapitação, têm quase a mesma função de uma pancada na cabeça. (Observação: a cabeça de um zumbi, mesmo separada do corpo, ainda é capaz de morder e deve ser considerada uma ameaça.) A vantagem dos decepamentos sobre as armas de concussão é que eles podem tornar a morte do zumbi desnecessária. Em alguns casos, o decepamento de um membro ou a separação da espinha é suficiente para incapacitar o agressor morto-vivo. (Observação: cortar um órgão também traz a possibilidade de contato com o vírus através da área exposta.)

Um machado comum pode esmagar facilmente o crânio de um zumbi, esmagando tanto os ossos quanto o cérebro num único golpe. A decapitação é igualmente fácil, o que explica por que o machado foi a arma preferida dos executores por séculos. Entretanto, ao ser combinada com uma cabeça em movimento, pode tornar o golpe difícil. Além disso, se você errar completamente o golpe, poderá perder o equilíbrio.

A machadinha é uma arma menor e pode ser utilizada com as duas mãos, podendo ser excelente como último recurso. Se você estiver encurralado e as armas maiores forem inúteis, um golpe de machadinha dará conta do atacante.

A espada é a arma cortante ideal, mas não para qualquer tipo de superfície. Sabres, floretes e armas de esgrima semelhantes não são adequadas para decepamentos. Seu único uso possível seria uma estocada através do globo ocular, seguida de um rápido movimento de torção no cérebro. Este golpe, entretanto, foi realizado apenas uma vez, por um esgrimista treinado e, portanto, não é recomendado.

As armas cujo uso requer apenas uma das mãos permitem que você fique com uma das mãos livre para realizar outras tarefas, como abrir uma porta ou defender seu corpo com um escudo. A única desvantagem desse tipo de armamento é a falta de liberdade de movimentos. Um único braço pode não ter a força necessária para partir a densa cartilagem entre os ossos. Outra desvantagem é a famosa falta de precisão do usuário. Retalhar um oponente vivo em qualquer parte do corpo é uma coisa. Realizar um talho limpo e exato através do pescoço é algo completamente diferente.

Espadas de duas mãos podem ser consideradas as melhores de sua categoria, oferecendo força e precisão para uma decapitação perfeita. Neste grupo, tipo, a katana utilizada pelos samurais japoneses está em primeiro lugar no ranking. Seu peso (que varia de 1,5 kg a 2,5 kg) é perfeito para conflitos prolongados, e sua lâmina pode romper a mais rígida fibra orgânica.

Em cômodos apertados, as lâminas menores são mais vantajosas. O gládio romano é uma alternativa, apesar da dificuldade de se encontrar uma réplica adequada para combate. A ninjite japonesa ostenta uma empunhadura para duas mãos e, nos modelos genuínos, o famoso aço temperado. Ambos os fatores tornam esta arma superior. O habitual facão, graças a seu tamanho, peso e disponibilidade, é provavelmente a melhor escolha. Se possível, consiga a versão militar, geralmente vendida em lojas de sobras de equipamentos do exército. Seu aço tende a ser de qualidade superior e a lâmina escurecida ajuda na ocultação durante a noite.

3. ARMAS BRANCAS DIVERSAS

Arpões, lanças e tridentes servem para espetar um zumbi, mantendo-o fora de alcance, mas não são necessariamente capazes de matar. Uma estocada pode atravessar as órbitas de uma criatura, mas a possibilidade é remota. A alabarda (um híbrido entre o machado e a lança), armamento típico da Europa medieval, pode servir como arma cortante, entretanto, mais uma vez, requer uma grande habilidade e muita prática para que um golpe de decapitação seja bem-sucedido. A não ser quando utilizada como arma de concussão, a alabarda tem poucos benefícios.

As estrelas-da-manhã ou "manguais", uma bola com espinhos presa por uma corrente a uma haste, produzem basicamente o mesmo dano que um pé-de-cabra, embora de uma forma muito mais drástica. O usuário balança a haste a uma determinada distância, de forma que seja provocado o impulso necessário para fazer com que a bola esmague o crânio do oponente. O uso desta arma requer uma habilidade considerável e, por esse motivo, não é recomendada.

A maça, também originária da Europa medieval, possui a mesma função que o martelo doméstico básico, mas sem o benefício de seus usos práticos. Uma maça não pode arrombar uma porta, bater num cinzel ou cravar um prego. A utilização desta arma pode causar ferimentos acidentais. Portanto, leve esse tipo de armamento medieval apenas quando não houver nenhuma outra alternativa disponível.

As facas são sempre úteis, servindo para as mais variadas funções em diversas situações. Ao contrário de uma machadinha, as facas só são capazes de matar um zumbi quando a lâmina penetra nas têmporas, nas órbitas oculares, ou na base do crânio. Por outro lado, as facas quase sempre pesam menos do que as machadinhas e, não obstante, são melhores quando se está em movimento. Ao escolher uma faca, assegure-se de que a lâmina tenha mais de 15 centímetros e seja toda lisa. Evite facas de serra e as combinações de serra e lâmina lisa encontradas em facas de sobrevivência na selva, já que estes modelos tendem a se alojar no corpo da vítima. Imagine-se cravando a faca nas têmporas de um zumbi e virando-se para encarar outros três necrófilos sem ser capaz de recuperar sua arma.

A soqueira com lâmina é, sem sombra de dúvida, a melhor arma compacta antizumbi da face da Terra. Ela combina perfeitamente uma ponta de ferro de 18 centímetros como lâmina e uma soqueira de metal que funciona como cabo. Esta arma foi desenvolvida durante os selvagens combates corpo-a-corpo ocorridos na Primeira Guerra Mundial, onde os soldados se matavam em trincheiras com pouco mais de 30 centímetros de altura. A soqueira com lâmina foi especificamente criada para ser utilizada de forma ascendente através do capacete de aço do inimigo. Assim, pode-se imaginar a eficácia desta arma contra um zumbi. O usuário pode apunhalar a lâmina com facilidade através do crânio da criatura, retirá-la de forma limpa e rápida e, em seguida, arrebentar os miolos de outro morto-vivo ou, no mínimo, derrubá-lo com um soco no rosto dado com a soqueira. Os modelos originais são extremamente raros, existindo muito poucos exemplares, que pertencem a museus e colecionadores particulares. Entretanto, quando corretos, os guias esquemáticos para construir sua própria soqueira com lâmina podem ser seguidos e você mesmo pode fabricar uma ou duas réplicas com a tensão correta e prontas para o combate. Esse será um investimento do qual você nunca se arrependerá.

A espada shaolin

Esta arma merece menção especial no arsenal antizumbi. Sua aparência pode ser muito pouco convencional: um bastão de madeira rígida de mais de 1,80 metro, com uma lâmina plana e em forma de sino em uma das extremidades uma lâmina crescente virada para fora na outra. Sua origem remonta à dinastia chinesa Shang (1766-1122 a.C.). Quando o budismo migrou para a China, a espada foi adotada pelos monges shaolins tanto como ferramenta quanto como arma. Quando impulsionada com ambas as lâminas viradas para a frente, causa decapitação instantânea, enquanto seu tamanho a torna completamente segura para o usuário. Este mesmo tamanho a torna pouco prática para combates em locais fechados e, portanto, deve ser evitada nessas ocasiões. Em espaços abertos, entretanto, nada combina melhor a segurança de uma lança com o poder mortal de uma katana do que a espada shaolin.

Existe uma grande variedade de outras armas brancas pelo mundo, e não há espaço suficiente para que o autor discuta cada uma delas individualmente. Se você descobrir um utensílio ou ferramenta que possa servir como uma boa arma, faça a si mesmo as seguintes perguntas:

1. Pode esmagar um crânio num único golpe?
2. Em caso negativo, poderia decapitar também num único golpe?
3. É de fácil manejo?
4. É leve?
5. É durável?

As questões 3, 4 e 5 dependerão de sua situação presente. As questões 1 e 2 são essenciais!

4. FERRAMENTAS ELÉTRICAS

A ficção popular tem nos mostrado o poder impressionante e brutal da serra elétrica. Seus dentes rotativos de rápido acionamento podem fatiar facilmente carne e ossos, tornando desnecessárias a força e a habilidade exigidas pelas armas manuais.

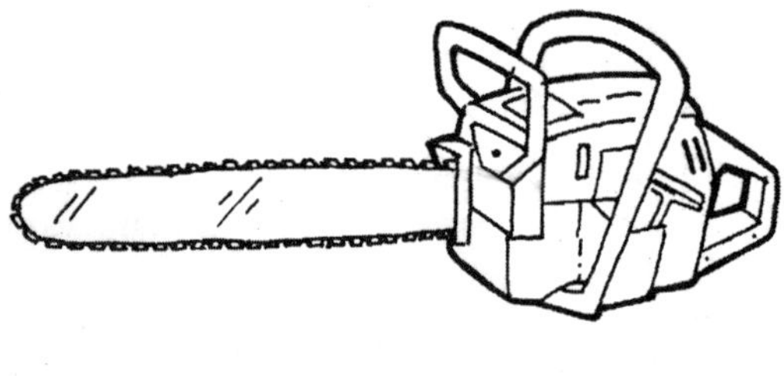

Seu rugido também dá ao proprietário o tão necessário impulso psicológico – um fortalecimento diante do terror abjeto. Quantos filmes de terror você já viu onde essa máquina de matar industrial levou a destruição para tudo e todos em que tocava? Na realidade, entretanto, as serras e outros aparelhos elétricos ocupam posições extremamente baixas no ranking das armas mais práticas para o aniquilamento de zumbis. Para os iniciantes, seu reservatório de combustível é finito. Uma vez que o combustível é consumido, essas ferramentas oferecem tanta proteção quanto um minisystem. Carregar combustível extra ou baterias leva ao segundo problema básico: o peso.

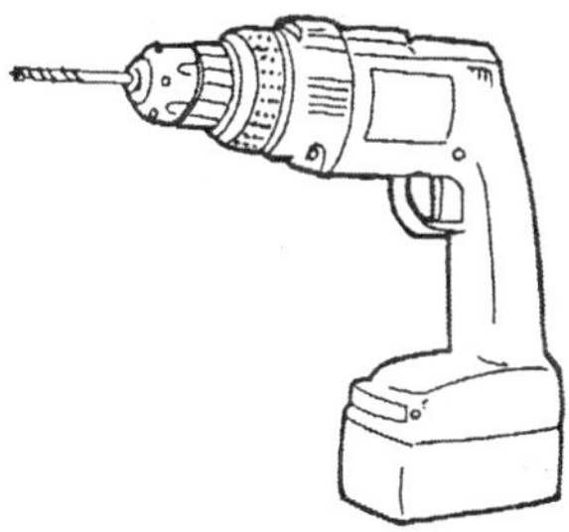

A serra elétrica comum pesa 4,5 kg, rivalizando com os 900 gramas da machadinha. Sendo assim, qual das duas armas aumenta a probabilidade de exaustão? A segurança também deve ser considerada. Basta um tropeço e os dentes rotativos podem dilacerar o seu próprio crânio com a mesma facilidade com que faria com o inimigo. Como qualquer máquina, outro problema é o barulho. O rugido típico da serra elétrica, mesmo soando por alguns poucos segundos, é suficiente para anunciar para qualquer zumbi que estiver no campo de audição que "o jantar está servido".

ATIRADEIRAS E FLECHAS

Comumente, acredita-se que o uso de balística diferente da das armas de fogo, como em arcos e estilingues, é um desperdício de energia e recursos. Na maioria dos casos, isso é verdade. Entretanto, se utilizados de forma correta, estas armas permitirão que você mate a uma longa distância com pouco ou nenhum som. O que aconteceria se você estivesse tentando escapar de uma área infestada, virasse uma esquina e um único necrófilo bloqueasse seu caminho? Ele está muito distante para que você possa utilizar uma arma branca. Antes que você possa se aproximar, o gemido da criatura irá trair sua posição. O estampido de uma arma de fogo soará como um alarme ainda mais estridente. O que você deve fazer? Em casos como esse, certas armas silenciosas podem ser sua única opção.

1. A ATIRADEIRA

Tornada famosa pela história bíblica de Davi e Golias, a atiradeira tem feito parte de nossa herança desde os tempos pré-históricos. O usuário posiciona uma pedra lisa e redonda no centro de uma tira fina de couro, segura ambas as extremidades, gira-a repetidamente em movimentos rápidos e, por fim, solta uma das pontas da tira, liberando a pedra em direção ao alvo. Teoricamente, é possível executar um zumbi com um silencioso golpe na cabeça a menos de trinta passos de distância. Entretanto, mesmo após meses de treinamento, a probabilidade de realizar um ataque desse tipo é de uma em dez, no máximo. Na falta de experiência, o melhor é simplesmente atirar pedras.

2. O ESTILINGUE

Um descendente da funda de couro, o moderno estilingue é pelo menos dez vezes mais preciso do que seu antecessor, a atiradeira. O que lhe falta, entretanto, é vigor. Pequenos projéteis lançados de um moderno estilingue simplesmente não têm a força necessária, mesmo que a distâncias mínimas, para penetrar no crânio de um zumbi. Essa arma deve servir apenas para alertar o necrófilo para sua presença.

3. A ZARABATANA

Dado que o veneno não surte nenhum efeito nos mortos-vivos, desconsidere totalmente esta arma.

4. SHURIKEN

Esses dispositivos pequenos e com pontas múltiplas eram utilizados no Japão feudal para atravessar o crânio humano. Em aparência, essa arma lembra uma réplica em aço bidimensional de uma estrela brilhante, vindo daí o seu nome, que significa "estrela arremessável". Em mãos experientes, podem abater um zumbi com muita facilidade. Entretanto, da mesma forma que muitas das armas aqui discutidas, o uso das estrelas arremessáveis requer uma grande experiência. A não ser que você seja um dos poucos mestres dessa arte (apenas um pequeno número de pessoas pode reivindicar este título), abstenha-se de métodos que requeiram um nível de exotismo tão grande.

5. FACAS ARREMESSÁVEIS

Assim como o shuriken, essas armas de curta distância requerem semanas de prática para acertar um alvo tão grande quanto o corpo de um homem e meses para atingir uma área tão pequena quanto a cabeça de um zumbi. Apenas um especialista dedicado poderia ter esperança de realmente eliminar um morto-vivo. A energia e o tempo gastos no treinamento poderiam ser mais produtivos se aplicados em uma arma convencional. Lembre-se de que você possui diversas habilidades para dominar e não dispõe de todo o tempo do mundo para aprendê-las. Não desperdice essas horas tão valiosas tentando dominar uma arma de terceira classe.

6. O ARCO LONGO OU COMPOSTO

Grosso modo, atingir a cabeça de um zumbi com uma flecha é uma proeza extremamente difícil. Mesmo com arcos compostos e miras modernas, apenas arqueiros experientes conseguem realizar arremessos firmes. O único uso prático para essa arma é o lançamento de flechas incendiárias.

Para dar início a incêndios de forma silenciosa, estando-se a uma grande distância, nada funciona melhor do que uma flecha em chamas. Esta forma de ataque deve e tem sido utilizada para atear fogo em indivíduos mortos-vivos. O zumbi alvo não será sábio o suficiente para arrancar a flecha de seu corpo e pode,

dadas as devidas circunstâncias, queimar outros necrófilos antes de sucumbir às chamas. (Ver "Fogo", nas páginas 83-84 para a utilização adequada.)

7. A BESTA

O poder e a precisão da besta moderna podem lançar um "virote" (a flecha da besta) de forma limpa através do crânio de um zumbi a mais de 400 metros. Essa pequena maravilha é chamada de "o perfeito assassino silencioso". A pontaria certeira é importante, embora não requeira maiores esforços do que os necessários para a utilização de um rifle. A recarga exige tempo e força, embora possa ser desnecessária. A besta é uma arma de tocaia, e não um artifício para conter multidões. Utilize-a apenas contra um único zumbi. Se houver mais, você pode acabar nas garras de um morto-vivo, sendo seriamente machucado antes de ter tempo de carregar outro virote. No que diz respeito ao virote, tanto o exemplar triangular quanto aquele em forma de projétil são eficazes. Para aumentar a precisão, deve-se acrescentar uma mira telescópica. Infelizmente, o tamanho de qualquer boa besta irá torná-la a arma primária. Por esse motivo, escolha-a apenas quando a situação permitir, como na ocasião em que estiver viajando com um grupo, defendendo sua casa ou quando não houver nenhuma arma de fogo silenciosa.

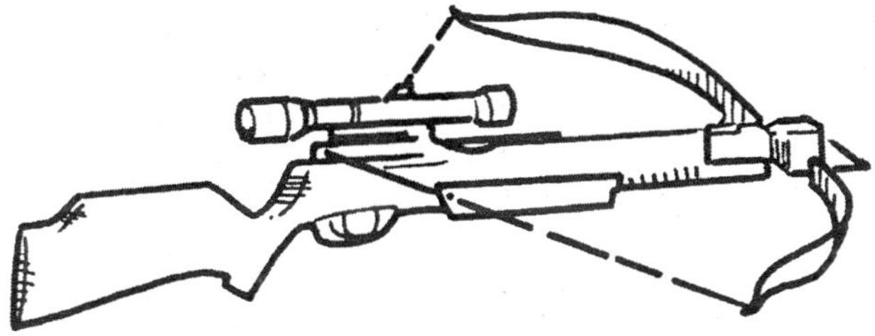

8. A MINIBESTA

Menores, as minibestas podem servir de complemento para sua arma primária. Carregar uma significa que uma arma compacta e silenciosa estará sempre a sua disposição quando necessário. Em comparação a besta maior, a mini possui precisão e poder inferiores e cobre distâncias menores. Utilizar essa arma significa chegar mais perto do alvo. Isso aumenta não apenas o perigo como também o risco de ser detectado, o que, por sua vez, vai contra a necessidade de uma arma silenciosa. Use a minibesta com cuidado e parcimônia.

ARMAS DE FOGO

De todas as armas contidas nesse livro, nada é mais importante do que sua arma de fogo primária. Mantenha-a limpa, lubrificada, carregada, e mantenha-a por perto. Com a cabeça fresca, a mão firme e um grande estoque de munição, um ser humano é mais do que um adversário digno para um exército de zumbis.

A escolha de uma arma de fogo deve ser uma ciência exata, com cada variável considerada. Qual é a sua primeira meta: defesa, ataque, ou ficar de tocaia? Com que tipo de invasão você está se deparando? Quantas pessoas, se é que há mais alguma, fazem parte do seu grupo? Que tipo de ambiente é o seu campo de batalha? Diferentes armas de fogo possuem diferentes funções. Praticamente nenhuma delas serve para todas as funções. Escolher as ferramentas perfeitas significa descartar as doutrinas convencionais de conflito armado que têm funcionado tão bem contra nossos companheiros humanos. Infelizmente, todos nós sabemos muito bem como matar uns aos outros. Já matar zumbis – isso é outra história.

1. A METRALHADORA PESADA

Desde a Primeira Guerra Mundial, esta invenção tem revolucionado o conflito humano. Seu mecanismo permite que uma tempestade de balas seja descarregada em segundos. Essa tática pode ser inestimável nos campos de batalha humanos, mas é um desperdício ineficaz contra os mortos-vivos. Lembre-se, você precisa acertar um tiro na cabeça de uma criatura: uma bala, acertada com toda a precisão. Devido ao fato de a metralhadora ser designada para uma saraivada de disparos, pode ser que centenas, até milhares de cartuchos sejam liberados até que haja um tiro aleatoriamente letal. Mesmo quando a metralhadora é mirada como um rifle (uma tática utilizada pelas forças especiais americanas), essa é uma preposição prejudicial. Por que atingir um zumbi com uma rajada de cinco turnos bem mirada quando um tiro de rifle bem mirado produz o mesmo efeito? Na década de 1970, uma escola de pensamento favoreceu a "teoria da ceifadeira": se uma metralhadora for posicionada na altura das cabeças de uma multidão de mortos-vivos, ela pode dizimá-los numa única e longa rajada. Este argumento tem sido desmascarado – os necrófilos, como humanos que costumavam ser, não são todos da mesma altura. Mesmo que alguns sejam destruídos, pelo menos a metade irá sobreviver para invadir o local da onde vieram os tiros. Mas e o dano corporal maciço causado por essas armas? Uma metralhadora não tem poder suficiente para cortar um corpo pela metade e isso não dispensa um tiro na cabeça? Sim e não. O cartucho de 5.56 milímetros básico utilizado pela SAW (Squad Automatic Weapon), o Esquadrão de Armas Automáticas do Exército Americano, pode quebrar a espinha humana, cortar os membros ou, de fato, romper o corpo de um zumbi em duas metades. Isso, entretanto, não significa que o tiro na cabeça seja desnecessário. Primeiro, a probabilidade de desmembrar um zumbi é extremamente pequena e, por conseqüência, esse ato requer uma grande quantidade de munição. E, segundo, a não ser que o cérebro seja destruído, o zumbi propriamente dito ainda está vivo – aleijado, é verdade, talvez até mesmo imobilizado, mas ainda vivo. Por que jogar nas próprias costas a necessidade de rematar uma massa de partes de corpos emboladas e potencialmente perigosas?

2. A SUBMETRALHADORA

O problema apresentado por essa arma é similar ao que ocorre com a metralhadora pesada: munição consumida *versus* mortos-vivos executados. Entretanto, quando estiver lutando em cantos apertados, a submetralhadora terá seu nicho. O cano curto torna essa arma mais fácil de manejar do que um rifle e a coronha dobrável proporciona maior apoio do que uma pistola. Certifique-se de que a submetralhadora esteja sempre regulada para disparar um único tiro. Como já discutimos, o modo automático é simplesmente um desperdício de munição. Também certifique-se de mirar com a arma na altura do seu ombro. Mirar na altura do quadril não produzirá nenhum outro efeito além de um som estridente e um insucesso total. Uma desvantagem desse armamento é sua baixa precisão a longas distâncias. Por ter sido projetada como uma arma de combate a curta distância, você terá de se aproximar muito mais perto de um zumbi do que se estivesse carregando um rifle ou uma arma de assalto. Esse normalmente não seria um problema, exceto pelo risco de as submetralhadoras, como todas as armas automáticas e semi-automáticas, engasgarem durante o uso. Em locais apertados, você pode colocar a si mesmo em risco de forma desnecessária. Este é o único motivo pelo qual a submetralhadora deve ser descartada como arma primária.

3. O RIFLE DE ASSALTO

Esta arma foi originalmente inventada para cobrir a lacuna entre o rifle e a submetralhadora, oferecendo tanto variações de distância quanto fogo contínuo. Estas características não a tornam ideal para exterminar mortos-vivos? Na verdade, não. Apesar da amplitude e da precisão serem necessárias, o fogo contínuo, como já vimos, não é. Embora o rifle de assalto possa ser ajustado para o modo semi-automático, da mesma forma que a submetralhadora, a tentação de ir com tudo no modo automático ainda existe, exatamente como acontece com os usuários da submetralhadora. Quando estiver lutando por sua vida, pode ser simplesmente muito fácil empurrar a alavanca e mandar ver, independente do custo e da utilidade desta atitude. Se você escolher o rifle de assalto como arma primária, tenha em mente as questões básicas válidas para todas as armas de fogo: Qual é a sua amplitude? E a precisão? A munição apropriada está disponível sem necessidade de maiores esforços? A manutenção e a limpeza são fáceis?

Para responder a algumas dessas perguntas, o melhor é examinar dois exemplos extremos. A M16A1 do exército americano é considerada por muitos o pior rifle de assalto já inventado.

Seu mecanismo extremamente complicado é ao mesmo tempo difícil de limpar e dado a engasgos. O ajuste da mira, algo que deve ser feito todas as vezes em que um alvo muda

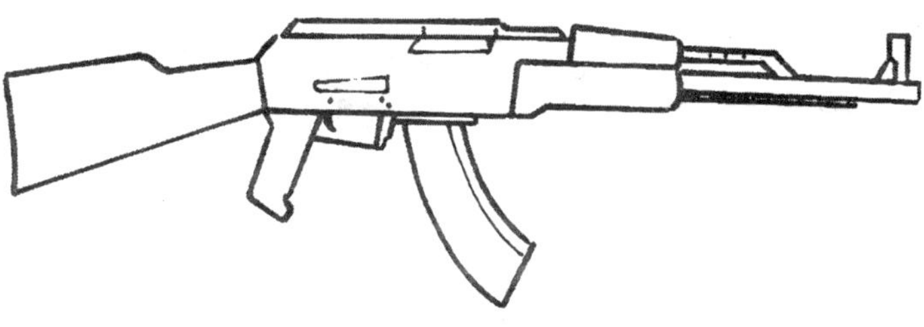

de lugar, requer o uso de uma unha, a ponta de uma caneta esferográfica ou qualquer artefato similar. O que aconteceria se você não tivesse nenhum desses itens ou os perdesse enquanto várias dezenas de zumbis se arrastam, decididos, em sua direção? A delicada coronha de plástico da M16A1 impede o uso de baionetas e, no caso de tentar usar este acessório, você corre o risco de despedaçar a coronha oca e presa por uma simples mola. Esta é uma falha crítica. Se estiver enfrentando um necrófilo e sua A1 engasgar, você não poderá utilizá-la desesperadamente como uma arma de concussão. Na década de 1960, a M16 (a AR-15 original) foi designada para a segurança de base da Força Aérea. Por razões políticas típicas dos complexos militares-industriais (você compra a minha arma, ganha o meu voto e minhas contribuições de campanha), ela foi adotada como a principal arma de infantaria do exército americano. Assim, os primeiros registros de combate durante a Guerra do Vietnã foram medíocres e os guerrilheiros comunistas recusaram-se a retirá-las dos americanos mortos. A M16A2, mais recente, apesar de apresentar alguma melhoria, ainda é considerada uma arma de segunda classe. Se lhe for dado o direito de escolher, siga o exemplo dos vietcongues e ignore completamente a M16.

No lado oposto desse espectro, o AK-47 soviético é considerado o melhor rifle de assalto já fabricado. Apesar de ser mais pesado que a M16 (5 contra 3 kg) e possuir um coice consideravelmente mais acentuado, essa arma é famosa por sua eficiência resistente e constituição robusta. Seu mecanismo de disparo longo e espaçoso previne engasgos causados por sujeira ou areia. Em combates corpo-a-corpo, você pode tanto golpear um zumbi por trás da cavidade ocular com a baioneta da arma quanto utilizar a sólida coronha de madeira revestida de metal para esmagar seu crânio. Se a imitação é a mais sincera forma de lisonja, então diversas nações escolheram lisonjear o AK tanto com cópias diretas (o rifle de assalto chinês Type 56) ou modelos modificados (a Galil israelense). Mais uma vez, apesar do rifle de assalto não ser ideal para a defesa com os mortos-vivos, um dos membros da família AK-47 será sua melhor aposta.

4. O RIFLE ACIONADO POR ALAVANCA/GATILHO

Um produto do século XIX, essas armas são muitas vezes consideradas obsoletas. Por que utilizar um rifle de caça quando se pode usar uma submetralhadora? Tal arrogância é simplesmente infundada, tendo suas raízes no chauvinismo tecnológico e na falta de experiência prática. Um rifle acionado por alavanca ou gatilho bem construído e usado por pessoas treinadas proporciona uma defesa contra os mortos-vivos tão boa, ou melhor, do que o mais recente equipamento militar. Esses rifles possuem capacidade para apenas uma bala, de forma que obrigam o usuário a realizar um reconhecimento total da área, aumentando as chances de acerto. Essa característica também elimina até a possibilidade de mandar ver e, assim, preserva a munição, independente da vontade do usuário. Um terceiro motivo é sua facilidade relativa de limpeza e operação, algo que não deve ser ignorado. Os rifles de caça são confeccionados para o mercado civil. Os fabricantes sabem que se essas armas forem muito complexas, as vendas cairão estrondosamente. Um quarto e último motivo é a pronta disponibilidade de munição. Como há mais lojas de armas civis do que arsenais militares nos Estados Unidos (um padrão que não é compartilhado no restante do mundo), você obterá mais facilmente munição para um rifle de caça do que para uma arma de assalto ou uma submetralhadora. Isso se provará fundamental em qualquer cenário retratado na próxima parte deste manual.

Ao escolher um rifle acionado por alavanca ou gatilho, tente encontrar a versão militar mais antiga possível. Isso não significa que os modelos civis sejam armas inferiores –

na verdade, acontece o oposto – mas quase todos os rifles de gatilho foram projetados para serem utilizados em combates corpo-a-corpo. Certifique-se de que haja tempo suficiente para estudar o uso do rifle para esse propósito. A simples ação de sacudi-lo como se fosse um bastão destruirá qualquer arma, tanto militar quanto civil. Existem manuais que explicam como utilizar um rifle como se fosse um tacape. Até mesmo velhos filmes de guerra podem demonstrar como estas armas são mortais sem que sequer se dispare um único tiro. Exemplos de rifles militares acionados por alavanca são o Springfield americano, o Lee Enfield inglês e o Mauser Kar 98k alemão. Muitos ainda existem, a maioria em bom funcionamento. Entretanto, antes de escolher, certifique-se de que haja um estoque de munição adequada. Possuir um rifle militar acionado por alavanca não fará a mínima diferença se só estiverem disponíveis cartuchos compatíveis com modelos civis.

5. O RIFLE SEMI-AUTOMÁTICO

Desde que foi lançada, esta arma tem se mostrado superior no extermínio de zumbis. Dada a possibilidade de consumo de munição (um cartucho é gasto todas as vezes que o gatilho é apertado), é necessário um bom nível de disciplina. Entretanto, esta opção pode ser uma bênção em situações que envolvam alvos múltiplos. Numa ocasião registrada, uma mulher encurralada matou os 15 zumbis que a atacavam em 12 segundos! (Veja “1947 d.C., Jarvie, Colúmbia britânica”, na página 291.) Esta história ilustra o potencial de um rifle semi-automático. Para combate a curta distância ou para pessoas em fuga, a carabina semi-automática possui a mesma utilidade que o modelo maior. Apesar de ter metade da amplitude, a carabina tende a ser mais leve e fácil de carregar, e utiliza menos munição. Ambos os tipos lhe servirão muito bem, dependendo da situação. Ao escolher uma arma semi-automática, o Garand M1 utilizado na Segunda Guerra Mundial ou a carabina M1 são, de muitas maneiras, superiores ao armamento contemporâneo. Pode ser surpreendente, entretanto, saber que essas velhas armas militares foram projetadas para sobreviverem ao maior conflito da história. Não apenas cumpriram a tarefa de forma admirável, como o Garand ainda foi o principal rifle do exército americano durante todo o conflito da Coréia. Outra vantagem do Garand M1 é seu papel secundário como arma de corpo-a-corpo (na Segunda Guerra Mundial, o uso da baioneta ainda era considerado uma parte essencial do combate). Apesar de não ser mais produzido, ainda restam muitos Garands no mercado, com munição amplamente disponível. É impressionante, mas a carabina M1 ainda é fabricada. Sua leveza e a boca pequena fazem com que essa arma seja perfeita para combates em ambientes fechados ou durante longas jornadas a pé. Outras escolhas mais modernas incluem o Ruger Mini-30, o Ruger Mini-14 e o Type 56 chinês (uma cópia da carabina SKS soviética; não confundir com o rifle de assalto de mesmo nome).

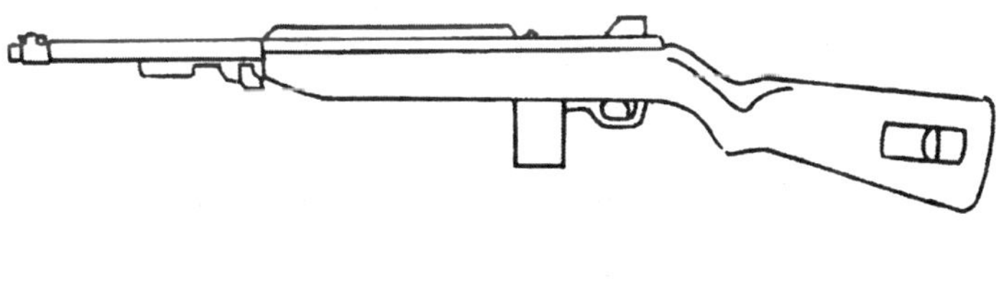

6. A ESPINGARDA DE CAÇA

A curta distância contra atacantes humanos, esta arma reina suprema. Contra mortos-vivos, isso não é inteiramente verdade. Uma boa espingarda de caça de calibre .12 pode literalmente explodir a cabeça de um zumbi. Entretanto, quanto maior a distância, maior será o padrão de dispersão do chumbo e menor será a probabilidade de perfuração do crânio. Uma espingarda resistente causa o mesmo efeito que um rifle, mesmo a longas distâncias (contanto que o cano seja longo o suficiente), entretanto, neste caso, por que não usar simplesmente um rifle? O que as espingardas *possuem* é poder de parada. Um projétil de fragmentação atua como uma parede sólida, enquanto uma bala de rifle pode passar direto através de um alvo ou errá-lo completamente. Se você estiver encurralado ou em fuga, precisando de tempo e espaço, uma boa rajada de espingarda pode derrubar vários zumbis. A desvantagem da espingarda é que os imensos cartuchos calibre .12 são volumosos e, por esse motivo, dificultam o transporte em viagens, deixando pouco espaço para outros equipamentos. Este fato deve ser considerado se for necessária uma longa jornada.

7. A PISTOLA

Os americanos têm uma relação muito especial com as pistolas. Elas aparecem em todos os filmes, todos os programas de televisão, todos os romances populares, em todas as revistas em quadrinhos. Nossos heróis sempre as carregaram, do homem da lei do Velho Oeste ao valente tira da cidade grande. Elas fazem parte de todas as conversas dos gângsteres; liberais e conservadores lutam contra elas. Pais protegem seus filhos delas e elas fazem com que seus fabricantes acumulem fortunas inimagináveis. É possível que, mais do que os automóveis, a pistola seja sinônimo de Estados Unidos.

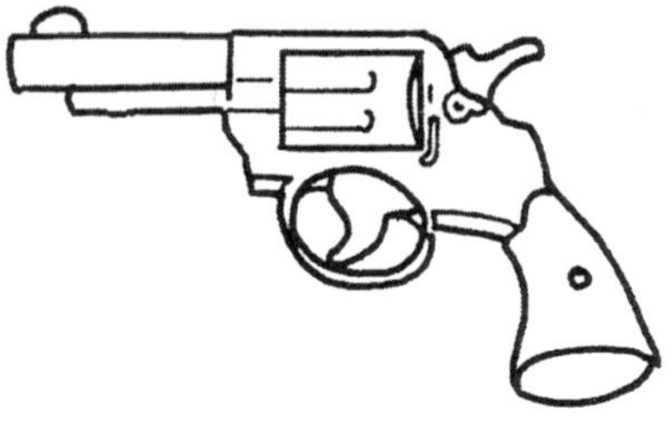

Entretanto, que utilidade tem esse ícone cultural contra os comedores-de-carne-humana? Na verdade, não muita. Ao contrário de nossos heróis da ficção, a pessoa mediana pode ter dificuldade de acertar qualquer tipo de alvo, imagine então o problema que pode ser atingir algo tão pequeno e móvel quanto a cabeça de um zumbi. Acrescente a esta situação o violento esforço emocional necessário para um combate contra mortos-vivos e a possibilidade de um tiro bem-sucedido poder estar um nível acima da negociação com o atacante. Estudos demonstraram que, de todos os ferimentos balísticos desperdiçados – ou seja, aqueles que atingiram um zumbi de forma não-letal – 73% vêm de um tipo de pistola. Uma mira a laser aumenta a possibilidade de uma pontaria exata, mas é inútil com um pulso vacilante. As pistolas só devem ser empunhadas em circunstâncias extremas. Se você cair nas garras de um zumbi, uma pistola pode salvar sua vida. Pressionar a boca da arma contra a têmpora do morto-vivo e puxar o gatilho é um procedimento que não requer habilidade e assegura uma morte certa. O fato de as pistolas serem pequenas, leves e fáceis de carregar fazem delas armas secundárias atraentes para qualquer tipo de cenário. Se sua arma primária for uma carabina, a possibilidade de compartilhar munição é maior, o que torna a carga mais leve. Por essas razões, uma pistola deve sempre estar carregada ao enfrentar necrófilos, mas apenas como arma reserva. Nunca se esqueça de que muitos cadáveres desmembrados e devorados pela metade foram descobertos com essas maravilhas ainda presas a suas mãos frias e mortas.

8. ARMAS CALIBRE .22 DO TIPO RIMFIRE

Estas armas (rifle ou pistola) disparam um cartucho de poucos milímetros, sem passar de 3 centímetros. Em circunstâncias normais, geralmente são relegadas a treinamentos, competições ou caça de animais de pequeno porte.

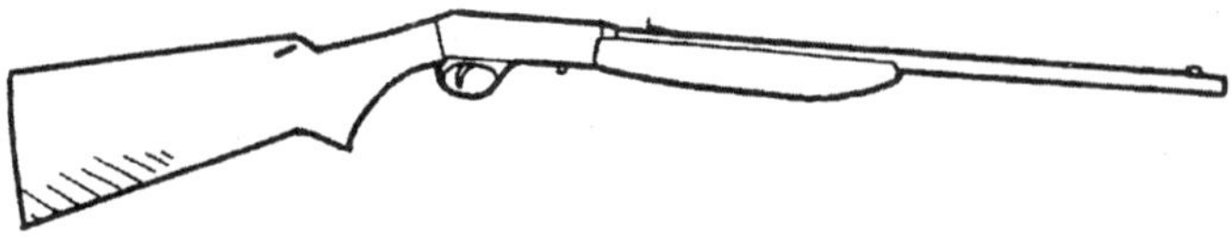

Num ataque de mortos-vivos, entretanto, a diminuta rimfire .22 coloca-se orgulhosamente lado a lado de suas primas mais pesadas. O tamanho pequeno de seus projéteis também permite o porte de uma quantidade três vezes maior de munição. Isso também torna a própria arma mais leve, uma dádiva em longas trilhas através de territórios infestados por zumbis. A munição também é fácil de ser fabricada e abundante em todos os pontos dos Estados Unidos. Dificilmente uma loja que venda armas, independente do tipo, não possuirá um estoque de rimfire .22. Entretanto, há duas desvantagens quando se considera o uso de uma .22. Seu pequeno projétil tem um poder de parada igual a zero. Diversas pessoas (incluindo o ex-presidente Ronald Reagan) foram atingidas por tiros de .22 e só perceberam muito tempo depois. Um necrófilo que receber uma bala no peito não se tornará nem mesmo mais lento, e dificilmente será contido por esse projétil tão diminuto. Outro problema é a falta de penetração craniana a longas distâncias. Com uma .22, você pode precisar chegar muito perto do inimigo, perto demais para que se sinta à vontade, um fato que pode aumentar o nível de estresse e diminuir as chances de uma morte. Uma prova disso é a forma como a aparente fraqueza de um projétil lançado por uma .22 pode ser chamado de uma falsa bênção. Sem a potência necessária para atravessar a parte de trás do crânio do zumbi, as balas de .22 são famosas por ricochetear dentro da caixa craniana, causando muito mais danos do que qualquer projétil de .45. Assim, quando chegar o momento de se armar contra a ameaça zumbi que se agiganta, não despreze a natureza diminuta, quase como um brinquedo, dessa arma de fogo rápida e eficiente.

9. ACESSÓRIOS

Os silenciadores, quando disponíveis, podem ser um apetrecho vital à sua arma de fogo. Pode abafar o som e evita o uso de arcos, atiradeiras, ou outras armas não-balísticas (essenciais quando se está em movimento).

Uma mira telescópica pode aumentar a pontaria de forma imensurável. Especialmente em ataques de tocaia a longa distância.

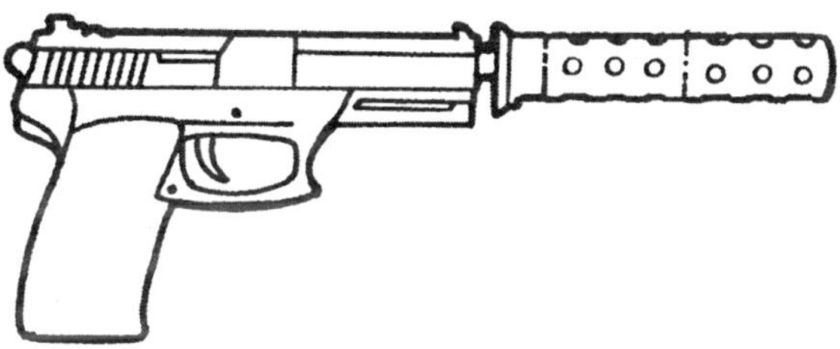

As miras laser podem ser, aparentemente, sua melhor aposta. Afinal, qual é a dificuldade de se posicionar um ponto vermelho na testa de um necrófilo? A desvantagem é a duração limitada da bateria. O mesmo ocorre com as miras noturnas. Apesar de estes equipamentos permitirem tiros certeiros a longas distâncias, propiciando que zumbis sejam alvejados depois do pôr-do-sol, eles não passam de tubos pretos quando sua energia termina. As miras convencionais, feitas de metal e vidro, são acessórios preferíveis. Elas podem não ser extravagantes e lhes falta a distinção dos artigos eletrônicos, mas estes instrumentos básicos nunca deixarão seus usuários desapontados.

AMPLITUDE E PRECISÃO

Estudos mostram que, dado o trauma da batalha, quanto mais nos aproximarmos dos zumbis, maior é a amplitude de tiro. Quando estiver praticando com sua arma de fogo, estabeleça uma amplitude máxima para reiterar a precisão. Pratique contra alvos em movimento em condições ideais (livres de estresse). Uma vez que a amplitude é fixada, divida-a pela metade. Esta será uma zona de matança efetiva durante um ataque real. Certifique-se de que o morto-vivo não se aproxime dessa zona, caso contrário, sua precisão irá por água abaixo. Em caso de confrontar um grupo, esteja certo de que aqueles que cruzarem primeiro os limites dessa zona devem ser abatidos antes dos outros. Não ignore este conselho, independente de como foram suas experiências anteriores. Tiras endurecidos pelo trabalho nas ruas, combatentes veteranos condecorados e até mesmo assassinos de sangue-frio terminaram como montes de carne muito bem mastigada porque acreditaram em sua "coragem", e não em seu treinamento.

EXPLOSIVOS

Pergunta: o que pode ser melhor do que arremessar uma granada num grupo de zumbis que se aproxima? Resposta: qualquer outra coisa. Os explosivos antipessoais matam principalmente graças aos estilhaços, os fragmentos de metal que rasgam os órgãos vitais. Já que isso não afeta os zumbis e com a probabilidade de um estilhaço penetrar no crânio é muito reduzida, granadas, bombas e outras ferramentas explosivas são armas ineficientes.

Esses dispositivos, entretanto, não devem ser completamente descartados. Para explodir portas, criar barricadas instantâneas, ou até dispersar turbas de zumbis, nada funciona melhor que um recipiente cheio de pólvora.

FOGO

Os mortos-vivos não temem o fogo. Se chamas forem brandidas diante de um zumbi, sua velocidade não diminuirá e o avanço da criatura não será impedido. Zumbis que pegaram fogo não perceberam o que se sucedia nem reagiram de maneira alguma às chamas que os envolviam. *Muitos seres humanos foram vítimas de tragédias por não conseguirem entender que o fogo não detém os zumbis!*

Entretanto, como arma, o fogo ainda é o maior aliado da espécie humana. A incineração completa é a melhor maneira de destruir o zumbi de uma vez por todas. A incineração elimina não apenas o corpo, como também todos os traços do *Solanum.*

Entretanto, não pense que um lança-chamas ou diversos coquetéis Molotov são a solução para todos os seus problemas. Em combates reais, o fogo pode ser tanto uma ameaça quanto uma proteção.

A carne – humana, morta-viva ou qualquer outra – leva muito tempo para queimar. Nos minutos ou horas antes de sucumbir, um zumbi em chamas se tornará uma tocha ambulante, ou uma tocha *trôpega*, para ser mais exato. Diversos casos foram registrados nos quais zumbis pegando fogo causaram mais danos, e até mesmo mais mortes, do que provocariam se tivessem utilizado apenas suas unhas e dentes.

O próprio fogo não é confiável. Considere a natureza inflamável de suas cercanias, a chance de inalação de fumaça, a possibilidade de as chamas agirem como um chamariz para outros zumbis. Todos estes fatores devem ser considerados antes que uma arma poderosa e imprevisível seja desencadeada.

Por essa razão, o fogo é considerado principalmente uma arma de ataque ou de arremesso, e em raras ocasiões deve ser usado para defesa estática.

1. COQUETÉIS MOLOTOV

Esta expressão se aplica a qualquer recipiente de líquido inflamável com um pavio primitivo. É uma maneira barata e eficiente de matar vários zumbis de uma só vez. Se a situação permitir – por exemplo, evitar uma horda que avança em sua direção, limpar uma estrutura à prova de fogo, ou destruir uma estrutura com múltiplos zumbis – bombardeie os necrófilos a todo custo, até que não sobre mais nada além de cinzas.

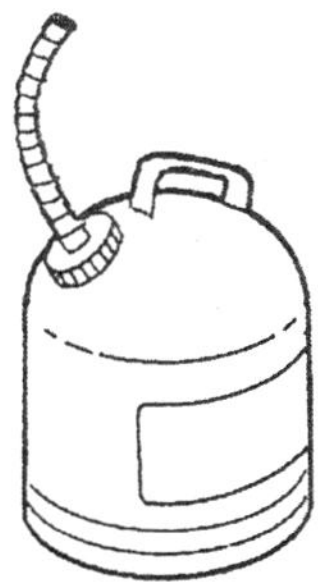

2. ENCHARCAMENTO

O encharcarmento consiste em simplesmente encher um balde com líquido inflamável (gasolina, querosene etc.), lançá-lo em um zumbi ou em um grupo de zumbis, acender um fósforo e correr. Se houver espaço para escapar e nenhum risco de fogo residual, a única desvantagem desse método é a extrema proximidade requerida para ensopar o inimigo completamente.

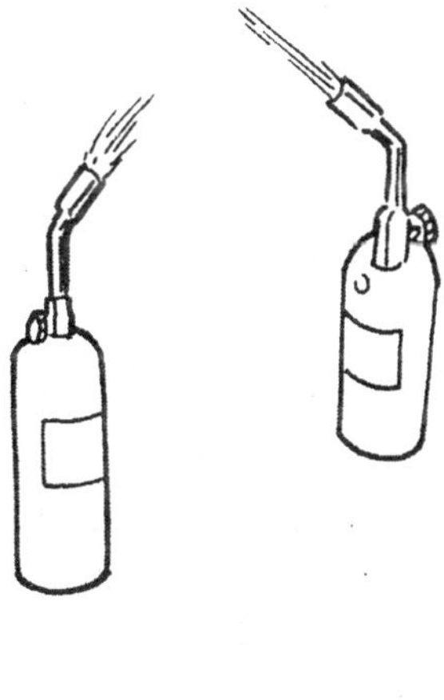

3. O MAÇARICO

O maçarico comum, que consiste num tanque de propano acoplado a um bocal, não tem nem potência calorífica, nem o sortimento de combustível para queimar o crânio de um zumbi. Entretanto, o maçarico pode ser um bom detonador de incêndios se o morto-vivo em questão já houver sido ensopado com algum líquido inflamável.

4. O LANÇA-CHAMAS

Este dispositivo, talvez mais do que os outros, deixam as pessoas impressionadas, mostrando-se o eliminador de zumbis definitivo. Um jato de fogo de mais de um metro de comprimento, composto de gasolina em gel, pode transformar uma multidão de zumbis numa pira funeral lamuriosa. Então, por que não adquirir um? Por que não esquecer todas as outras armas em nome desse dragão cuspidor de fogo criado pelo homem? As respostas são tão realistas quanto numerosas. O lança-chamas foi desenvolvido puramente como arma militar e não está mais em serviço no exército americano ou nas unidades da marinha.

Seria difícil encontrar qualquer modelo, principalmente algum que ainda funcione de maneira correta. Adquirir o combustível é ainda mais difícil do que arranjar um lançador. Mas, pressupondo-se que você tenha conseguido ambos, deve-se considerar seu uso prático. Por que carregar *32 quilos* de equipamento nas costas quando apenas um punhado de zumbis estão à solta? O peso de um lança-chamas faz dessa arma um risco quando se está em movimento. A não ser que você esteja fixado numa determinada posição ou tiver acesso a transporte motorizado, o simples cansaço se tornará uma ameaça tão perigosa quanto os mortos-vivos. O bom senso poderia sugerir que o lança-chamas só tem lugar no campo de batalha quando é necessário combater um número avassalador, enxames de mortos-vivos que somam milhares, e não centenas. Se existir tal horda, e que Deus nos livre, é bem possível que os necrófilos tenham de enfrentar uma força do governo bem maior e mais bem equipada do que um único cidadão com seu confiável (e ilegal, não podemos nos esquecer disso) lança-chamas.

OUTRAS ARMAS

Imaginação e improviso são dois trunfos inestimáveis durante embates com os mortos-vivos. Sinta-se livre para considerar de todas as maneiras qualquer material ao seu redor como um depósito secreto de armas em potencial. Entretanto, tenha sempre em mente a fisiologia do zumbi e o que seu aparato caseiro é capaz de executar.

1. ÁCIDO

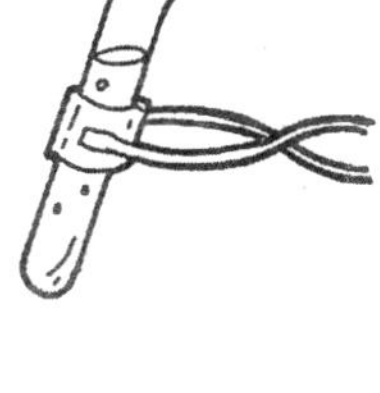

Além do fogo, o ácido sulfúrico é a melhor maneira de destruir completamente um zumbi. Entretanto, implementar essa arma é outro problema. Se, de alguma forma, você tiver meios de adquirir ou produzir grandes quantidades de ácido sulfúrico, trate-o com o mesmo respeito com que lidaria com uma arma incendiária. Esta substância não apenas é tão perigosa para você quanto para o morto-vivo, como o tempo que ela leva para dissolver a carne de um zumbi é considerável. O ácido deve ser utilizado mais como uma ferramenta de controle do que como uma arma de combate.

2. VENENO

Como há centenas de milhares de compostos químicos no mundo, é impossível discutirmos todos eles. Em vez disso, vamos revisar algumas regras básicas que regem a constituição física e fisiológica de um morto-vivo. Os zumbis são imunes a todos os tipos de tranqüilizantes e irritantes, como spray de pimenta e gás lacrimogêneo. Qualquer composto químico projetado para fazer com que as funções corporais cessem seria igualmente impotente, já que os mortos-vivos não necessitam mais dessas funções. Os zumbis não sofrem de ataque cardíaco, paralisia dos nervos, sufocamento ou qualquer efeito letal causado por envenenamento.

3. ARMAS BIOLÓGICAS

Não seria poético destruir seres infectados por um vírus com outro vírus? Infelizmente, esta não é uma opção possível. Os vírus atacam apenas células vivas.

Eles não surtem efeito nos mortos. O mesmo serve para todos os tipos de bactérias. Diversas tentativas laboratoriais foram realizadas para cultivar, espalhar e disseminar *fasciíte necrotizante* (uma doença bacteriana que devora a carne) entre zumbis capturados. Nenhum sucesso foi obtido. Atualmente, estão em marcha pesquisas para criar uma nova espécie de bactéria que se alimenta apenas de carne morta. A maioria dos especialistas é cética em relação ao sucesso desse empreendimento. Testes estão em andamento para determinar quais dos muitos microorganismos normalmente envolvidos na decomposição continuam a consumir carne humana apesar de sua natureza infecciosa. Se estes micróbios puderem ser isolados, reproduzidos e espalhados de uma maneira que não seja prejudicial para seu usuário, podem ser a primeira arma humana de destruição em massa contra os mortos-vivos.

4. ARMAS ZOOLÓGICAS

Centenas de criaturas, grandes e pequenas, alimentam-se de carniça. Empregar alguns desses animais para devorar os mortos antes que eles devorem os vivos pode parecer a solução ideal. Infelizmente, todas as espécies, das hienas às formigas-de-cemitério, instintivamente evitam os zumbis. A natureza altamente tóxica do *Solanum* parece estar codificada no reino animal. É impossível disfarçar com qualquer tipo de substância esse misterioso sinal de alerta emitido pelo *Solanum*, seja um odor ou algum tipo de "vibração" há muito esquecida pelos seres humanos. (Ver "1911 d.C., Vitre, Louisiana", na página 282.)

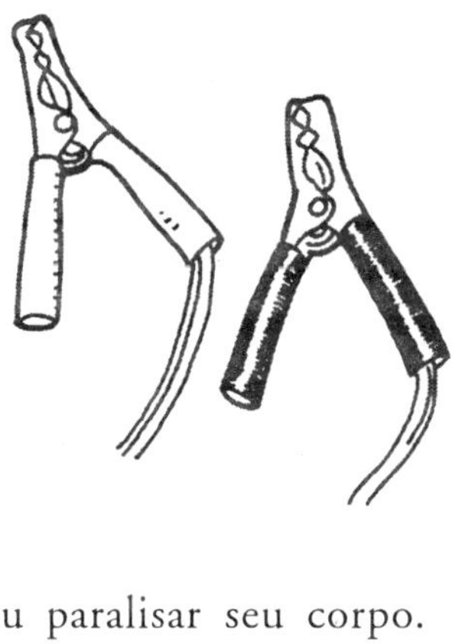

5. ELETROCUSSÃO

Como o sistema muscular de um zumbi é basicamente o mesmo de um ser humano, a eletricidade tem a capacidade de atordoar temporariamente ou paralisar seu corpo. Resultados letais foram vistos apenas em casos extremos, como quando cabos de eletricidade foram utilizados para carbonizar completamente o cérebro de um zumbi. Essa não é uma "arma maravilhosa" – a corrente que passa pelos cabos de eletricidade é suficiente para tostar quase todo material orgânico, vivo ou morto-vivo. Para atordoar um zumbi, é necessário o dobro da voltagem requerida para atordoar um ser humano, por isso, as armas de choque comuns são ineficazes. A eletricidade tem sido utilizada para criar uma barreira temporária, com fossos eletrificados preenchidos com água, para manter os necrófilos paralisados por tempo suficiente para um método secundário fatal ser empregado. Diversos incidentes foram registrados ao longo dos anos.

6. RADIAÇÃO

Experimentos estão sendo realizados para testar os efeitos das microondas e de outros sinais eletromagnéticos no cérebro dos mortos-vivos, seguindo a teoria de que estes aparelhos talvez possam gerar tumores letais, instantâneos e maciços na maça cinzenta de um zumbi. A pesquisa ainda está nos estágios iniciais e os resultados até agora são inconclusivos. O único exemplo conhecido de zumbis entrando em contato com radiação gama ocorreu durante o famoso incidente de Khotan (ver "1987 d.C., Khotan, China", na página 305). Neste evento, os zumbis não apenas passaram ilesos por uma espécie de radiação que teria matado seres humanos, como ameaçaram espalhar sua contaminação através da província. Pela primeira vez, o mundo testemunhou um perigo novo e até mesmo ainda mais mortal: o zumbi radioativo. Apesar de parecer um filme B de ficção científica da década de 1950, este é, ou foi, um fato real e historicamente significativo. De acordo com os registros, os necrófilos radioativos não possuíam nenhuma habilidade intensificada ou poder mágico. A ameaça que impõem está na capacidade de espalhar uma radiação mortal para tudo e todos em que tocarem. Até pessoas que beberam de reservatórios de água que foram tocados por necrófilos, morreram logo em seguida por doença radioativa. Felizmente, a insurreição foi subjugada pelo poder esmagador do exército chinês. Esta solução não só deu um ponto final a esse novo perigo como preveniu que o desastre do reator de Khotan se tornasse um acontecimento crítico.

7. ARMAS GENÉTICAS

Algumas propostas recentes recomendam uma variedade de armas genéticas na guerra contra os mortos-vivos. O primeiro passo seria mapear a seqüência genética do *Solanum*. Depois, será necessário desenvolver um agente para reescrever essa seqüência, ordenando que o vírus suspenda seu ataque em tecido humano, girando em torno de si mesmo ou simplesmente se autodestruindo. Em vez de recondicionar o zumbi, o vírus que controla a criatura é que seria recondicionado. Se bem-sucedido, qualquer um desses agentes seria um divisor de águas no combate aos mortos-vivos. Através da engenharia genética, podemos encontrar uma cura verdadeira. Entretanto, a comemoração dessa descoberta terá que esperar. A ciência da terapia genética ainda está engatinhando. Mesmo com toda a atenção por parte da mídia e recursos financeiros substanciais, ainda não existe nenhuma forma de fazer com que o vírus atue dessas maneiras, de forma que seu combate permanece na teoria.

8. NANOTERAPIA

A nanotecnologia, o estudo da maquinaria microscópica, está apenas em sua adolescência. Atualmente estão sendo fabricados chips de computador experimentais do tamanho de uma molécula. Um dia, robôs dessa extensão serão capazes de realizar tarefas dentro do corpo humano. Esses nanorrobôs, ou qual seja o termo que será adotado para se referir a esses equipamentos, um dia destruirão células cancerosas, repararão tecidos avariados e até atacarão e destruirão vírus hostis. Teoricamente, não há motivo para que eles não possam ser injetados aos bilhões num ser humano recém-infectado pelo vírus do *Solanum* e erradicar o mal de seu organismo. Entretanto, quando essa tecnologia será aperfeiçoada? Quando encontrará seu caminho para os círculos médicos? Quando será adaptada para combater o *Solanum*? Só o tempo poderá dizer.

ARMADURAS

Velocidade e agilidade devem ser sua primeira defesa contra os mortos que andam. Uma armadura não apenas diminuirá essas duas vantagens sobre os zumbis, como também irá exaurir sua energia durante conflitos prolongados. Adicione o risco de desidratação e as perspectivas parecem ainda menos atraentes. Uma última e menos óbvia desvantagem da armadura não é física, e sim psicológica: pessoas que vestem trajes protetores sentem-se mais confiantes e, por conseqüência, correm maiores riscos do que aqueles que usam roupas comuns. Essa bravura artificial tem resultado em muitas mortes insensatas. Expondo a situação em palavras simples, a melhor proteção contra uma mordida de zumbi é a distância. Se por alguma razão você insistir em algum acessório de proteção, o resumo a seguir fornecerá todas as informações necessárias para uma escolha prudente.

1. ARMADURA DE PLACAS

Esse modelo pode ser definido como a clássica "armadura completa". O termo em si conjura imagens de cavalheiros aparentemente invencíveis vestidos dos pés à cabeça em metal resplandecente. Com tanta proteção, será que o indivíduo seria capaz de vagar por entre as tropas de mortos-vivos, insultando-os à vontade, sem o risco de represálias?

Na verdade, a armadura medieval padrão está longe de ser invulnerável. As juntas de couro ou metal que unem as muitas peças desse artefato podem ser rompidas pelas mãos persistentes de um indivíduo, isso se você não for atacado por uma multidão. Mesmo quando intactas, as vestes de metal são pesadas, incômodas, sufocantes, desidratantes e muito barulhentas. Se possível, estude, vista uma armadura completa e pratique lutar dentro dela contra um único atacante (simulado). Você achará a experiência desconfortável, na melhor das hipóteses, e excruciante na pior delas. Agora, imagine cinco, dez, cinqüenta atacantes, todos convergindo para sua posição, agarrando as placas, puxando-as para todas as direções. Sem velocidade para deixá-los para trás ou a agilidade para evitá-los, e sem a visão necessária para encontrá-los e golpeá-los, você certamente terminará como pouco mais do que comida enlatada.

2. COTA DE MALHA

Se usada da cabeça aos pés, esta forma mais simples de armadura proporciona realmente alguma proteção contra mordidas de zumbi. Os dentes não são capazes de penetrar em seus elos, protegendo, assim, o usuário do contágio. Sua flexibilidade permite maior movimento e velocidade; a ausência da placa facial proporciona uma visão melhor. Sua natureza simples (diferente das placas sólidas) permite que a pele respire e, desta forma, reduz o risco de desidratação e superaquecimento. Os inconvenientes, entretanto, ainda são muitos. A não ser que você treine com essa armadura por anos, a eficácia de seu combate está fadada a ser prejudicada. O peso ainda pode aumentar a exaustão. O desconforto geral pode levar a distrações não desejadas, algo que deve ser evitado durante a batalha. Apesar de a cota de malha poder mantê-lo protegido do contágio, a pressão de uma mordida de zumbi ainda pode ser suficiente para quebrar ossos, romper músculos ou rasgar a carne dentro da armadura. Como acontece com a armadura de placas, o tilintar de muitos elos indicará a qualquer zumbi nos arredores que a presa se aproxima. A não ser que você queira que sua presença seja anunciada, descarte inteiramente essa idéia. Um conselho prático: se escolher a cota de malha, assegure-se de que ela seja própria para batalha. Muitas armaduras medievais ou anti-

gas produzidas nos dias de hoje são para decoração ou encenações teatrais. Por esta razão, as ligas de metal utilizadas na produção são mais baratas. Quando adquirir sua cota de metal, assegure-se sempre, por inspeções e testes cuidadosos, de que ela seja capaz de resistir a uma mordida de zumbi.

3. TRAJE CONTRA TUBARÃO

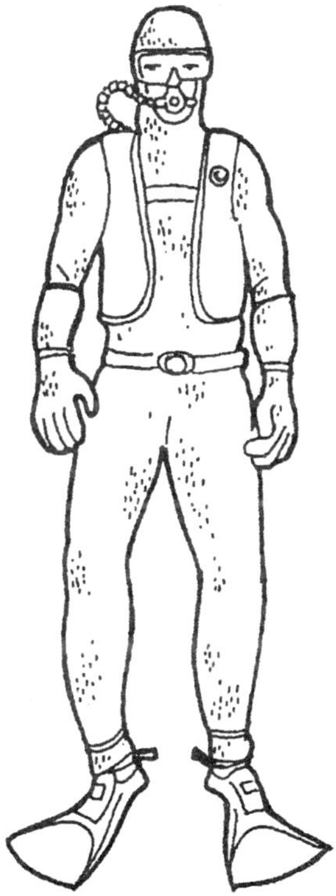

Apesar de ser projetado para dar proteção contra mordidas de tubarão, esse colante de malha pode protegê-lo até das mandíbulas de um morto-vivo. Podendo ser feito tanto de aço altamente elástico ou de titânio, este traje proporciona uma proteção duas vezes maior do que a cota de malha com metade de seu peso. O barulho, entretanto, ainda tem peso, assim como o desconforto físico, e a diminuição da velocidade e da agilidade. Trajes contra tubarão podem ser úteis em caçadas a mortos-vivos embaixo d'água (veja "Batalhas Subaquáticas", página 199).

4. CAPACETES

Esse tipo de proteção poderia ser de inestimável valor para os necrófilos, se eles simplesmente soubessem como usá-lo. Para os seres humanos, não possuem nenhum outro propósito além de obstruir a visão. A não ser que a batalha esteja acontecendo numa área onde o uso de capacetes seja obrigatório (como uma obra, por exemplo), evite esse incômodo desperdício de espaço.

5. COLETES À PROVA DE BALAS

Graças ao fato de praticamente todas as mordidas de zumbis em combates ocorrerem nos membros, esta e outras formas de proteção do torso são uma total perda de tempo. Pode-se considerar o uso de coletes à prova de balas *apenas* em situações caóticas nas quais exista a possibilidade de tiro partindo de alguém de seu próprio time. Mesmo nesta situação, o desorientado atirador de tocaia procurará acertar a cabeça de seu alvo.

6. PROTETORES DE KEVLAR

Nos últimos anos, as forças policiais começaram a equipar seus membros com esse material leve e ultra-resistente. Enquanto as placas mais grossas e rígidas são utilizadas em coletes para deter balas, uma versão mais fina e flexível é empregada para conter lâminas e um cão de guarda ocasional. Esta nova versão, se cobrir a parte inferior das pernas e antebraços, pode ajudar a reduzir o risco de mordidas de zumbi em lutas ocorridas em locais apertados. Se você adquirir um protetor de Kevlar, assegure-se de vesti-lo apenas durante a batalha, e *não* se garanta nesse acessório para demonstrar nenhum ato de bravura! No passado, muitas pessoas acreditaram que o Kevlar ou tipos similares de protetores corporais lhe davam carta branca para correrem riscos desnecessários. Nenhum protetor no mundo pode resguardar o homem desse tipo de estupidez. Como já afirmamos antes, seu objetivo é sobreviver, *apenas sobreviver*, e nunca ser um herói. Bravatas em combate são o caminho mais certo para pôr em risco a si mesmo e àqueles que estão ao redor.

7. ROUPAS JUSTAS E CABELO CURTO

Os números frios e implacáveis demonstraram que, em batalhas contra os mortos-vivos, nada tem salvo mais vítimas do que a básica união de roupas justas e cabelos cortados bem rente à cabeça. A realidade é que os necrófilos atacam estendendo os braços para agarrar suas vítimas, detendo-as, e só então mordem. A lógica dita que quanto menos material houver para ser agarrado, melhores serão as chances da pessoa. Roupas largas, completadas por bolsos, cintos ou qualquer outra coisa que possa ficar livremente pendurada, será uma alça muito conveniente para as patas de um zumbi. Qualquer um que já trabalhou em fábricas ou em outro lugar com maquinaria pesada, poderá lhe explicar a importância de nunca deixar nada pendurado.

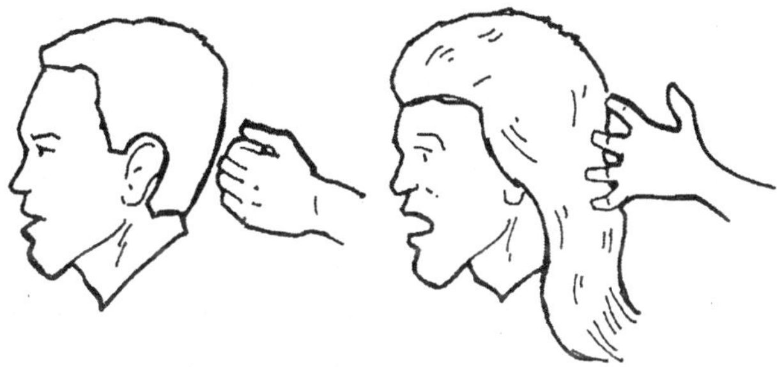

As roupas justas que obviamente estejam dentro dos limites do conforto eliminam esse perigo. O cabelo pode representar um risco semelhante. Muitas vezes, as vítimas são agarradas, até arrastadas, pelos cabelos para um fim medonho. Prender o cabelo antes de um conflito pode ser uma solução temporária. Entretanto, um cabelo curto, de poucos centímetros, é ideal para combates corpo-a-corpo.

NA DEFESA

A história de Yahya Bey, um imigrante turco que foi para o Reino Unido, descreve um ataque em Oltu, seu vilarejo natal. De acordo com Bey, um bando de zumbis desceu das montanhas que cercavam o vilarejo na escuridão da noite. Aqueles que não foram devorados correram para suas casas, ou para a mesquita da cidade, ou para a delegacia de polícia. Muitos foram esmagados durante o pânico criado para entrar nesse último estabelecimento, enquanto um incêndio acidental matou os que estavam lá dentro. Diversas pessoas, destituídas de tempo e de materiais adequados para construir barricadas em todas as portas e janelas, tiveram suas casas invadidas pelos mortos-vivos. Vários outros, sofrendo com as mordidas, procuraram por abrigo na casa do médico da cidade. Durante suas tentativas de tratar os pacientes, estes faleciam e em seguida eram reanimados. Bey, então um garoto de seis anos, conseguiu escalar o telhado de sua casa e permaneceu lá pela maior parte da noite, abandonando seu esconderijo apenas quando os primeiros raios de sol despontaram no horizonte, pulando de telhado em telhado até encontrar um local livre de perigo. Apesar de ninguém nos vilarejos próximos terem acreditado em sua história, uma equipe de buscas foi enviada para procurar por saqueadores humanos. Este grupo encontrou Oltu mergulhada numa carnificina, todas as construções queimadas, em pedaços ou destruídas de alguma maneira. Corpos semidevorados cobriam as ruas desertas. Deixando para trás pegadas suficientes para sugerir um grupo numeroso, havia uma trilha de rastros mais escassos e constantes que levavam às montanhas. Nenhum grupo nunca foi encontrado.

Qual é a proteção perfeita contra os mortos-vivos? Honestamente, não existe nenhuma. A defesa não é tão simples quanto a integridade física. Supondo-se que você consiga encontrar, construir, ou modificar uma estrutura para manter as ameaças externas lá fora – e daí... Os zumbis não se limitarão a ir embora e não há como saber quanto tempo o resgate demorará. Como você vai sobreviver? Fome, sede, doença e muitos outros fatores desejam ceifar tantas vidas quanto os mortos que andam. Você terá que encarar campanhas militares para situações de sítio, do tipo que nossos antepassados enfrentavam quando seus castelos ou vilas eram cercadas por inimigos, quando os mortos andarem novamente. A integridade física é apenas uma parte da equação. Esteja totalmente preparado, você deverá ter um conhecimento ativo de sobrevivência estacionária. Num mundo interdependente, essa arte foi há muito esquecida. Olhe ao redor em sua casa. Quantos objetos foram fabricados há 15, 80, ou até mesmo 150 quilômetros de onde você mora? Nosso modo de vida, especialmente daqueles que fazem parte das nações mais ricas e industrializadas do planeta, requer uma delicada rede de transporte e comunicações. Elimine essa rede e nós seremos reduzidos a um padrão de vida que lembrará o da Europa medieval. Aqueles que entenderem esse fato e se planejarem para enfrentar esse tipo de vida tem uma probabilidade de sobrevivência muito maior. Este capítulo mostra como criar um forte e como viver dentro de seus limites.

A RESIDÊNCIA (DEFENDENDO SEU LAR)

Para conflitos de Classe 1, a casa da maioria das pessoas oferecerá o abrigo necessário. Não há necessidade de abandonar a cidade logo que receber a notícia de que os mortos estão andando. Na verdade, isso não é nada recomendável. Nas primeiras horas de um ataque zumbi, a maior parte da população tentará fugir desesperadamente. As estradas se tornarão uma massa de veículos parados e pessoas em pânico, uma situação com um forte potencial para a violência. Até que os vivos destruam os mortos, ou os mortos exterminem os vivos, tentar fugir só aumentará o número de corpos somados nesse caos. Portanto, carregue suas armas, prepare-se para lutar, mas mantenha-se firme, permaneça a salvo, fique alerta. E que lugar é melhor para isso do que sua própria casa?

1. PREPARAÇÃO PARTE 1: A CASA

Antes que os mortos surjam, antes que o caos e a carnificina tenham início, alguns chefes de família acharão que estão mais seguros que seus vizinhos. Apesar de nenhuma casa ter sido construída com o intuito de proporcionar defesa contra zumbis, diversos projetos provaram-se seguros de maneira extraordinária. Se sua casa não estiver estruturalmente pronta para um ataque zumbi, várias medidas podem ser tomadas para fortificá-la.

A. *Exceções*

As casas sobre pilotis que vemos em praias, nas margens dos rios e em outras áreas com potencial de alagamento, construídas com o principal intuito de evitar a destruição por enchentes. A altura sempre torna os ataques convencionais impossíveis. Portas e janelas podem até mesmo permanecerem abertas e sem nenhuma proteção especial. Geralmente esse tipo de construção tem apenas uma porta ou talvez uma ou duas entradas externas, que podem tanto ser protegidas por barricadas ou destruídas assim que o alarme soar. Tenha em mente que, nesta plataforma elevada, o tempo de sobrevivência será determinado pela quantidade de provisões que o proprietário da casa houver estocado.

Também existe outra espécie de residência que proporciona um alto nível de proteção e que foi construída para combater forças tão hegemônicas e tão mortais quanto as de um exército de zumbis: as "casas seguras", à prova de furacões, que têm sido construídas no coração da América, planejadas para resistir a tornados leves e moderados. Seu projeto consiste em paredes de concreto, portas reforçadas com aço e postigos também de aço elegantemente ocultados por trás de cortinas comuns. Sozinhos, esses domicílios podem resistir a insurreições de Classes 1 e 2.

B. *Modificando residências*

Proteger sua casa contra os mortos-vivos é semelhante a protegê-la dos vivos. A única diferença é o tão comum alarme contra roubo. Muitos de nós dormem tranqüilos a noite

toda apenas porque o alarme está "armado" e funcionando. Mas, o que esses aparelhos realmente fazem além de enviar um sinal para algum tipo de segurança privada ou força policial? E se os reforços não vierem? E se estiverem ocupados com outras batalhas? E se receberem ordens para proteger áreas consideradas "mais importantes"? E se tiverem deixado de existir, desaparecendo na barriga dos necrófilos? Em qualquer um destes casos, é necessário adotar meios diretos de defesa.

Barras de segurança nas portas e janelas conterão um grupo de zumbis por um intervalo limitado de tempo. Experiências anteriores têm demonstrado que um número pequeno de mortos que andam, composto por aproximadamente três elementos, pode rompê-las em menos de 24 horas.

Vidros de segurança temperados impedem a entrada por compressão, mas podem ser forçados para fora de seus

painéis. Isso pode ser facilmente resolvido com a instalação de molduras de concreto ou de aço. Entretanto, o dinheiro necessário para substituir cada uma das janelas de uma casa comum pode, e deve, ser gasto na compra ou na construção dos dois tipos de residência anteriormente citados: sobre pilotis ou domicílios à prova de tornados.

Uma boa cerca de metal de 3 metros de altura pode conter dezenas de zumbis durante semanas, até meses, permitindo que seu número permaneça na Classe 1. Um muro com 4 metros de altura feita com blocos de concreto, reforçada com vergalhões de aço e preenchidos com concreto, é a barreira mais segura tanto contra insurreições de Classe 1 quanto de Classe 2. As leis de zoneamento podem proibir muros dessa altura, mas não descarte essa possibilidade (consulte a administração local). Apesar de sabermos que os zumbis (em raras ocasiões) içam seus corpos a alturas de quase 2 metros, isso nunca aconteceu em massa. Várias pessoas, bem armadas e com boa comunicação, podem manter um muro de 2 metros. Esta não será uma tarefa fácil, mas é uma opção segura que perdurará enquanto o vigor do grupo resistir.

O portão deve ser de aço ou ferro batido, o mais sólido possível. Deve deslizar para um lado, e não oscilar para dentro ou para fora. Fortalecê-lo é muito simples, basta estacionar seu carro contra ele. Os motores elétricos podem tornar a abertura mais fácil, mas o deixarão encurralados no caso de interrupção ou pane no fornecimento de energia.

Como já afirmamos anteriormente, um muro de 4 metros oferecerá a única proteção adequada em insurreições de Classes 1 e ou 2. Numa insurreição de Classe 3, um número suficiente de zumbis pode, e irá, subir um sobre o outro até formar uma rampa morta-viva que chegará ao topo de seu muro.

C. *Apartamentos*

Apartamentos e prédios de apartamentos variam em tamanho e planta e, conseqüentemente, em capacidade de defesa. Entretanto, dos atarracados edifícios de dois andares de Los Angeles às torres de vidro e concreto de Nova York, certas regras básicas devem ser aplicadas.

Os apartamentos térreos apresentam maior risco simplesmente devido ao acesso a eles. Quem vive no primeiro andar quase sempre está mais seguro do que os que vivem em qualquer tipo de casa. A destruição das escadas isola efetivamente o resto do edifício. Com o elevador desligado e a saída de incêndio numa altura que não possa ser alcançada por um zumbi (a lei impõe limites rigorosos), qualquer apartamento térreo pode se transformar instantaneamente num refúgio contra os mortos que andam.

Outra vantagem dos complexos de apartamentos são sua imensa população. Enquanto o proprietário de uma casa pode ser obrigado a defender a residência sozinho, um edifício de apartamentos pode ser defendido por todos os seus moradores. Isso também aumenta a probabilidade de haver muitos especialistas habilidosos, como carpinteiros, eletricistas, paramédicos e reservistas do exército (nem sempre isso ocorre em todos os casos, mas ainda pode haver uma possibilidade). Obviamente, com um número maior de pessoas, também aumenta o desafio dos conflitos sociais. Este problema em potencial, entretanto, nunca deve ser um impedimento na hora de escolher entre uma casa e um apartamento. Dada a possibilidade de escolha, sempre fique com a última opção.

LEMBRETE IMPORTANTE: DISPENSE MANUAIS PARA DEFESA DE CASAS

Apesar de este livro quase encorajá-lo a utilizar textos convencionais (sobre uso de armas, táticas militares, técnicas de sobrevivência e assim por diante), estes escritos que têm como intuito ensinar a proteger um domicílio não são recomendados. Os livros sobre como defender uma casa pretendem conter adversários humanos, com habilidades e inteligência humanas. Muitas táticas e estratégias incluídas nesses livros, como o emprego de sistemas de alarme elaborados, armadilhas tolas e artimanhas que causam dor, embora não sejam letais, como sprays de pimenta ou cabeças de prego espalhadas pelo carpete, podem ser inúteis contra um invasor morto-vivo.

2. PREPARAÇÃO PARTE II: SUPRIMENTOS

Depois que a residência estiver segura, deve-se armazenar suprimentos para o caso de um cerco. Não há como saber em quanto tempo a ajuda vai chegar. Não há sequer como saber se ajuda virá. Esteja sempre preparado para um longo estado de sítio. Nunca acredite num resgate rápido.

A. *Armas*

Enquanto no campo de batalha é necessário viajar com pouco peso para manter a mobilidade, em sua residência você pode se dar ao luxo de estocar e manter uma pletora de armas. Entretanto, isso não significa encher sua casa com qualquer instrumento de destruição extravagante. Todo arsenal doméstico deve incluir:

- Rifle, 500 disparos
- Espingarda de caça, calibre .12, 250 cartuchos
- Pistola calibre .45, 250 disparos
- Silenciador (rifle)
- Silenciador (pistola)
- Arco pesado (em vez de silenciadores), 150 flechas
- Mira telescópica (rifle)
- Binóculos de visão noturna (rifle)
- Mira laser (rifle)
- Mira laser (pistola)
- Espada katana
- Espada wakizashi ou outra de lâmina curta
- Duas facas com lâminas lisas com 15 a 20 centímetros
- Machadinha de mão

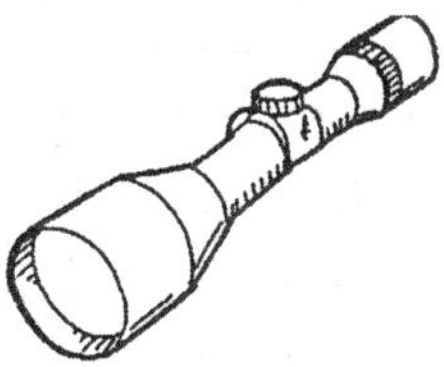

(Observação: Essa lista é válida para um único indivíduo. Os números devem ser ajustados dependendo da quantidade de pessoas no grupo.)

B. *Equipamento*

Agora que todas as armas foram escolhidas, considere que equipamento é necessário para seu próprio sustento e até para a sobrevivência. Para um período curto, kits de sobrevivência a desastres básicos serão suficientes. Para períodos mais extensos, será necessário o material listado a seguir. Objetos domésticos comuns, como tecidos, papel higiênico etc., devem estar sempre à mão em quantidades razoáveis.

- Água, três litros por dia, para cozinhar e para a limpeza
- Filtro de água de propulsão manual
- Quatro filtros sobressalentes
- Cisterna para a coleta de água da chuva
- Iodo e/ou tabletes purificantes

- Comida enlatada, três latas por dia (dê preferência a grãos e farináceos que contenham alguma água)
- Dois fogareiros elétricos portáteis
- Kit médico avançado (é necessário que inclua instrumentos para cirurgias de batalha e antibióticos)
- Gerador de eletricidade movido a pedal
- Gerador movido a gasolina (para ser usado apenas em emergências)
- Vinte galões de gasolina
- Rádio de ondas curtas com bateria recarregável
- Duas lanternas a pilha
- Duas lamparinas a bateria recarregável
- Dois rádios a bateria recarregável e/ou luz solar
- Materiais de reforço apropriados, incluindo tábuas, tijolos, argamassa etc.
- Um completo kit de ferramentas, incluindo marreta, machado, serrote etc.
- Desinfetante e/ou cloro em estoque suficiente para manter uma latrina
- Um telescópio de longo alcance (80X-100X), com lentes avulsas e equipamento de limpeza
- Quinze lâmpadas de emergência
- Trinta e cinco bastões de luz químicos
- Cinco extintores de incêndio
- Dois pares de tampões de ouvido
- Peças avulsas de toda a maquinaria mencionada e manuais de uso
- Uma extensa biblioteca de manuais, incluindo um guia para desastres gerais

(Observação: Da mesma forma que ocorre com as armas, os itens pessoais, como comida, água e remédios, devem ser multiplicados pelo número de pessoas que fazem parte de seu grupo.)

3. SOBREVIVENDO A UM ATAQUE

O cerco começou. Zumbis rastejam ao redor de sua casa, atacando de forma incessante, mas incapazes de entrar. Nesse ponto, suas preocupações estão longe do fim. Esperar durante um cerco não significa ficar sentado sem fazer nada. Muitas tarefas terão que ser realizadas e repetidas para que possa ser possível a sobrevivência num espaço confinado.

A. Escolha um dos cantos de seu quintal para servir de latrina. Muitos manuais de sobrevivência explicarão os pontos mais delicados da construção e da disposição.

B. Se o solo ou a chuva permitirem, faça uma horta. Esta fonte disponível de alimento deve ser consumida primeiro. A comida enlatada deve ser guardada para as emergências.

Faça sua horta o mais longe possível da latrina, para evitar infecções causadas não pelos detritos, mas pelos efeitos residuais que o desinfetante ou o cloro deixam no solo.

C. Para a eletricidade, sempre recorra ao gerador manual (movido a pedal). O modelo a gasolina não apenas é ruidoso e potencialmente perigoso – seu combustível é finito. Utilize-o apenas em circunstâncias extremas, como um ataque noturno, quando for impossível gerar energia manual.

D. Patrulhe o muro constantemente. Se você fizer parte de um grupo, organize patrulhas que cubram as 24 horas do dia. Esteja sempre alerta para formas de ataques pouco prováveis, mas possíveis. Se você estiver sozinho, limite sua patrulha às horas em que o dia ainda está claro. Durante a noite, assegure-se de que todas as portas estejam protegidas (as janelas já devem estar bloqueadas). Durma com uma lanterna e uma arma por perto. Mantenha o sono leve.

E. Seja discreto. Se você tiver um porão, faça sua comida lá e mantenha o gerador de energia e todos os outros equipamentos de manutenção neste mesmo cômodo. Quando monitorar o rádio, algo que deve ser feito todos os dias, utilize os fones de ouvido. Mantenha os blecautes das cortinas fechados em todas as janelas, especialmente durante a noite.

F. Descarte todos os corpos. Seja humano ou zumbi, um cadáver ainda é um cadáver. A bactéria presente na carne em putrefação pode causar sérios danos à saúde. Todos os corpos em seu perímetro devem ser queimados ou enterrados. Todos os corpos presentes do lado de fora do seu muro devem ser queimados. Para tanto, simplesmente monte uma escada do seu lado do muro, jogue gasolina no necrófilo recém-morto, acenda um fósforo e deixe-o cair. Apesar de este ato poder atrair mais mortos-vivos para o combate, é necessário correr o risco para remover o dano já presente.

G. Exercite-se diariamente. O uso da bicicleta ergométrica, junto com a calistenia básica e a tensão dinâmica deixarão o seu corpo forte e em boa forma o suficiente para qualquer situação de combate. Mais uma vez, assegure-se de que seu regime de exercícios seja silencioso. Se não houver um porão, utilize um cômodo no centro da casa. Uma proteção acústica simples, como colchões e cobertores presos nas paredes, ajudarão a abafar qualquer som.

H. Divirta-se um pouco. Apesar da necessidade de vigilância, a recreação é necessária. Assegure-se de haver um grande depósito secreto de livros, jogos e outra forma de divertimento (os jogos eletrônicos são muito barulhentos e desperdiçam muita energia para serem cogitados). Em um cerco longo e aparentemente interminável, o tédio pode levar à paranóia, à desilusão e ao desamparo. É importante manter sua mente em tão boa forma quanto o seu corpo.

I. Mantenha seus tampões de ouvido sempre à mão e os use com freqüência. Os grunhidos constantes e coletivos dos mortos-vivos, um som que persistirá pelo tempo que durar o cerco, pode ser mortal numa guerra psicológica. Sabe-se que pessoas com lares bem protegidos e bem abastecidos mataram umas às outras ou ficaram insanas simplesmente devido aos grunhidos incessantes.

J. Assegure-se de ter uma rota de fuga planejada e que seu equipamento esteja sempre preparado para a fuga. Na incerteza da batalha, pode ser necessário abandonar sua casa. Talvez uma brecha tenha sido aberta no muro, talvez um incêndio tenha começado, ou, ainda, o resgate pode ter chegado, mas não perto o suficiente. Qualquer que seja o motivo, é hora de partir. Mantenha sua

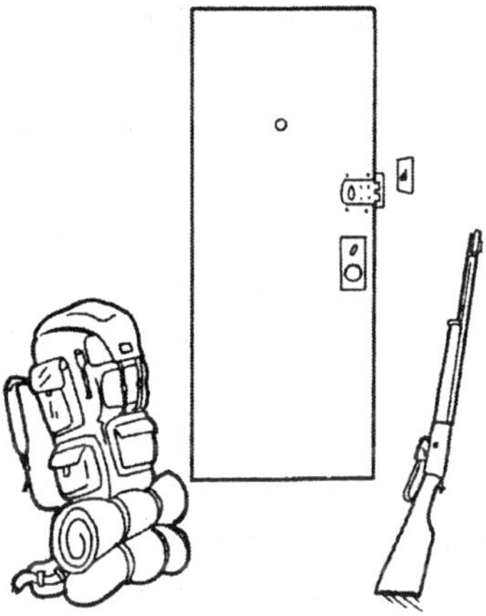

mochila contendo o material de sobrevivência e sua arma numa área facilmente acessível. Elas devem estar preparadas, carregadas e prontas para a ação.

4. DEFESA IMEDIATA

Os mortos se levantaram. Você sente o odor da fumaça, ouve as sirenes. Gritos e tiros enchem o ar. Você não pôde ou relutou em preparar sua casa de maneira apropriada – e agora? Apesar de a situação parecer assustadora, ela não sinaliza de forma alguma sua sentença de morte. Se você realizar as ações certas na hora certa, você poderá evitar que você e a sua família tornem-se membros das tropas dos mortos-vivos.

A. *Estratégias para casas de dois andares*

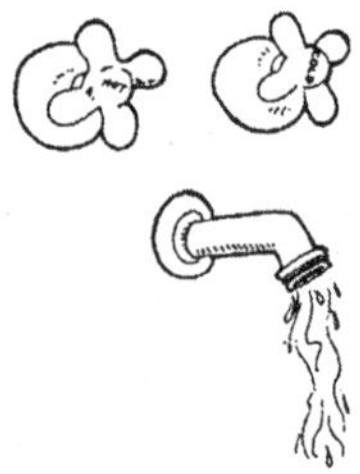

1. Tranque todas as portas e janelas. Apesar de uma vidraça não conter um zumbi, o som do estilhaçamento será o melhor aviso que você poderá ter.
2. Corra para o segundo andar e abra a água da banheira. Apesar do som irritante, não há como saber quando a água será cortada. Após alguns dias, a sede se tornará seu maior inimigo.
3. Procure as melhores armas possíveis. (Ver capítulo anterior.) Elas devem ser leves e, se possível, devem ficar presa em seu corpo, de forma que você possa ter as mãos totalmente livres. Elas estarão ocupadas na próxima hora.
4. Comece a fazer seu estoque no andar superior. Use a lista nas páginas 106-107 como guia. Muitas famílias possuem pelo menos 50% dos itens listados. Faça um inventário rápido para ver o que você tem. Não leve tudo, apenas o estritamente necessário: uma ou duas armas, alguma comida (você já tem uma banheira cheia de água), uma lanterna e um rádio de pilha. E já que a maioria das famílias

mantém suas caixas de medicamentos no segundo andar, você não precisará de mais nada. Lembre-se: o tempo pode ser curto, por isso, não o desperdice reunindo suprimentos quando a tarefa mais importante ainda está por vir.

5. Destrua a escada! Já que os zumbis não são capazes de escalar, esse método garante sua segurança. Muitos argumentam que uma solução fácil seria obstruir todas as portas e janelas com tábuas. Este método é totalmente contraproducente, pois são necessários apenas alguns poucos zumbis para atravessar uma barricada caseira. Sem dúvida, destruir uma escada requer tempo e energia, mas isso precisa ser feito. Sua vida depende disso. Sob nenhuma circunstância tente queimar a escada de sua casa na esperança de controlar o fogo. Muitas pessoas tentaram poupar tempo desta maneira e seus esforços acabaram terminando em morte ou na total destruição da residência.
6. Se você tiver uma escada de mão, use-a para continuar a estocar itens no seu refúgio no andar superior. Se não, catalogue o que você tem, encha todas as pias e outros recipientes com água e prepare-se para uma longa espera.
7. Seja discreto. Se você ouvir rádio, faça-o no volume mínimo. Quando escurecer, não acenda as luzes. Não se aproxime das janelas. Tente fazer com que a casa pareça estar abandonada. Isso pode não impedir uma intrusão zumbi ao acaso, mas ajudará a desencorajar a invasão de toda uma congregação.
8. Não use o telefone. Como em todos os desastres, é provável que as linhas estejam bloqueadas. Uma única chamada a mais pode contribuir para obstruir o sistema. Mantenha a campainha no volume mais baixo. Se houver alguma ligação, atenda, mas faça-o silenciosamente.
9. Planeje uma fuga alternativa. Você pode estar a salvo dos zumbis, mas não do fogo. Se um duto de gás explodir, ou algum idiota descontrolado passar na rua com um

coquetel Molotov nas mãos, você precisará abandonar a casa. Encontre uma sacola ou outro meio de carregar o essencial (ver "A fuga", páginas 136-172) e mantenha-a preparada.

B. *Estratégias para casas térreas*

Se você não mora numa casa de dois andares, o sótão pode ser um substituto menos confortável, mas igualmente seguro.

A segurança pode ser em grande parte garantida com o simples ato de recolher a escada retrátil ou remover a escada de mão. Os zumbis não têm a capacidade cognitiva necessária para construir uma escada sozinhos. Se você permanecer quieto, eles nem ao menos saberão que existe um sótão.

Nunca utilize o porão como abrigo. Os filmes de terror populares demonstram que, no momento crítico, essa câmara subterrânea pode proteger os vivos dos mortos. Esta é uma falácia perigosa. Incineração, sufocamento ou simplesmente a fome em porões ceifaram centenas de vidas ao longo dos anos.

Se você se encontrar numa casa térrea sem sótão, reúna a maior quantidade de suprimentos que conseguir, pegue uma arma e escale até o telhado. Se a escada de mão houver sido chutada para longe e se não existir nenhum acesso direto (uma janela ou alçapão), os mortos-vivos não terão como alcançá-lo. Mantenha-se quieto e em silêncio para evitar atrair os mortos-vivos. Os zumbis que estiverem na área invadirão a casa embaixo de você, procurarão por presas e depois vagarão para outro lugar. Permaneça no telhado o máximo possível, até que os suprimentos acabem ou uma patrulha de resgate chegue. Pode não ser confortável, mas será sua melhor chance de sobreviver. Ao fim, será inevitável o abandono desse refúgio. (Ver "A fuga", página 136, para maiores detalhes.)

ESPAÇOS PÚBLICOS

Como nas casas particulares, a segurança pode ser encontrada em edifícios públicos ou não-residenciais. Em alguns casos, seu tamanho e sua planta podem dar mais proteção do que os mais seguros domicílios. Em outros casos, acontece exatamente o oposto. Como as armas e o equipamento devem estar dispostos nessas estruturas da mesma maneira que nos lares particulares, embora em maior escala, esta seção se concentra nos melhores e nos piores santuários públicos.

1. PRÉDIOS COMERCIAIS

Muitas das mesmas regras a respeito dos apartamentos privados podem ser aplicadas aos prédios comerciais. Uma vez que o piso térreo foi abandonado, as escadas destruídas e os elevadores desligados, um edifício pode ser uma torre de segurança.

2. ESCOLAS

Como não há uma planta genérica, decidir se uma escola pode ser um bom lugar para esconder-se pode ser complicado. Tenha em mente as regras gerais de defesa (ver "Regras gerais", na página 125). Infelizmente para nossa sociedade, mas felizmente para o caso de uma invasão zumbi, as escolas localizadas no meio das cidades assumiram uma atmosfera semelhante à de uma fortaleza. Não apenas os prédios foram construídos para resistir a um motim, como cercas de arame os circundam, fazendo com que esses centros de educação se assemelhem mais a conjuntos militares. Comida e suprimentos médicos podem estar prontamente disponíveis na cantina, na enfermaria ou na sala do professor de educação física. Em determinadas ocasiões, a escola pode ser sua melhor aposta – talvez não para você receber educação, mas certamente para proteger-se de um ataque de mortos-vivos.

3. HOSPITAIS

O que poderia parecer um local mais seguro e lógico para fugir durante uma insurreição é, na verdade, o pior. Sim, os hospitais podem ter estoques de comida, suprimentos médicos e uma equipe especializada. Sim, as próprias estruturas podem ser seguras, assim como qualquer edifício de apartamentos ou de escritórios. Sim, eles podem dar proteção, tendo até mesmo a presença da polícia. Em qualquer outro desastre, um hospital deve ser o primeiro de sua lista de refúgios. Exceto quando os mortos despertarem. Mesmo com o crescente aumento das informações sobre os zumbis, as infecções por *Solanum* ainda são de difícil diagnóstico. Seres humanos com mordidas ou corpos recentemente assassinados sempre são levados para os hospitais. A maioria (em alguns casos, 90%) dos zumbis que integram a primeira leva, consiste em membros de equipes médicas ou aqueles envolvidos com o tratamento de cadáveres. Os levantamentos cronológicos de insurreições zumbis mostram que essas criaturas são literalmente irradiadas a partir desse tipo de edifício.

4. DELEGACIAS DE POLÍCIA

Diferente dos hospitais, o motivo para evitar as delegacias tem menos a ver com zumbis do que com seres humanos. Em todas as probabilidades, as pessoas que vivem em sua cidade ou vilarejo irão afluir para a delegacia local, criando uma mistura de caos, corpos e, por fim, sangue. Imagine uma multidão de gente apavorada amontoada, contorcendo-se, em número muito grande para ser controlada, todos tentando forçar sua entrada no edifício que acreditam melhor representar a segurança. Uma pessoa não precisa ser mordida por zumbis para sofrer danos. Há forte probabilidade de tapas, punhaladas, tiros acidentais e até pisoteamentos. Então, quando os mortos se erguerem, localize a delegacia de polícia local – e tome o caminho contrário.

5. LOJAS DE DEPARTAMENTOS

Para revoltas de Tipo 1, muitas lojas de departamentos oferecerão o abrigo adequado. Aquelas com portões sanfonados, sólidos ou de algum outro tipo, podem conter dez zumbis por vários dias. Se o cerco durar mais ou chegar um número maior de mortos-vivos, a situação pode mudar drasticamente. Uma quantidade suficiente de punhos apodrecidos e formas pesadas chocando-se contra o portão finalmente acabará por quebrá-lo. Sempre tenha uma rota de fuga alternativa planejada, de forma que se a barricada for rompida, você possa seguir em frente com rapidez. Se você não conseguir formular um plano B consistente, não considere esse local como refúgio. Lojas sem portão não devem ser cogitadas. Suas vitrinas não farão nada além do que expor você aos zumbis.

6. SUPERMERCADOS

Apesar de estes locais possuírem comida suficiente para manter seu grupo por anos, os supermercados também são perigosos. Suas imensas portas de vidro, mesmo quando trancadas e bloqueadas, proporcionam muito pouca proteção. Seria difícil reforçar estas entradas. Basicamente, o exterior de um supermercado é uma vitrina gigante, cuja intenção é mostrar os alimentos deliciosos e frescos em seu interior. Com seres humanos dentro e zumbis do lado de fora, isso é exatamente o que não deve ser feito.

Entretanto, nem todas as lojas de alimentos devem ser consideradas locais inseguros. Os mercadinhos e mercearias familiares, nas partes mais pobres das cidades podem servir muito bem como refúgios temporários. Para proteger-se contra ladrões e, mais recentemente, tumultos, todas possuem resistentes portões de metal e algumas até têm portas sanfonadas. Como nas lojas maiores, esses mercadinhos podem dar a proteção adequada a ataques de curta duração e de baixa intensidade. Se você se encontrar dentro de um estabelecimento desse tipo, lembre-se de comer os perecíveis primeiro e prepare-se para consumir o resto se (ou quando) a energia for cortada.

7. SHOPPING CENTERS

Uma estrutura praticamente indefensável. Os grandes shopping centers são sempre alvos tanto para humanos quanto para zumbis. Sempre que acontece algum distúrbio social, as coisas ocorrem da seguinte forma: ao primeiro sinal de confusão, essas concentrações de riqueza ficam apinhadas de seguranças de empresas privadas, policiais e mesmo donos de lojas excessivamente zelosos. Se a crise ocorrer de repente, um grande número de consumidores pode ficar preso dentro do shopping, criando problemas como superlotação, pisoteamentos e sufocamentos, assim como atrairão os mortos-vivos. Numa insurreição de qualquer classe, ir em direção ao shopping pode significar ir para o centro do caos.

8. IGREJAS

Os locais de culto são uma bênção um tanto confusa. A principal vantagem da maioria das igrejas, sinagogas, mesquitas e outras casas de culto é que elas foram construídas para resistir a invasores. Muitas têm portas de madeira pesada ou de metal. As janelas tendem a ser muito distantes do chão. A maioria possui cercas de ferro batido que, apesar do propósito estético, podem servir como uma proteção a mais. Quando comparada a muitas estruturas seculares do mesmo tamanho, seu lugar de culto é surpreendentemente seguro. Entretanto, a proteção que esse tipo de recinto oferece durante uma insurreição nunca será suficiente contra uma horda de zumbis que não deixarão de se aproximar cada vez mais. O ataque violento e inevitável não tem, obviamente, nada a ver com o sobrenatural. Os soldados de Satã não estão por aí para invadir a casa de Deus. O mal definitivo não está travando uma batalha com o bem definitivo. Os mortos-vivos atacam igrejas por uma única boa razão: é onde está a comida. Apesar de sua educação, racionalidade técnica e o declarado desinteresse pelo mundo espiritual, os americanos urbanos correm aos berros para seus deuses ao primeiro sinal de zumbis. Esses lugares de culto, abarrotados de pessoas orando em altos brados por suas almas, sempre servem de chamariz para os mortos-vivos. Fotos aéreas mostram que zumbis migrando de forma lenta e constante e em um número cada vez maior, para seu futuro matadouro: a igreja mais próxima.

9. ARMAZÉNS

Dada a ausência de janelas, entradas que podem ser facilmente protegidas e plantas geralmente espaçosas, os armazéns são os refúgios ideais para períodos prolongados. Muitos armazéns têm um escritório de segurança, em geral equipado com instalações sanitárias e, portanto, uma fonte imediata de água. Se a mercadoria que estiver estocada for pesada e estiver estocada em engradados grandes e duráveis, considere-se com sorte. Essas caixas podem ser utilizadas para reforçar portões, criar ambientes privativos ou até mesmo ser utilizadas para construir uma linha secundária de

defesa, ou um "forte" na área principal, do mesmo jeito que fazíamos quando éramos crianças. Há a possibilidade, embora remota, de os bens estocados poderem ser úteis para a sua sobrevivência. Por todas essas razões, coloque os armazéns no topo de sua lista de esconderijos mais atraentes. Uma advertência sobre a localização: em 50% das ocasiões, essas construções ficam próximas a estaleiros, fábricas e outros locais industriais. Se for o caso, seja cuidadoso, atento e esteja sempre pronto para fugir. Também tome cuidado com os armazéns refrigerados que estocam bens perecíveis. Uma vez que a eletricidade seja interrompida, a rápida decomposição desses produtos pode se tornar uma grave ameaça à saúde.

10. PÍERES E DOCAS

Com algumas modificações, suprimentos adequados e a localização correta, qualquer doca ou píer pode se tornar completamente intocável. Graças ao fato de os zumbis não serem capazes de escalar nem nadar, seu único acesso seria por terra. A destruição desse único ponto de acesso levaria você a uma ilha artificial.

11. ESTALEIROS

Apesar de estes lugares serem freqüentemente locais de estoque de detritos industriais, os estaleiros têm inegáveis possibilidades de servirem de refúgio. Como os armazéns, seus contêineres podem ser transformados em barreiras ou, em alguns casos, até em armas. (Ver "Março de 1994, d.C., San Pedro, Califórnia", página 312.) Os próprios navios tornam-se refúgios prontos, desde que a passagem que liga a embarcação à terra firme esteja protegida. Entretanto, antes de embarcar, assegure-se de que não há nenhum membro da tripulação infectado nessa fortaleza flutuante, particularmente em marinas menores e destinadas a recreação. Nos

primeiros estágios de uma insurreição, os cidadãos irão, sem dúvida alguma, reunir-se na costa, na esperança de usar (ou roubar) qualquer lancha disponível.

Graças ao fato de muitas marinas serem construídas em águas relativamente rasas, é possível que não tenham profundidade suficiente para manter os zumbis submersos por completo. Em várias ocasiões, um marinheiro amador incauto entrou em seu barco e simplesmente encontrou diversos zumbis ensopados e famintos esperando por ele.

12. BANCOS

O que poderia ser mais seguro que uma fortaleza já construída para abrigar o artigo mais precioso da Terra? Um banco não seria um local lógico para preparar uma defesa? Suas medidas de segurança não seriam mais do que suficientes para repelir uma horda de mortos que andam? Na verdade, não. Até o exame mais superficial revela que grande parte das suas chamadas medidas de "segurança" requerem a disposição de policiais e/ou segurança externa. Com a polícia e todas as outras forças especiais ocupadas durante uma insurreição, os alarmes silenciosos, câmeras de vigilância e portões trancados à altura da cintura serão inúteis quando os mortos atravessarem as janelas de vidro laminado, famintos por carne humana. Obviamente, o cofre proporciona segurança. Estas construções colossais deteriam até zumbis armados com lança-foguetes (não, os zumbis não sabem operar lança-foguetes). Entretanto, uma vez dentro do cofre, o que fazer em seguida? Dado que não há comida, água e o tão básico e precioso oxigênio, buscar refúgio num cofre não lhe trará nenhuma vantagem além de tempo suficiente para posicionar uma arma na cabeça, fazer as pazes com seu deus e puxar o gatilho.

13. CEMITÉRIOS

Ironicamente, e apesar de muitos mitos populares, os cemitérios não são os locais mais perigosos quando os mortos se erguerem. Na verdade, podem ser locais de descanso temporário. Como afirmamos anteriormente, os corpos contaminados têm uma tendência maior de terminarem em hospitais e necrotérios, reanimados muito antes de poderem ser levados para cemitérios para enterros convencionais. E, se por algum milagre, um cadáver voltar à vida dentro de seu caixão, será que ele realmente se "erguerá do túmulo"? Para responder a esta pergunta, deve-se levantar outra questão: como? Como um corpo com força normal é capaz de abrir caminho dilacerando seu caixão, possivelmente feito de aço encerrado dentro de uma caixa hermeticamente fechada, a seis palmos abaixo da terra? Se olharmos para os métodos de preservação envolvidos nos enterros comuns realizados nos Estados Unidos, é óbvio que qualquer pessoa, morta-viva ou de qualquer outra forma, não poderia arranhar, unhar ou rastejar no intuito de abrir caminho até a superfície. Entretanto, e se o esquife não for de aço? Mesmo uma simples caixa de pinho poderia ser uma prisão

eficaz o suficiente para sepultar até o zumbi mais teimoso. E se o ataúde de madeira apodrecer? Neste caso, o corpo já foi enterrado há tanto tempo que o cérebro também apodreceu. Lembre-se: corpos que são reanimados precisam estar frescos, razoavelmente intactos e contaminados com o vírus. Esta é a descrição de um cadáver morto há muito tempo? Apesar de parecer a visão dos mortos-vivos que tornou-se um ícone, como vampiros bebendo sangue e lobisomens uivando para a lua cheia, o fato é que zumbis não se erguem, e nunca se erguerão, de túmulos.

14. ASSEMBLÉIAS LEGISLATIVAS E PREFEITURAS

Aplique os mesmos princípios relacionados com as delegacias de polícia, hospitais e casas de culto para prédios dos governos municipal, estadual e federal. A maioria será foco de concentração de atividade humana, transformando-os em centros de caos e congregação de zumbis. Se possível, evite todos os edifícios públicos.

REGRAS GERAIS

Edifícios localizados em bairros mais pobres e afastados do centro da cidade tendem a ser mais seguros do que os outros. A confiança que os moradores dessas regiões têm em cercas altas, arame farpado, janelas com trancas e outros artefatos anticrime faz delas locais já preparados para a defesa. Edifícios em áreas com impostos altos ou médios tendem a enfatizar a estética. Que conselho comunitário de bairro rico gostaria de ter qualquer objeto ofensivo em suas ruas? Em vez de equipamentos de segurança feios, até mesmo deselegantes, essas pessoas abastadas possuem mais confiança nas forças da lei e na segurança privada (forças que já provaram ser tudo, menos confiáveis). Por essas razões, e se a situação permitir, afaste-se dos bairros ricos e siga para os locais financeiramente menos privilegiados.

Evite pensamentos do tipo "acidentes sempre acontecem". Muitas estruturas industriais do tipo comumente encontrado nos bairros mais pobres ou nas zonas comerciais abrigam materiais explosivos ou inflamáveis. Também podem conter maquinaria complexa, como geradores de energia e reguladores ambientais, mecanismos que requerem manutenção constante. Coloque estes dois fatores juntos e o desastre está garantido. A usina nuclear de Khotan é apenas um exemplo extremo. Incidentes mais numerosos, embora menos dramáticos, normalmente ocorrem em insurreições de Tipo 2 e 3. Não busque refúgio dentro ou perto de zonas industriais, depósitos de combustível, aeroportos ou qualquer outro lugar de alto risco.

Quando escolher um refúgio, considere cuidadosamente as seguintes questões:

1. Há algum muro, cerca ou outro perímetro?
2. Quantas saídas/entradas em potencial existem no local?

3. Os membros de seu grupo podem defender simultaneamente todas as cercas e saídas?
4. Há alguma posição defensiva secundária, vários andares, ou um sótão?
5. O edifício pode ser protegido?
6. Há alguma rota de fuga alternativa?
7. Qual é a situação dos suprimentos?
8. Há um encanamento funcionando?
9. Se necessário, há armas e ferramentas disponíveis?
10. Há material disponível para reforçar as entradas?
11. E sobre os meios de comunicação: telefone, rádio, internet etc.?
12. Dados todos esses fatores, por quanto tempo você ou o seu grupo podem sobreviver durante um ataque prolongado?

Certifique-se de considerar todas estas questões quando escolher onde armar seu acampamento. Resista ao impulso de se lançar no edifício mais próximo. *Lembre-se,* mesmo que a situação pareça desesperadora, *o tempo gasto para pensar com clareza nunca é tempo desperdiçado.*

A FORTALEZA

Em insurreições de Tipo 3, as casas particulares e até as estruturas públicas são insuficientes para garantir vida humana. Por fim, as pessoas reunidas no interior destas construções sofrerão tanto com a degradação eventual de suas defesas como com a simples falta de suprimentos. O que é necessário numa insurreição desta periculosidade é uma estrutura praticamente impossível de ser penetrada, com todos os recursos de uma biosfera auto-sustentável. O que é preciso é uma fortaleza. Isso não significa que você deva procurar imediatamente por uma. Os primeiros dias, até semanas, de uma infestação de Tipo 3 serão marcados pelo tumulto total, uma orgia de violência movida pelo pânico que fará com que a viagem se torne arriscada. Quando as coisas se "acalmarem", as pessoas da região terão se organizado, evacuado a área ou sido completamente devoradas. Só então você deve começar sua busca por uma fortaleza.

1. COMPLEXOS MILITARES

O exército, a marinha, ou até a força aérea devem ser sua prioridade máxima quando estiver em busca de uma fortaleza. Muitas estão localizadas em áreas esparsamente povoadas e, portanto, menos contaminadas. Quase todas têm elaboradas cercas de segurança. Algumas possuem posições defensivas secundárias e até terciárias. A maioria é equipada com abrigos nucleares completamente abastecidos e funcionais, alguns com as mesmas capacidades de uma cidade pequena. Como estas estruturas têm múltiplos meios de comunicação, elas serão, sem sombra de dúvida, as últimas de todas as instalações do globo a perderem contato umas com as outras. Mais importante, entretanto, não são as fortificações físicas, mas os homens e mulheres que estão dentro delas. Como já foi mostrado, pessoas bem treinadas, bem armadas e bem disciplinadas são sempre a melhor defesa. Mesmo com algumas deserções, um pequeno quadro de soldados pode ser suficiente para cobrir o perímetro indefinidamente. Ao entrar numa base militar num período de crise, você encontrará um universo auto-suficiente de especialistas treinados, a maioria com seus dependentes (familiares) na base, todos prontos para defenderem seu novo lar. O melhor exemplo deste tipo de situação ocorreu no Forte Louis Philippe, no território francês do Norte da África (ver páginas 277-280), onde, em 1893, uma unidade da Legião Estrangeira francesa sobreviveu a um cerco zumbi por espantosos três anos! Um problema que pode ser esperado no que diz respeito às bases militares é o fato de que as vantagens óbvias desse tipo de local os tornam propensa à superlotação durante uma insurreição, o que cria riscos adicionais, do consumo intenso de mantimentos e da degradação da segurança.

2. PRISÕES

Apesar de serem projetadas com o único intuito de manter os vivos encarcerados em seu interior, as instituições correcionais podem ser mais do que eficientes na missão de manter os mortos do lado de fora. Atrás de seus formidáveis muros, cada bloco de celas, corredor e sala é uma fortaleza por si só.

Obviamente, podem surgir problemas quando consideramos uma prisão como refúgio. É irônico, mas as penitenciárias modernas oferecem menos proteção do que os modelos antigos graças à maneira como foram planejadas. Altos muros de concreto são a marca registrada das prisões construídas antes de 1965. Suas plantas são produtos da era industrial, quando a altura dos muros era valorizada como um meio de intimidação e respeito. Apesar de este aspecto psicológico ter deixado de existir na fisiologia dos mortos-vivos, qualquer pessoa que procure por refúgio não poderia pedir por uma barreira melhor e mais consagrada pelos anos do que aquelas que mantinham nossos ancestrais a salvo dos elementos criminosos da sociedade. Numa época de verbas curtas e parcos orçamentos, a tecnologia disponível substituiu esse pesado e dispendioso tipo de construção. Câmeras de segurança e sensores de movimento deixam apenas uma linha dupla de arame farpado como obstáculo para fugas. Uma dezena de zumbis podem ser contidos durante o trajeto. Centenas poderiam talvez causar algum dano. Vários milhares, entretanto, rastejando uns sobre os outros, contorcendo-se até formar uma espécie de pirâmide cada vez mais alta, que pode, por fim, alcançar uma altura suficiente para derrubar a primeira cerca, depois a segunda, e então invadir o recinto como se fossem um enxame de abelhas. Diante de um ataque tão violento, quem não trocaria toda a maquinaria *high-tech* do mundo por sete metros do velho concreto?

E quanto aos internos? Considerando que dentro dos muros de uma prisão estão os mais perigosos membros de nossa sociedade, não seria mais sensato enfrentar os mortos-vivos? Na maioria das ocasiões, a resposta é sim. Qualquer pessoa de bom senso sabe que é mais fácil enfrentar dez zumbis do que um criminoso durão. Entretanto, no caso de uma infestação em larga escala e de longa duração, os prisioneiros serão, sem dúvida alguma, libertados. Muitos podem decidir permanecer e lutar pela própria segurança (ver "1960, d.C., Byelgoransk, União Soviética", páginas 295-297), enquanto outros se arriscarão do lado de fora em nome da liberdade, ou até em busca de uma chance de fazer um ataque surpresa na área rural que cerca a penitenciária. Tome cuidado ao se aproximar de uma prisão. Assegure-se de que os internos não assumiram o comando. Utilize-se de cautela se a liderança interna consistir numa coalizão entre prisioneiros e guardas. Em outras palavras, a não ser que a penitenciária esteja abandonada ou ocupada por civis e guardas, esteja sempre alerta.

Uma vez dentro dos portões, vários passos mais ousados devem ser dados para transformar esse complexo correcional numa vila auto-suficiente. A seguir, uma Lista de Sobrevivência que deve ser utilizada caso você encontre a penitenciária abandonada.

A. Localize e catalogue todos os suprimentos contidos dentro dos muros: armas, comida, ferramentas, cobertores, remédios e outros itens úteis. As prisões não costumam ser um dos alvos principais dos saqueadores, portanto você deve encontrar tudo de que necessita.

B. Estabeleça uma fonte de água renovável. Poços exploratórios e uma variedade de reservatórios de água da chuva podem ser utilizados quando o encanamento secar. Antes que isso aconteça, assegure-se de que todos os recipientes grandes estejam cheios e cobertos. A água não será importante apenas para beber e para a limpeza – ela será vital para a agricultura.

C. Plante vegetais e, se possível, grãos como trigo ou centeio. Uma emergência de longo prazo pode durar estações do ano inteiras, tempo suficiente para colher e consumir diversas colheitas. Você provavelmente não encontrará sementes no prédio, por isso, terá de contar com explorações nas redondezas. Isso é perigoso, mas necessário, já que a agricultura será seu único meio de sustento a longo prazo.

D. Utilize uma fonte de energia. Quando a eletricidade for cortada, você deve ter combustível necessário para que os geradores de emergência funcionem por dias, até mesmo semanas. Os dínamos operados por tração humana podem ser facilmente modificados nos geradores já existentes. A operação dessas máquinas também pode eliminar a necessidade de um regime de exercícios. Seu gerador pode não produzir a mesma quantidade de eletricidade de quando estava conectado à rede elétrica, mas deve produzir energia mais do que suficiente para um grupo pequeno ou de médio porte.

E. Planeje para o caso de algo dar errado. E se os portões forem derrubados de repente? E se uma rachadura se abrir em alguma parte do muro? E se, por algum motivo que passou desapercebido, os zumbis invadirem os recintos aos montes? Independente do quão forte o seu perímetro, sempre tenha uma defesa de emergência. Planeje qual bloco de celas será seu ponto de fuga. Reforce-o, arme-o e faça uma manutenção regular do local. Esta será também sua área de moradia primária, capaz de abrigar o seu grupo até que o recinto possa ser retomado ou uma fuga seja executada.

F. Procure se distrair! Como aconselhamos na seção sobre a defesa da casa particular, manter uma atitude mental positiva é fundamental. Encontre um produtor cultural natural em seu grupo e encoraje-o a desenvolver uma rotina de shows. Estimule a realização de noites de talentos e competições entre os membros. Música, dança, narração de histórias, comédia – qualquer coisa que as pessoas sejam capazes de fazer, mesmo que façam mal. Este pode parecer um conselho idiota, até ridículo: quem irá planejar um show de talentos enquanto centenas de zumbis estão arranhando os portões? Alguém que reconheça a importância da moral em tempos de crise. Alguém que reconheça o dano psicológico que um cerco pode causar. Alguém que reconheça que um grupo composto por pessoas tagarelas, raivosas e frustradas é tão perigoso quanto as centenas de zumbis que estão arranhando os portões.

G. Aprenda! Quase todo presídio nos Estados Unidos possui sua própria biblioteca. Use seu tempo livre (e você terá muito) para ler qualquer texto útil. Temas como medicina, mecânica, construção, horticultura e psicanálise – há muitas habilidades esperando para serem aprendidas. Faça com que cada membro de seu grupo torne-se um *expert* em algo. Organize aulas para que um ensine aos outros. Nunca se sabe quando um especialista pode ser perdido e outra pessoa precisará ser designada para ocupar seu lugar. Os conhecimentos contidos na biblioteca da penitenciária irá ajudá-lo em todas as tarefas incluídas nessa lista.

3. PLATAFORMAS DE PETRÓLEO

Quando se escolhe uma fortaleza levando-se em conta apenas a segurança, nada no mundo pode ser mais indicado do que essas ilhas artificiais. Completamente isoladas da costa, com espaços de moradia e de trabalho suspensos, bem distantes do nível do mar, mesmo um zumbi inchado e que consiga flutuar nunca seria capaz de alcançar uma dessas plataformas. Isto torna a segurança desses locais uma preocupação desnecessária, permitindo que você e seu grupo concentrem-se por inteiro na tarefa de sobreviver.

As plataformas de petróleo também se destacam por sua auto-suficiência, especialmente a curto prazo. Assim como os navios, elas têm seus próprios recursos médicos e todos os outros necessários para a sobrevivência de seres humanos. Muitas são equipadas para manter todas as necessidades da tripulação por mais de seis meses. Todas possuem suas pró-

prias destilarias, de forma que a falta de água fresca nunca será um problema.

E já que todas elas são equipadas com carvão, óleo ou gás natural, a energia será ilimitada.

A comida também é abundante, já que o oceano fornece uma nutritiva (e, segundo alguns, superior) dieta de peixes, algas e, se possível, mamíferos aquáticos. A não ser que a plataforma esteja extremamente próxima da costa, não há perigo de poluição industrial. As pessoas podem, e devem, viver de forma plena e por tempo indeterminado com as riquezas do oceano.

Esse completo isolamento pode ser tão atraente quanto aparenta, mas também tem sua própria gama de dificuldades.

Qualquer pessoa que viva próximo à praia lhe dirá como a maresia pode ser mortal. A corrosão será seu inimigo número um, vencendo, por fim, todas as medidas preventivas adotadas. Máquinas essenciais devem ser consertadas. As destilarias menos sofisticadas, compostas por chaminés de aço e barris de cobre, funcionam tão bem quanto dessalinizadores de alta tecnologia. Dínamos movidos a energia eólica e das marés podem fornecer mais da metade da eletricidade consumida por geradores de combustível fóssil. Os equipamentos elétricos sensíveis, como computadores, rádios e aparelhos médicos, serão os primeiros a serem consumidos e os mais difíceis de substituir. Por fim, todo o complexo irá se deteriorar, passando do topo de linha das maravilhas industriais para a posição de casco tosco e enferrujado, embora ainda útil.

Ao contrário das prisões e das bases militares, as plataformas de petróleo marítimas serão os primeiros lugares a ser abandonados. Logo nos primeiros dias de insurreição, os trabalhadores exigirão, sem dúvida alguma, retornar para suas famílias, deixando a plataforma sem nenhuma equipe treinada. Se ninguém no seu grupo souber como operar o maquinário, pode ser difícil aprender. Ao contrário das prisões, pode não haver uma biblioteca com manuais em todas as estantes. Essa tarefa requer um pouco de improviso criativo. Você deve se concentrar no que você é capaz de operar em vez de tentar utilizar toda a tecnologia que pode ser encontrada na maioria das plataformas sofisticadas. Pelo menos até que você domine as operações mais simples.

Os acidentes industriais – explosões de gás ou óleo armazenados – já são suficientemente ruins quando ocorrem em terra firme. No meio do oceano, transformam-se em alguns dos piores desastres da história. Até com a ação do corpo de bombeiros e os recursos de resgate de um mundo vivente e em perfeito funcionamento, tripulações inteiras foram mortas quando suas plataformas foram tomadas pelas chamas. O que aconteceria se ocorresse um incêndio e não houvesse ninguém a quem se pudesse gritar por socorro? Isso não significa que as plataformas de petróleo são bombas plantadas no mar esperando para serem detonadas; não significa que esse tipo de construção deva ser evitado por todas as pessoas com um grau mínimo de prudência. O que é recomendado, entretanto, é desligar o perfurador. Isso pode privar você da obtenção de mais petróleo, mas fará maravilhas por sua expectativa de vida. Utilize o combustível já armazenado para o gerador. Como afirmamos anteriormente, isso não lhe dará a mesma amperagem como gerador primário, mas com o perfurador desligado e todas as outras instalações industriais fora de uso, para que você precisará de tanta energia?

O oceano pode ser uma fonte de vida, mas também é um assassino impiedoso. Tempestades que explodem com ferocidade raramente vista em terra firme podem estraçalhar até as mais resistentes plataformas. As gravações de noticiários que mostram plataformas no mar do Norte literalmente capotando, desintegrando-se até se tornarem um amontoado de lixo que posteriormente afundará sob as ondas, são suficientes para fazer qualquer um pensar duas vezes antes de deixar a costa. Este é, infelizmente, um problema que não pode ser remediado pela humanidade. Nada contido neste, ou em qualquer outro livro, poderá salvá-lo da natureza quando ela decide remover esses grandes amontoados de aço de seu oceano.

A FUGA

Em 1965, foi gravado o *Filme Lawson*, como agora é comumente chamado, um vídeo caseiro gravado em 8mm que retrata cinco pessoas tentando escapar da infestação ocorrida em Lawson, Montana. Esse registro visual sem som e com imagem tremida mostra um grupo correndo para dentro de um ônibus escolar, ligando-o e tentando sair da cidade. Após míseros dois quarteirões, eles acidentalmente bateram contra diversos carros destruídos, dão marcha à ré e acabam parando dentro de um edifício, quebrando o eixo traseiro do veículo. Dois membros do grupo dilaceraram o pára-brisa e tentaram seguir em frente a pé. O cinegrafista filmou um deles sendo agarrado e devorado por seis zumbis. O outro fugitivo, uma mulher, correu para salvar sua vida, desaparecendo ao virar uma esquina. Momentos depois, sete zumbis cercaram o ônibus. Felizmente, não conseguiram virar o veículo de cabeça para baixo nem romper o vidro da porta lateral. Como o filme termina após alguns minutos, sabe-se muito pouco a respeito do que aconteceu com os sobreviventes. O ônibus foi por fim encontrado com a porta afundada. Todo o interior estava coberto de sangue seco.

Durante uma insurreição, você pode considerar necessário fugir da área infestada. Sua fortaleza pode ser invadida. Você pode ficar sem suprimentos. Você pode ficar criticamente machucado ou doente, necessitando de cuidados médicos. Fogo, produtos químicos ou mesmo radiação podem estar aproximando-se com rapidez. Cruzar uma área infestada pode ser a coisa mais perigosa a ser feita. Você nunca estará a salvo. Ao estar o tempo todo exposto num território hostil, você saberá o que significa ser uma presa.

REGRAS GERAIS

1. UM OBJETIVO: Com muita freqüência, aqueles que se escondem em suas residências fortificadas são seduzidos pelas distrações de sua liberdade inicial. A maioria desses indivíduos nunca segue seu caminho de forma segura. Não se torne uma dessas estatísticas desnecessárias. Sua missão é escapar – nada mais, nada menos. Não procure por objetos de valor abandonados. Não cace um zumbi ocasional. Não investigue nenhuma luz ou barulhos estranhos ao longe. Simplesmente dê o fora. Qualquer desvio curto, cada parada na jornada, aumenta as possibilidades de ser encontrado e devorado. Se, por acaso, você cruzar com pessoas que precisem de assistência, de todas as maneiras pare e ajude (às vezes, a lógica deve dar lugar à humanidade). Caso contrário, siga em frente!

2. DETERMINE UM DESTINO: Para onde exatamente você irá? Com muita freqüência, as pessoas abandonam suas fortificações para vagar sem rumo e de maneira desesperada por uma área infestada de zumbis. Sem um destino fixo em mente, as chances de sobreviver à jornada são pequenas. Use o rádio para descobrir o refúgio mais próximo. Se possível, tente se comunicar com o mundo exterior para confirmar se esse destino é de fato seguro. Sempre tenha um rumo alternativo, no caso de o primeiro ter sido invadido. A não ser que outros seres humanos estejam esperando e a comunicação constante

seja mantida, você pode chegar em seu destino e encontrar uma concentração de zumbis esperando, famintos, na reta de chegada.

3. REÚNA INTELIGÊNCIA E PLANEJE SUA JORNADA: Quantos zumbis (aproximadamente) estão entre você e seu destino? Quais são as barreiras naturais? Houve acidentes perigosos, como incêndios, ou derramamento de produtos químicos? Quais são as rotas mais seguras a serem tomadas? Quais são as mais perigosas? Quais delas foram divulgadas desde que a insurreição teve início? O clima será um problema? Há algum atalho pelo caminho? Você está certo de que eles ainda existem? Você consegue pensar em alguma informação que gostaria de obter antes de partir? É óbvio que, uma vez que você está escondido em sua fortaleza, será difícil reunir informações. Pode ser impossível saber quantos zumbis estão lá fora, se uma ponte partiu, ou se todos os barcos da marina içaram âncora. Por isso, conheça seu terreno. Ao menos um único fator que nunca irá se alterar, mesmo em meio a uma insurreição. Considere onde você estará ao fim de cada dia. Assegure-se, pelo menos a partir do mapa, que este local seja relativamente defensável, com boas possibilidades de esconderijos e rotas de fuga diversas. Equipamentos específicos também precisam ser considerados, dependendo do caminho escolhido. Será necessário levar uma corda para escaladas? E um estoque extra de água, caso não haja nenhuma fonte natural?

Uma vez que todos esses fatores sejam calculados, considere as variáveis desconhecidas e formule planos alternativos baseados nos imprevistos. O que você fará se um incêndio ou um derramamento de produtos químicos bloquear seu caminho? Para onde você irá se a ameaça zumbi mostrar-se maior do que o imaginado? E se um membro do grupo se machucar? Considere todas estas possibilidades, e faça o máximo que puder para planejar com estes acontecimentos em vista. Se alguém lhe disser: "Ei, vamos simplesmente andar e lidar com o que aparecer a nossa frente", dê uma pistola com uma bala para essa pessoa e informe que esta é a melhor maneira de cometer suicídio.

4. **ENTRE EM FORMA:** Se as instruções anteriores foram seguidas ao pé da letra, seu corpo já deve ter sido condicionado para uma longa jornada. Se este não for o caso, comece um regime cardiovascular rigoroso. Se não houver tempo, assegure-se de que o caminho que você escolheu corresponde a suas capacidades físicas.

5. **EVITE GRUPOS GRANDES:** Quando se está na defensiva, a vantagem repousa nos números. Mas quando se está viajando por um território zumbi, o oposto mostra-se verdadeiro. Os grupos grandes aumentam a probabilidade de ser detectado. Mesmo com a disciplina mais rigorosa, acidentes acontecem. Os grupos maiores também impedem a mobilidade, pois os membros mais lentos precisam se esforçar para manter o mesmo ritmo dos

mais rápidos, e vice-versa. É claro que viajar sozinho também apresenta seus problemas. Fatores como segurança, reconhecimento e, naturalmente, sono irão transformar-se em empecilhos se uma pessoa tentar seguir sozinha. Para um desempenho ideal, mantenha apenas três membros em seu grupo. Conjuntos de quatro a cinco pessoas ainda são controláveis. Qualquer coisa acima deste número atrairá problemas. Três membros permitem proteção mútua em lutas corpo-a-corpo, distribuição dos turnos de guarda durante a noite e a possibilidade de dois membros carregarem um terceiro por curtos períodos de tempo, se um deles se machucar.

6. TREINE SEU GRUPO: Faça um inventário de todas as habilidades de cada um dos membros do seu grupo e use-as de maneira condizente. Quem é capaz de carregar mais equipamento? Quem é o corredor mais veloz? Quem é mais silencioso em combates corpo-a-corpo? Designe funções individuais tanto nos combates quanto na sobrevivência do dia-a-dia. Quando seu grupo chegar na estrada, todos devem saber o que se espera de cada um. O trabalho em conjunto também deve ser uma das prioridades mais importantes. Pratique técnicas de sobrevivência e realize treinamentos de combate. Por exemplo, cronometre quanto tempo levará para empacotar todo o seu equipamento e cair fora no caso de um ataque repentino de zumbis. Obviamente, o tempo será um elemento crítico em sua partida. O ideal é que seu grupo se mova como se fosse um único corpo, aja como um único corpo e mate como um único corpo.

7. MANTENHA-SE EM MOVIMENTO: Uma vez descoberto, os zumbis irão convergir de todas as direções diretamente para onde você está. A mobilidade, e não o poder de fogo, é a sua melhor defesa. Esteja preparado para

correr assim que for notado. Nunca leve mais do que você pode carregar enquanto corre. Nunca desempacote seu equipamento todo de uma vez. Nunca tire seus sapatos, a não ser que a segurança imediata esteja assegurada! Empreenda investidas de alta velocidade apenas quando necessário, já que essas aceleradas desperdiçam quantidades preciosas de energia. Faça intervalos breves e freqüentes. Nestas paradas, não permita que você se sinta à vontade. Espreguice-se a cada pausa. Nunca assuma riscos desnecessários. Pular, escalar e qualquer outra atividade que possa causar ferimentos deve ser evitada sempre que possível. Em territórios infestados por zumbis, a última coisa de que você precisa é de um tornozelo torcido.

8. **PERMANEÇA INVISÍVEL:** Além da velocidade, seu aliado mais próximo será a furtividade. Como um rato tentando rastejar por um ninho de cobras, você deve fazer o que for possível para evitar ser detectado. Desligue qualquer rádio de mão ou equipamento eletrônico. Se usar um relógio digital, assegure-se de que o alarme esteja desligado. Prenda bem todos os seus equipamentos, de forma que nada tilinte enquanto você anda. Se possível, mantenha seu cantil sempre cheio (para evitar o som da água balançando). Se fizer parte de um grupo, evite falar. Sussurre ou faça uso de sinais para se comunicar. Prefira locais com boa cobertura. Viaje por áreas abertas quando necessário. À noite, evite o uso de fogueiras, lanternas e qualquer outra fonte de luz. Isso irá restringir sua mobilidade às horas iluminadas pelo sol e sua dieta a rações frias, mas esses sacrifícios devem ser realizados. Estudos demonstraram que um zumbi com os olhos intactos pode avistar a brasa de um cigarro a mais de 800 metros (não se sabe se eles irão até lá para investigar, mas, por que correr o risco?).

Lute apenas quando for inevitável. Os atrasos trazidos pela batalha servirão apenas para atrair mais zumbis. Sabe-se de pessoas que acabaram apenas com um zumbi e depois se viram cercadas por dezenas deles. Caso o combate se mostre inevitável, utilize armas de fogo apenas na mais desesperada das circunstâncias. Não há diferença alguma entre atirar e lançar um foguete de sinalização. A repercussão desse ato pode atrair zumbis num raio de quilômetros. A não ser que você tenha um meio confiável e rápido, de escapar, ou que seu armamento seja silenciado, utilize uma arma de mão secundária. Caso contrário, tenha uma rota de fuga planejada e pronta para ser usada assim que atirar.

9. OLHE E OUÇA: Além de manter-se escondido, você deve tentar avistar as ameaças em potencial. Procure por movimentação. Não ignore sombras ou formas humanóides distantes. Durante os intervalos e enquanto estiver em marcha, pare para ouvir os arredores. Você está ouvindo passos ou som de brigas? Os mortos-vivos estão grunhindo ou é apenas o vento? Obviamente, é fácil ficar paranóico, passando a acreditar que os zumbis estão em cada esquina. Isso é ruim? Neste caso, não. Uma coisa é acreditar que todos querem pegar você e outra bem diferente é pensar desta forma quando isso é realmente verdade.

10. DURMA!: Se você e seu grupo estiverem totalmente sozinhos, procure ser silencioso, tente estar alerta. Os zumbis podem estar em todos os lugares, escondidos, ou caçando. Dezenas podem aparecer a qualquer momento e a ajuda pode estar a quilômetros de distância. Então, em nome de Deus, como você conseguirá dormir?! Isso pode parecer loucura, pode parecer impossível, mas é essencial se você quer sair vivo dessa provação. Sem des-

canso, os músculos se deterioram, os sentidos tornam-se vagarosos e cada hora que passar reduzirá sua capacidade de operação. Muitas pessoas imprudentes, acreditando poder abastecer seus corpos com cafeína para dar uma injeção extra de energia à viagem, perceberam tarde demais as conseqüências desta estupidez. Uma vantagem de viajar de dia é que, goste ou não, você não irá a lugar algum por pelo menos algumas horas. Em vez de amaldiçoar a escuridão, use-a. Viajar em grupos pequenos, ao contrário a viajar sozinho, permite um sono mais seguro, pois os membros podem ficar acordados individualmente, formando escalas de vigia. É óbvio que mesmo com alguém zelando por você, não será fácil cair no sono. Resista à tentação dos comprimidos para dormir. Seus efeitos podem fazer com que você não consiga funcionar da maneira normal se os zumbis atacarem durante a noite. Além de meditação e outros exercícios mentais, não há nenhuma outra técnica rápida para dormir em meio a uma infestação.

11. EVITE SINAIS ABERTOS: A primeira visão de um avião pode fazer com que você tente atrair a atenção do piloto dando um tiro, enviando sinais luminosos ou acendendo uma fogueira, ou qualquer outra ação dramática. Isso pode atrair a atenção do piloto, que pode mandar uma mensagem de rádio para um helicóptero ou equipe de resgate em terra, enviando-as para onde você está. Esse ato também pode atrair os zumbis que estiverem nas redondezas. A não ser que o helicóptero esteja apenas a alguns minutos de distância, os zumbis irão, sem dúvida alguma, alcançar você primeiro. Só tente sinalizar sua presença com algo diferente de um rádio ou um espelho se a aeronave que você viu puder aterrissar no mesmo instante no exato local onde você está. Se caso contrário, siga seu caminho.

12. **EVITE ÁREAS URBANAS:** Sejam quais forem suas chances de sobreviver durante uma infestação, elas irão cair de 50 a 75% quando atravessar uma área urbana. O simples fato de um lugar ser habitado por um número maior de pessoas vivas fará com que haja um número maior de mortos. Quanto mais construções houver, maior será a probabilidade de emboscadas. Estas construções também diminuirão seu campo de visão. As superfícies de cimento rígido, ao contrário de solos macios, não contribuem em nada para abafar passos. Adicione a essa situação as possibilidades de simplesmente derrubar alguma coisa, tropeçar em escombros ou pisar em vidro quebrado, e tenha a receita para uma viagem muito barulhenta.

    Além disso, como já foi e deve ser salientado neste capítulo, a possibilidade de ser capturado, encurralado ou cercado de alguma outra forma é infinitamente maior numa área urbana do que num ambiente a céu aberto. Esqueça por um momento que a razão de seus problemas são os mortos-vivos. O que dizer sobre fogo amigo, outros humanos escondidos em edifícios, ou bandos armados de caçadores que podem confundir você com um zumbi? E os derramamentos de produtos químicos, tanto acidentais quanto intencionais, fumaça tóxica ou outros perigosos subprodutos da guerra urbana? E as doenças? Lembre-se de que os corpos, tanto dos humanos mortos como dos zumbis exterminados, podem ficar expostos por semanas antes de serem devorados. Os microorganismos mortais que eles carregam são espalhados pelo vento, podendo ser uma ameaça tão violenta à saúde quanto qualquer outro foco encontrado nas ruas da cidade. A não ser que você tenha um motivo legítimo (uma tentativa de resgate ou obstáculos intransponíveis do outro lado, e não uma oportunidade rápida de cometer alguns saques), mantenha-se longe das cidades, custe o que custar.

EQUIPAMENTO

Viajar com pouco peso é essencial para sua jornada. Antes de empacotar qualquer coisa, pergunte-se: "Eu *realmente* preciso disso?" Uma vez que você já reuniu seu equipamento, reveja a lista e faça essa pergunta novamente. Obviamente, viajar com pouco peso não significa empunhar apenas uma .45, juntar um pouco de carne-seca, uma garrafa de água e cair na estrada. O equipamento será essencial, mais do que em qualquer outro cenário onde você possa permanecer escondido – uma prisão, uma escola, sua própria casa –, onde há suprimentos em abundância. É possível que o equipamento que você levar venha a ser tudo o que terá. Você precisará carregar nas próprias costas seu hospital, seu almoxarifado e arsenal. A seguir, uma lista de equipamento padrão que você precisará para uma jornada bem-sucedida. Objetos específicos, como esquis para neve, bloqueador solar ou telas protetoras contra mosquitos, devem ser acrescentados de acordo com o clima de onde você se encontra.

- Mochila
- Botas especiais para caminhadas (já amaciadas)
- Dois pares de meias
- Uma garrafa de água de gargalo grande e capacidade para um litro.
- Tabletes purificadores de água
- Relógios à prova d´água e de vento.
- Bandana
- Mapa
- Bússola

- Lanterna pequena (movida a pilha AAA) com lentes revestidas
- Poncho
- Espelho sinalizador pequeno
- Colchonete *ou* saco de dormir (carregar ambos será muito incômodo)
- Óculos escuros (com lentes polarizadas)
- Kit de primeiros socorros com, no máximo, o tamanho da palma de uma mão
- Canivete suíço militar ou alguma multiferramenta
- Rádio de pilha com fone de ouvido
- Faca
- Binóculos
- Arma de fogo primária (preferível uma carabina semi-automática)

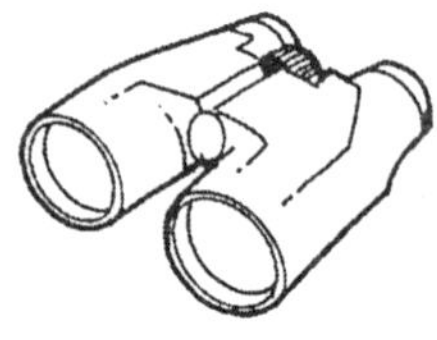

- Cinqüenta cartuchos (se fizer parte de um grupo, trinta por pessoa)
- Kit de limpeza
- Arma de fogo secundária (preferível uma pistola tipo rimfire calibre .22)
- Vinte e cinco cartuchos
- Arma de mão (preferível uma machadinha)
- Fogos de artifício sinalizadores

*

* *

Além disso, todos os grupos devem carregar:

- Arma balística silenciosa (preferível uma arma de fogo silenciada ou um arco)
- Munição extra para quinze mortes (se as armas forem diferentes da arma de fogo padrão)
- Mira telescópica

- Kit médico de tamanho médio
- Aparelho de rádio receptor-transmissor com fones de ouvido
- Pé-de-cabra (em lugar da arma de mão)
- Bomba de purificação de água

Uma vez que você escolheu seu equipamento, assegure-se de que tudo esteja funcionando corretamente. Use sua mochila por um dia inteiro. Se o peso for demasiado no conforto de sua fortaleza, imagine como você irá se sentir no fim de um dia de caminhada. Alguns desses problemas podem ser resolvidos escolhendo-se objetos que combinem diversas ferramentas (como rádios portáteis equipados com lanternas, facas de sobrevivência que contêm bússolas etc.). Aplique também essa filosofia de economia de espaço ao escolher as armas. Um silenciador para uma arma já existente requer menos espaço que uma arma inteiramente nova, como um arco e flechas extras. Carregar sua mochila por um dia também lhe dará uma idéia de onde estão os pontos de atrito, onde as alças precisam de ajustes e qual é a melhor forma de proteger o equipamento.

VEÍCULOS

Por que andar quando você pode se utilizar de algum tipo de condução? Os americanos sempre foram obcecados pela idéia de máquinas que poupam esforço. Em todas as esferas da vida, as indústrias travam uma corrida sem fim para inventar e aperfeiçoar máquinas que tornem os afazeres da vida diária mais rápidos, fáceis e eficientes. E o que poderia ser uma dádiva maior na religião tecnológica americana do que o automóvel? Independente de idade, gênero, raça, status econômico ou localização geográfica, somos ensinados que essa máquina onipotente, em todas as suas formas extraordinárias, é a resposta a nossas preces. E por que essa afirmação não pode ser verdadeira durante um ataque zumbi? Não faria sentido simplesmente atravessar um território hostil de carro? O tempo de viagem seria reduzido de dias a apenas meras horas. A estocagem de equipamentos não seria mais um problema. E que perigo os zumbis representariam quando você pode simplesmente atropelá-los? Para ser exato, estas vantagens são poderosas, mas elas apresentam uma série de problemas igualmente grandes.

Considere o consumo de combustível. Os postos de gasolina podem ser poucos e distantes entre si. Há uma forte probabilidade de que os postos que você encontrar já estarem secos há muito tempo. Determinar a quilometragem exata de seu veículo, levar combustível extra e planejar uma rota exata podem fazer apenas com que você chegue um pouco mais longe.

Como você irá saber se cada uma das rotas o levará a um local seguro? Estudos pós-invasão, realizados particularmente na América do Norte, têm mostrado que a maioria das estradas torna-se rapidamente bloqueada por veículos desocupados. Outros obstáculos adicionais podem incluir pontes destruídas, pilhas de escombros e barricadas abandonadas por defensores desesperados. Evitar as estradas também se mostrará um desafio semelhante ou até mesmo maior (ver "Tipos de terrenos", página 155). Dirigir pelo mato, em busca de uma trilha desobstruída que irá lhe conduzir à liberdade, é a melhor maneira de acabar com o combustível. Mais de um veículo foi encontrado abandonado numa região deserta, com o tanque seco e a cabine vazia toda manchada de sangue.

Imagine uma pane. Muitos ocidentais que transportam seus veículos para países do Terceiro Mundo normalmente levam um kit completo de peças de reposição. O motivo é simples: o automóvel é uma das máquinas mais complicadas da Terra. Em estradas ruins, sem a conveniência de oficinas mecânicas, esse equipamento pode se tornar uma pilha de ferro-velho inútil.

E, então, há o barulho. O rugido do motor durante uma infestação pode parecer atraente quando as coisas estão indo bem. Mas qualquer motor elétrico, independente da qualidade do silenciador, gera mais ruído do que o mais barulhento passo humano. Se você se encontrar num veículo que, por alguma razão qualquer, está impossibilitado de seguir em frente, pegue seu equipamento e corra! A essa altura, você já anunciou sua presença para todos os necrófilos presentes na área. Agora, com a sua mobilidade mecanizada perdida, boa sorte para evitá-los!

Apesar destes avisos, a tentação do transporte motorizado pode parecer irresistível. Por isso, a seguir apresentamos uma lista de veículos típicos e suas vantagens e desvantagens.

1. O SEDÃ

O que é também chamado de seu "carro" básico, possui milhares de variações, o que torna complicado generalizar suas vantagens e desvantagens. Ao escolher um modelo, confira o consumo de combustível, o espaço para o equipamento e a durabilidade. Se os sedãs possuem uma grande desvantagem é sua falta de capacidade de transitar em qualquer tipo de terreno. Como afirmamos anteriormente, muitas estradas estarão bloqueadas, engarrafadas ou destruídas. Se você possui um sedã, imagine como se sairá o seu automóvel ao cruzar um campo. Agora, acrescente neve, lama, pedras, riachos e uma variedade de lixo esquecido e em decomposição. É mais provável que seu sedã não vá muito longe. Com muita freqüência, a região ao redor de uma área infestada fica tomada por sedãs quebrados ou enguiçados.

2. UTILITÁRIO ESPORTIVO

O *boom* da economia, combinado com uma quantidade abundante de gasolina, fez com que a década de 1990 presenciasse uma explosão desse tipo de veículo – monstros das estradas que remontam à época de ouro do mercado automotivo, os anos 1950, quando o maior era sempre o melhor. À primeira vista, parecem ser a melhor forma de fugir. Com a capacidade *off-road* de um veículo militar e o conforto e a confiabilidade de um sedã, o que pode ser melhor para fugir dos zumbis? A resposta é: diversas outras coisas. Apesar de sua aparência, nem todos os utilitários esportivos são equipados para a condução em qualquer tipo de terreno. Muitos são produzidos para um consumidor que nem ao menos cogita a possibilidade de levar seu veículo para além da própria vizinhança. Mas, e no que diz respeito à segurança? A massa sólida que compõe esses imensos automóveis não oferece maior proteção? A resposta é, novamente, não. Estudos de consumo realizados repetidas vezes mostram que muitos utilitários esportivos possuem padrões de segurança bem abaixo de muitos sedãs de tamanho médio. Entretanto, estas pesquisas também demonstram que alguns desses veículos são realmente o que aparentam: burros de carga resistentes e confiáveis que podem suportar as condições mais implacáveis. Pesquise suas opções com cuidado, de forma que você consiga distinguir estes modelos genuínos de artefatos inúteis, irresponsavelmente comercializados, projetados levando em consideração apenas a estética e cuja principal intenção é beber combustível.

3. O CAMINHÃO

Essa classe se refere a qualquer tipo de veículo de carga de tamanho médio, de vans a caminhões de entregas e veículos de recreação. Com um alto consumo de combustível, capacidade *off-road* limitada (dependendo do modelo) e geralmente carregando cargas imensas e desajeitadas, esses veículos podem ser considerados a pior escolha em termos de transporte. Em muitos casos, os caminhões empacam tanto em ambientes urbanos quanto rurais, transformando seus ocupantes em comida enlatada.

4. O ÔNIBUS

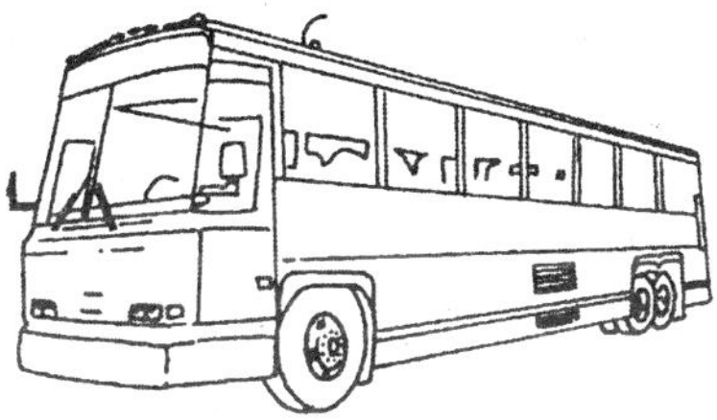

Assim como a classe anterior, esses imensos monstros das estradas podem representar perigo para seus motoristas tanto quanto os mortos-vivos. Esqueça a velocidade, a dirigibilidade, a eficiência do combustível, a capacidade *off-road*, o vigor, ou qualquer outra característica que você considerará necessária para escapar de uma área infestada. Um ônibus não tem nenhuma delas. Ironicamente, se um ônibus tem alguma "vantagem", ela não tem nada a ver com fuga ou defesa. Em duas ocasiões, grupos de caça dirigiram ônibus de polícia por áreas infestadas e utilizaram seus veículos como fortalezas móveis. A não ser que você planeje usar um ônibus dessa maneira, passe longe desse tipo de veículo.

5. O CARRO BLINDADO

Estes tanques civis são, no mínimo, raros. A não ser que você trabalhe em uma empresa de segurança privada ou possua uma vasta fortuna pessoal, dificilmente terá acesso a um desses veículos. Apesar de sua pouca velocidade e a ausência da capacidade de trafegar em todos os terrenos, os carros blindados apresentam diversas vantagens para pessoas em fuga. Sua blindagem sólida deixa o motorista praticamente invulnerável. Até numa insurreição, aqueles que estão no interior desse tipo de veículo podem sobreviver por quanto tempo durarem suas provisões. Uma horda de zumbis de qualquer tamanho e força seria incapaz de atravessar uma barreira de aço reforçado.

6. A MOTOCICLETA

Definitivamente, a melhor opção para fugir de uma área infestada. A motocicleta – de forma mais específica, a mobilete – pode alcançar lugares inacessíveis para veículos de quatro rodas. Sua velocidade e dirigibilidade permitem que passem desapercebidas por uma multidão de zumbis.

Sua leveza permite que sejam empurradas por quilômetros. Obviamente, há desvantagens. Motocicletas possuem tanques de combustível pequenos e não oferecem proteção de nenhuma espécie. As estatísticas mostram, entretanto, que esses defeitos são pequenos. Quando comparadas com os veículos de outros motoristas que tentam escapar de uma insurreição zumbi, os pilotos de moto possuem uma taxa de sobrevivência de 23 para 1. Infelizmente, 31% das fatalidades envol-

vendo motocicletas são frutos de acidentes comuns. Motociclistas afoitos ou arrogantes podem acabar tão facilmente mortos por um acidente quanto pelas mandíbulas dos mortos que andam.

7. EQUIPAMENTOS AUTOMOTIVOS ADICIONAIS

- Equipamento para recauchutagem de pneus
- Bomba para encher pneus
- Combustível extra (tanto quanto possa ser carregado e armazenado do lado de fora da cabine)
- Peças extras (dentro dos limites de tamanho)
- Rádio de ondas curtas
- Manual de instruções
- Kit de reparos (cabos para baterias, macaco etc.)

8. TRANSPORTE RODOVIÁRIO ALTERNATIVO

A. *O cavalo*

Ninguém pode contestar a vantagem óbvia de uma escapada a cavalo. O abastecimento num posto de gasolina torna-se irrelevante. Os suprimentos extras ficam reduzidos a comida, cobertor e alguns remédios adicionais. As opções de terreno aumentam, já que quatro cascos não precisam de uma estrada. Antes do luxo dos automóveis, as pessoas viajavam quase que com a mesma eficiência nesses animais velozes e robustos. No entanto, antes de subir em sua sela e cair na estrada, tenha em mente algumas advertências simples. Como pode afirmar qualquer pessoa que já montou num pônei quando criança, andar a cavalo requer habilidade.

Esqueça como cavalgar parece fácil nos filmes de bangue-bangue. É difícil dominar a habilidade necessária para montar e cuidar de cavalos. A não ser que você já saiba como fazê-lo, não ache que conseguirá aprender durante a viagem. Outra desvantagem, específica de situações em que lidamos

com zumbis, é que os cavalos ficam notoriamente assustados com os mortos-vivos. Até o odor de um zumbi, trazido pelo vento e talvez a quilômetros de distância de sua origem, será suficiente para levar grande parte dos cavalos à histeria. Isso pode ser um vantajoso aviso para cavaleiros extremamente experientes, alguém que saiba como controlar seu animal. Para a maioria, entretanto, o resultado pode ser um cavaleiro catapultado para o chão, bastante machucado. O cavalo, neste momento, não apenas deixará seu desafortunado cavaleiro desamparado, como também relinchos desvairados servirão para alertar os zumbis próximos.

B. *A bicicleta*

Um meio de transporte único, a bicicleta reúne o melhor dos dois mundos. A bicicleta comum é rápida, silenciosa, movida a músculos e fácil de ser mantida. Acrescente a isso a vantagem adicional de ser o único veículo que você pode colocar nas costas e carregar se o terreno se tornar muito acidentado. As pessoas que usam bicicletas para escapar de áreas infestadas quase sempre estão em melhor situação do que aqueles que estão a pé. Para um desempenho ainda mais favorável, use uma *mountain bike* em vez de o modelo de corrida ou de recreação. Não deixe que a rapidez e a mobilidade subam à sua cabeça. Use o equipamento de segurança padrão e prefira a cautela acima da velocidade. A última coisa que você deseja é terminar numa vala, com as pernas quebradas, a bicicleta destruída, o som dos passos pesados dos mortos-vivos cada vez mais próximos.

TIPOS DE TERRENO

Grande parte da evolução de nossa espécie tem sido uma luta para dominar o meio ambiente. Alguns podem dizer que fomos longe demais.

Isso pode ou não ser verdade. O que não pode ser discutido, especialmente no caso dos países industrializados do

Primeiro Mundo, é que é possível assegurar o controle completo sobre as forças da natureza. No conforto de sua própria casa, você controla os elementos. Você decide quando deve fazer frio ou calor, se o clima deve ser seco ou úmido. Você decide apagar o dia fechando o *blackout* das cortinas ou expurgar a noite ao simplesmente acender uma lâmpada. Até os cheiros e, em alguns casos, os sons do mundo exterior podem ser anulados pelas paredes e janelas fechadas da bolha artificial que você chama de casa. Nesta bolha, o ambiente recebe ordens de você. Lá fora, no mundo, durante a fuga de uma turba de zumbis ferozes, acontece exatamente o contrário. Você estará à mercê da natureza, incapaz de mudar até o aspecto mais insignificante do ambiente a que anteriormente não dava nenhum valor. Aqui, a adaptação será o segredo para a sobrevivência, e o primeiro passo para esta adaptação é conhecer seu próprio terreno. Cada ambiente que você encontrar terá seu próprio conjunto de regras. Estas regras devem ser estudadas e respeitadas em todas as ocasiões. O respeito determinará se o terreno irá se tornar um aliado ou um inimigo.

1. FLORESTAS (TEMPERADA/TROPICAL)

A densidade de muitas árvores altas melhora a ocultação. Os ruídos de animais, ou a ausência deles, podem dar um aviso do perigo que está se aproximando. A terra fofa servirá para encobrir seus passos. Fontes ocasionais de comida natural (castanhas, frutas, peixes, carne de caça etc.) irão suplementar e estender as rações que você carrega em sua mochila. Dormir nos galhos de uma grande árvore pode permitir uma noite de descanso segura. Uma desvantagem irritante provém do dossel acima de você. Se ouvir o som de helicóptero no céu, não será capaz de fazer nenhum sinal rápido o suficiente. E, mesmo se a tripulação o perceber, precisará de uma grande clareira para aterrissar. Pode ser frustrante ouvir a salvação mas ser incapaz de vê-la voando por cima de sua cabeça.

2. PLANÍCIES

Os espaços abertos permitem que os zumbis avistem você a grandes distâncias. Se possível, evite esse tipo de local. Se não, vigie os mortos-vivos com toda a atenção. Assegure-se de que você os verá antes que eles o vejam. Jogue-se no chão imediatamente. Espere até que eles passem. Se for necessário se locomover, rasteje. Mantenha-se no chão até que tenha saído da zona de perigo.

3. CAMPOS

Para se esconder, nada funciona melhor do que o mato alto. A questão é: isso funcionará a seu favor ou contribuirá para um necrófilo sorrateiro? O barulho será um fator crítico. Caminhar no mato seco criará um alarido suficiente para atrair zumbis de todas as partes. Mesmo que o mato esteja totalmente molhado, atravesse os campos devagar, ouvindo cuidadosamente e esteja pronto para o combate corpo-a-corpo a qualquer momento.

4. MONTANHAS

Viajar por um terreno íngreme limitará sua visibilidade. Se possível, evite lugares altos. Mantenha-se nos vales. Fique atento aos topos das colinas no caso de um zumbi inesperado poder avistá-lo. Locais altos podem ser úteis para achar algum pertence dentro de sua mochila, confirmar sua rota e verificar as localizações dos zumbis na área. Aproxime-se de locais altos com extrema cautela. Viaje devagar, com o olhos atentos a qualquer figura encurvada e os ouvidos alertas para aquele grunhido típico.

5. PÂNTANOS

Se possível, evite a todo custo áreas alagadas. O barulho de seu corpo chapinhando na água impede qualquer movimento furtivo. A vida selvagem venenosa e predadora é tão ameaçadora quanto os mortos-vivos. A lama fofa impedirá seu avanço, especialmente com uma mochila pesada. Sempre procure por terra firme e seca. Quando necessário, vague apenas pelas águas mais rasas. Fique atento a oscilações na água ou a qualquer movimento subaquático. Um zumbi pode ter afundado na lama fofa e ter ficado de tocaia logo abaixo da superfície. Procure por rastros ou carcaças de animais. Como nas florestas, ouça a vida selvagem. Sua presença física também agirá como um mecanismo de aviso prévio. Centenas de animais diferentes e várias espécies de pássaros vivem nesse ecossistema. Só a ameaça causada por grandes predadores seria suficiente para silenciá-los. Caso você se encontre no meio de um pântano e, de repente, não ouvir absolutamente nada, saberá que os mortos-vivos estão por perto.

6. TUNDRAS

Este ambiente subártico é o mais propício para o ser humano na face da Terra. As longas noites de inverno são seguras para viajar, uma vez que as temperaturas extremamente baixas congelam os zumbis pelo caminho. Os longos dias de verão colocam os seres humanos, que são dependentes da visão, em pé de igualdade com seus perseguidores mortos-vivos, que se guiam igualmente utilizando todos os sentidos. Isso lhe dará mais tempo para permanecer na estrada. Ironicamente, o crepúsculo subártico tem se provado uma grande ajuda para um sono mais relaxado e profundo. Fugitivos que armaram acampamento para passar a "noite" relatam, coerentemente, a possibilidade de descansar de verdade sem o medo de uma multidão pútrida correndo em direção a eles, saída da escuridão.

7. DESERTOS

Além das áreas urbanas, as zonas quentes e áridas podem ser os ambientes mais perigosos da Terra. Mesmo sem a ameaça de zumbis, a desidratação e/ou insolação podem matar um ser humano saudável em algumas horas. A melhor maneira de evitar essas condições letais é, evidentemente, viajar a noite. Infelizmente, isso será impossível, já que movimentos noturnos são desencorajados durante uma insurreição. A viagem deve ocorrer nas três horas antes do amanhecer e nas três horas após o crepúsculo. Deve-se passar a parte mais ensolarada e quente do dia num local fixo e abrigado da luz. Utilize as horas de total escuridão para descansar.

Isso tornará sua jornada mais lenta, mas reduzirá enormemente os riscos de um ataque. Mais do que em qualquer outro tipo de terreno, assegure-se de que você possui água suficiente para sua jornada ou sabe exatamente onde obtê-la. Se possível, evite a todo custo os desertos. Nunca se esqueça de que este ambiente pode matá-lo tão facilmente quanto a qualquer morto que anda.

8. MEIOS URBANOS

Como já afirmamos antes, as áreas com alta densidade populacional devem ser evitadas a todo custo quando você está fugindo. O perímetro desses locais se transformará num turbilhão de caos inenarrável. Imagine um grande número de pessoas – digamos, meio milhão – deixadas por conta própria numa cidade sem água corrente, eletricidade, telefones, abastecimento de comida, assistência médica, coleta de lixo, controle de incêndios ou forças da lei? Agora acrescente a essa situação milhares de criaturas humanóides carnívoras espreitando pelas ruas manchadas de sangue. Imagine meio milhão de seres humanos – apavorados, desvairados, frustrados, lutando pela vida. Nenhum campo de batalha convencional, nenhum tumulto, nenhum distúrbio "comum" de ordem social pode preparar você para o pesadelo que é uma cidade sitiada pelos mortos-vivos. Se você precisar ignorar todo o bom senso e viajar por uma área urbana, as regras de sobrevivência a seguir aumentarão (mas não garantirão de maneira alguma) suas chances de sair vivo:

A. Conheça a área!

Esta regra deve ser repetida, pois, em nenhum outro local, ela é mais essencial do que nas áreas urbanas. Qual é o tamanho da cidade em que você está entrando? Qual é a largura de suas ruas? Quais são os pontos de engarrafamento, como pontes e túneis? Quais são os becos e ruas sem saída? Onde ficam as fábricas, as usinas químicas, ou outros lugares que armazenam materiais perigosos? Quais são os locais de construção que podem apresentar obstáculos? Estes lugares são áreas planas, abertas, ou campos para jogos e parques por onde você pode cortar caminho? Onde ficam os hospitais, delegacias de polícia, igrejas ou qualquer outro edifício onde os zumbis podem ser atraídos para seres humanos escondidos? Um mapa da cidade pode ser essencial, um guia adicional seria ainda melhor, mas o conhecimento em primeira mão ainda é o ideal.

B. Nunca use veículos de quatro rodas

A probabilidade de encontrar uma rua livre de um extremo da cidade a outro é praticamente nula. A não ser que você tenha uma fonte de notícias atualizadas a cada segundo sobre cada uma das rotas, nem ao menos pense em tentar achar um caminho com seu carro, caminhão, ou utilitário esportivo. Uma moto permitirá que você contorne escadas bloqueadas. Seu barulho, entretanto, anula esta vantagem. Viajando a pé ou de bicicleta, você terá as vantagens da velocidade, da furtividade e da versatilidade nesse labirinto de concreto.

C. Utilize as vias expressas

Se uma insurreição se transformou de uma batalha ativa numa infestação total, a rota mais segura será a via expressa. Desde a década de 1950, as vias expressas são construídas através de todas as cidades de grande e médio porte dos Estados Unidos. Seus projetos são geralmente retos, diminuindo o tempo de viagem. Longas seções são alinhadas com cercas altas ou são suspensas acima do chão, o que torna quase impossível que os necrófilos alcancem. Se eles encontrarem uma rampa de acesso ou uma brecha nas cercas, você ainda terá a velocidade tanto para seguir para longe (em sua bicicleta ou moto) ou simplesmente correr. Veículos de quatro rodas não são, mais uma vez, uma opção, já que todas as vias expressas estarão, sem dúvida nenhuma, engarrafadas com veículos parados. Muitos abrigarão zumbis – humanos mordidos que tentavam fugir da cidade, sucumbiram a seus ferimentos e foram reanimados ainda presos a seus assentos pelo cinto de segurança. Examine cada um dos veículos antes de se aproximar e preste atenção naqueles com janelas abertas ou quebradas. Mantenha sua machadinha pronta para que possa ser pega com rapidez. Seja extremamente cuidadoso ao utilizar armas de fogo, mesmo que com silenciadores ou qualquer outro acessório. Lembre-se que você está caminhando por um campo minado com tanques de gasolina cheios ou parcialmente completos. Uma bala perdida ou uma única faísca, e os mortos-vivos serão o menor dos seus problemas.

D. Mantenha-se acima do chão

Canais de águas pluviais, metrôs, esgotos e outros tipos de estruturas subterrâneas podem abrigá-lo das hordas que se encontram nas ruas. Entretanto, como no caso das vias expressas, você corre o risco de ser encurralado por zumbis já escondidos na área. Porém, ao contrário das vias expressas, você não pode se dar ao luxo de saltar por um muro ou pular por uma passagem superior. Se for confrontado, pode não haver para onde correr. Viajar por baixo do solo também assegura uma escuridão permanente, o que já é um golpe contra você. A acústica da maioria dos túneis está longe de ser a que encontramos acima do chão. Embora isso possa impedir que os zumbis saibam exatamente a sua posição, irá liberar uma reação em cadeia através de sua passagem subterrânea. A não ser que você seja um especialista no sistema – a não ser que você tenha ajudado a projetar, construir ou mantê-lo – não vá a nenhum lugar próximo a essas áreas.

E. Fique atento ao fogo amigo

Mesmo numa cidade, ou parte dela, que tenha sido declarada "infestada" (completamente tomada pelos zumbis), ainda haverá focos de humanidade. Sem dúvida esses sobreviventes irão atirar primeiro e identificar seus atacantes depois. Para evitar o fogo amigo, esteja alerta a grupos de zumbis. Isso pode indicar uma batalha ainda em andamento. Procure, também, por pilhas de corpos. Eles podem marcar a linha de tiro de um atirador de tocaia posicionado numa fortaleza próxima. Escute o som do tiro, tente determinar sua localização e evite o local. Olhe e ouça em busca de outros sinais como fumaça, luz nas janelas, vozes humanas ou o som de máquinas. Novamente, procure por corpos. Montes de corpos, especialmente aqueles que estão olhando para uma única direção, denotam uma tentativa planejada pelos mortos-vivos de atingir um objetivo. O fato de que eles caíram no mesmo local poderia significar que um atirador de tocaia bem treinado os alvejou de um raio fixo. Se você sentir que está se aproximando de seres humanos, *não* tente fazer contato. Produzir sons reconhecíveis ou gritar "Não atire!" ao longo do caminho apenas atrairá mortos-vivos.

F. Entre ao amanhecer, saia quando anoitecer

A não ser que a cidade seja grande demais para ser atravessada à luz do dia, nunca pare e descanse dentro de seus limites. Como já foi dito antes, os perigos que envolvem uma viagem noturna pela área rural multiplicam-se por cem num ambiente urbano. Se você se encontrar prestes a entrar numa cidade faltando apenas algumas horas para o anoitecer, recue para o campo para passar a noite. Se você estiver próximo dos limites da cidade, faltando apenas alguns minutos para o sol se pôr, vá em frente até que encontre algum lugar sem mortos-vivos para montar acampamento. Esta é a única ocasião em que viajar durante a noite é aceitável. O campo na escuridão é sempre mais seguro (relativamente) do que a cidade em plena luz do dia.

G. Durma com uma rota de fuga em mente

Em algumas cidades, é logisticamente impossível atravessar num único dia. Especialmente agora, com o crescimento urbano e o "recuo" (a obrigação de haver um espaço entre dois centros urbanos), torna-se mais difícil definir os limites de uma cidade. Nestes casos, será necessário encontrar um local apropriado para dormir ou, pelo menos, repousar para o dia seguinte. Procure por edifícios, preferivelmente com não mais de quatro pavimentos, situados próximos de outros (mas que não cheguem a tocá-los). Uma construção com um telhado plano e uma única entrada pode se tornar seu melhor abrigo temporário. Primeiro, assegure-se de que você pode pular com facilidade de um telhado para outro. Segundo, tranque a porta que leva ao seu telhado. Se isto for impossível, faça uma barricada com objetos que farão o maior barulho possível quando quebrados. Terceiro, sempre tenha um plano de fuga a longo prazo, assim como um de curto prazo também. Se os zumbis estiverem cambaleando em cima do telhado, acorde a tempo e pule para o próximo telhado, e possivelmente para o seguinte até finalmente chegar à rua. E o que fazer depois? Bem, sem um plano de fuga a longo prazo, tudo que você terá feito será ter pulado direto no fogo do inferno.

MEIOS DE TRANSPORTE ALTERNATIVOS

1. AÉREOS

As estatísticas demonstram que voar é a melhor maneira de viajar. No caso de uma fuga de área infestada, isso não poderia ser uma verdade maior. O tempo de viagem pode ser reduzido a minutos. O terreno e outras barreiras físicas tornam-se insignificantes. A necessidade de comida, suprimentos e praticamente cada lição deste capítulo desaparecem enquanto você voa alto, bem acima das cabeças dos necrófilos que se proliferam. Entretanto, as viagens aéreas podem ter suas desvantagens. Dependendo do tipo de aeronave e das condições em questão, estes empecilhos podem anular qualquer vantagem de seguir pelos ares.

A. Aeronave de asa fixa

Pela rapidez e a disponibilidade, nada supera o aeroplano padrão, assumindo-se que pelo menos uma pessoa em seu grupo saiba pilotar. O combustível será literalmente uma questão de vida ou morte. Se sua viagem necessitar de uma escala para abastecimento, assegure-se de que você conhece a localização exata e que *com toda certeza* o pouso será seguro. Nos primeiros estágios de uma insurreição, muitos cidadãos decolam com seus aviões particulares sem nenhum conhecimento de seu destino. Muitos sofrem acidentes, enquanto outros tentam reabastecer em áreas infestadas. Em um determinado caso, um ex-piloto de acrobacia conduzia seu avião por uma zona de perigo, ficou sem combustível e tentou pular de pára-quedas para tentar se salvar. No momento em que tocou no solo, todos os zumbis dentro de um raio de 16 quilômetros viram seu avião explodir e lentamente se aproximaram da posição onde o piloto se encontrava. (O resultado foi relatado por outro piloto.) Os hidroaviões não têm esse risco em potencial (dado que você permanece sobre as águas). Entretanto, forçar a aterrissagem no meio de um lago ou oceano pode deixar você seguro em relação aos necrófilos, mas não da natureza. Leia relatos de pilotos da Segunda Guerra Mundial que passaram semanas em botes salva-vidas depois de serem alvejados e você vai querer pensar duas vezes antes de entrar em seu pássaro anfíbio.

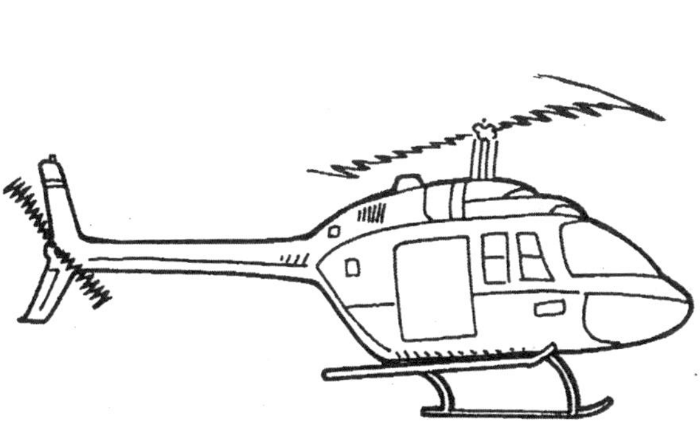

B. Helicóptero

A capacidade de aterrissar em qualquer estrutura, a qualquer momento, representa uma grande vantagem em relação à aviação de asa fixa. Ficar sem combustível não é uma sentença de morte, assim como você não precisa de uma faixa de terra para pousar. Mas e se você descer de seu helicóptero e se deparar com um ambiente hostil? O barulho por si só já anunciará sua presença. Aplique as mesmas regras dadas para aeronaves de asa fixa no que diz respeito ao reabastecimento.

C. Balão

Uma das mais primitivas máquinas de voar é, na verdade, uma das mais eficientes. Um balão, tanto de ar quente quanto de hélio, pode permanecer no céu por semanas. A desvantagem, entretanto, é a falta de propulsão. Os balões dependem, em sua maioria, de correntes térmicas e de vento. A não ser que você tenha uma longa experiência, fugir

em um balão pode ser pouco mais seguro do que ficar pendurado impotente sob um terreno hostil.

D. Dirigível

Eles podem parecer ridículos, pode ser quase impossível encontrá-los, mas se você está querendo uma viagem aérea, nada pode ser melhor do que um dirigível preenchido com hélio. Esses pequenos dirigíveis aperfeiçoados durante a Primeira Guerra Mundial e também nas tentativas de substituir os aviões, foram quase abandonados após o desastre de Hindenburg, em 1937. Hoje, as únicas funções dessas aeronaves vão pouco além de servirem como letreiros flutuantes ou carregadores de câmeras aéreas em eventos esportivos. Durante uma infestação, entretanto, eles combinam a longevidade de um balão com a mobilidade e capacidade de pousar em qualquer terreno de um helicóptero. Os dirigíveis foram utilizados em quatro ocasiões durante insurreições zumbi – uma para escapar, outra para estudar e duas vezes para missões de busca e destruição. Todas as tentativas mostraram-se retumbantes sucessos.

2. AQUÁTICOS

Os barcos, quase que em qualquer formato, foram consagrados como a forma mais segura de transporte durante um ataque. Como afirmamos anteriormente, apesar de os zumbis não utilizarem seus pulmões e poderem viajar debaixo d'água, eles não têm a coordenação necessária para nadar. Por essa razão, viajar em um barco possui muitas das mesmas vantagens que voar. Muitas vezes, pessoas que escaparam atravessando algum corpo aquático e olharam para baixo, deram de cara com necrófilos que olhavam para elas do fundo. Mesmo que a quilha do barco esteja a menos de um centímetro do alcance de um zumbi, os seres humanos dentro da embarcação não têm nada a temer. Estudos mostram que as fugas sobre as águas têm um índice de sobrevivência cinco vezes maior do que as realizadas na terra. Graças ao fato de a maior parte dos Estados Unidos ser crivado por rios e canais, o transporte é teoricamente possível por centenas de quilômetros. Em alguns casos, as pessoas que utilizaram barcos como se fossem ilhas artificiais em lagos ou represas sobreviveram por semanas, enquanto as margens eram infestadas por mortos-vivos.

A. Tipos de propulsão

1. Motor: O combustível fóssil não apenas proporciona alta velocidade como também o controle inigualável de qualquer tipo de via navegável. A desvantagem óbvia é o estoque finito. Mais uma vez, assegure-se de possuir combustível suficiente para toda a viagem ou saiba exatamente onde são mantidos estoques repletos e seguros. Outro problema, como se podia esperar, é o barulho. Viajar a velocidades mais lentas conservará o combustível, mas também alertará qualquer zumbi dentro do campo de audição das margens (um motor lento faz tanto ruído quanto um acelerado). Motores de combustível fóssil também têm seu lugar. Numa emergência, eles podem oferecer um arroubo de energia. Use-os apenas quando necessário, e seja sempre cuidadoso.

2. Veleiro: O vento é a mais consistente fonte de energia. Seu aproveitamento permitirá que você viaje sem se preocupar em racionar combustível. Outras embarcações movidas pelo vento, diferentes das velas oscilantes, têm como marca registrada o mesmo tipo de ruído que uma alga flutuante – quase zero. Infelizmente, o vento também é altamente imprevisível. Um dia de calmaria pode deixar você encalhado, uma ventania forte possivelmente fará com que seu barco vire de cabeça para baixo. Em nove entre dez ocasiões, o vento não estará soprando na direção correta. E, mesmo que esteja,

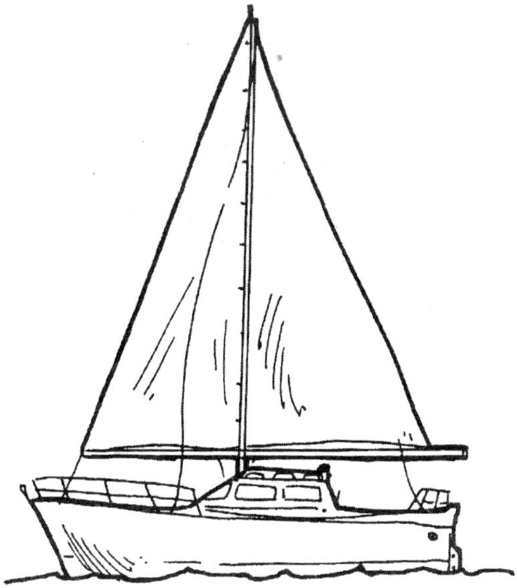

desacelerar ou parar não será tão fácil quanto simplesmente desligar um motor. Qualquer pessoa inexperiente pode pilotar um barco a motor, entretanto, manejar um veleiro requer habilidade, paciência, inteligência e anos de prática. Lembre-se disso antes de correr para o veleiro mais próximo, içar a bujarrona e encontrar o vento soprando diretamente para os mortos-vivos.

3. Músculos: O que pode ser mais simples do que remar? Com um pouco de prática, qualquer um pode impulsionar e manobrar sua própria embarcação. Eis, entretanto, a maior desvantagem deste método, tão simples quanto a humanidade: você se cansa. Isso deve ser levado em consideração quando planejar sua jornada marítima. A que distância você precisa ir? Quantas pessoas estão viajando com você? Mesmo estabelecendo turnos nos remos, o grupo conseguirá alcançar seu destino antes que todos estejam exaus-

tos? A não ser que você tenha um motor de emergência ou uma vela, seja cuidadoso ao planejar jornadas que dependam inteiramente dos músculos humanos. Lembre-se: os seres humanos precisam de descanso; os zumbis, não. Por que colocar a si mesmo numa situação que opõe sua maior fraqueza contra a maior vantagem de seu inimigo?

REGRAS GERAIS

A pior coisa que você pode fazer ao pisar em um barco é acreditar que o perigo terminou. Essa falsa sensação de segurança já causou a morte de centenas de pessoas, vítimas que poderiam facilmente ser sobreviventes caso se mantivessem em guarda e com a mente trabalhando. Escapar pelas águas não é diferente de escapar pelo ar ou por terra. Os avisos devem ser considerados, as regras devem ser seguidas e as lições devem ser aprendidas de trás para frente para uma jornada segura e bem-sucedida.

1. CONHEÇA SUAS VIAS AQUÁTICAS: Há alguma obstrução? E represas, pontes, corredeiras, ou cachoeiras? Como em terra firme, o conhecimento detalhado das vias aquáticas que você irá encontrar é essencial antes de iniciar sua jornada.

2. MANTENHA-SE EM ÁGUAS PROFUNDAS: Preferivelmente mais profundas do que quatro metros. Qualquer localização mais rasa permitirá que um zumbi seja capaz de alcançar seu barco. Muitas escapadas fracassaram graças a mortos-vivos submersos, especialmente em águas escuras. Outros barcos perderam partes de seus propulsores ou uma seção do leme ao atingir um zumbi camuflado embaixo d'água.

3. NÃO ECONOMIZE EM SUPRIMENTOS: Muitas pessoas acreditam que viajar por um rio ou canal elimina a necessidade de rações empacotadas. Apesar de tudo, por que não pescar e beber a água que está logo abaixo de você? Infelizmente, os dias de *Huckleberry Finn*, quando os rios eram limpos e abundantes, há muito já se foram. Após décadas de descargas de lixo industrial, a maior parte dos rios não está em condições de prover vida. Mesmo sem poluentes artificiais, muitos rios e lagos carregam bactérias suficientes, provenientes de dejetos humanos e animais, para causar doenças potencialmente letais. Conclusão: sempre carregue comida e água fresca suficientes para a duração de sua viagem. Um filtro de nível três também deve ser utilizado para cozinhar e tomar banho.

4. PRESTE ATENÇÃO ONDE ANCORAR!: Com muita freqüência, as pessoas que se sentem seguras em seus barcos parados, durante a noite, lançam a âncora e tiram um bom cochilo. Algumas nunca mais acordam. Zumbis que estão caminhando no fundo da água podem ouvir um barco se aproximando, assim como o som de uma âncora atingindo a lama. Após encontrar a corrente, eles podem utilizá-la para escalar até o barco. Sempre deixe pelo menos uma pessoa de guarda caso isso aconteça, e esteja preparado para cortar a corrente ao menor sinal de problemas.

O ATAQUE

Em julho de 1887, a ilha sul da Nova Zelândia foi o cenário de uma pequena invasão em uma fazenda perto de Omarama. Embora os estágios iniciais do ataque sejam desconhecidos, os registros descrevem que, ao anoitecer, um grupo de 14 homens armados assassinou três zumbis na área do interior da cidade, dirigindo-se em seguida para a casa, para o que deveria ser uma "limpeza" rápida. Um dos homens foi enviado para dentro da casa, para fazer um reconhecimento do local. Ele entrou; gritos, gemidos e tiros foram ouvidos; depois, silêncio. Outro homem foi mandado para dentro. A princípio, tudo se manteve em silêncio. Ele foi visto se debruçando sobre uma janela no segundo andar da casa, gritando ter encontrado um corpo pela metade, mas foi só. De repente, um braço em decomposição apareceu por trás dele, agarrou seus cabelos e o puxou para dentro. O restante dos homens correu para dentro para ajudá-lo. Mal colocaram seus pés na casa, cinco zumbis atacaram por todos os lados. Longas armas de mão, como machados e foices, mostraram-se inúteis à curta distância. O mesmo aconteceu com longos rifles. Violentos tiros de pistola acidentalmente mataram três homens imediatamente e feriram outros dois. Quando a distância trouxe a necessidade da luta corpo-a-corpo, um dos sobreviventes entrou em pânico, correu para fora da casa, pegou uma lanterna e a atirou através de uma janela. As buscas subseqüentes nada encontraram além de corpos queimados.

Este capítulo tem por objetivo ajudá-lo a planejar uma missão civil de busca e destruição. Como já foi dito antes, vários órgãos governamentais terão (se tudo der certo) seu próprio equipamento e doutrina para lidar com uma guerra tão pouco convencional como esta. Se o governo se manifestar, ótimo. Sente-se, relaxe e observe seus impostos sendo bem empregados. Porém, como também já foi dito antes, o que acontecerá se aqueles a quem pagamos impostos e esperamos que nos protejam desaparecerem completamente de nosso campo de visão? Neste caso, a responsabilidade de erradicar a ameaça dos mortos-vivos é sua e daqueles que você conseguir convencer a participar. Todas as regras, todas as táticas, todas as ferramentas e armas contidas nesta seção foram cuidadosamente talhadas para este tipo de contingência. Todas foram conseguidas em situações reais de combate. Todas foram testadas e comprovadas como prontas para uma guerra, para o momento em que a hora da retirada terminou e é chegada a hora de caçar os caçadores.

REGRAS GERAIS:

1. REAÇÃO COLETIVA: Como em qualquer outro tipo de combate, uma guerra contra mortos-vivos nunca deve ser uma missão solo. Como já foi observado anteriormente, na cultura ocidental – em especial a americana, existe o mito do superindivíduo. Um homem ou mulher, armado até os dentes e altamente habilidoso, com nervos de aço, acha que pode conquistar o mundo. Na verdade, quem quer que acredite nisso deveria simplesmente tirar a roupa, chamar pelos mortos-vivos e se deitar em uma bandeja de prata. Ele não somente o matará – ele pode também criar outro zumbi. Trabalhar em grupos, sempre juntos, tem se mostrado a única estratégia bem-sucedida para aniquilar o exército de mortos-vivos.

2. MANTENHA A DISCIPLINA: Se você não aprender nada com este capítulo, se possuir o armamento correto, o equipamento, a comunicação e a tática parecem uma perda de tempo para você, se apenas uma ferramenta o acompanha nesta batalha contra os mortos-vivos, deixe que ela seja a rígida, resoluta e inquestionável disciplina. Um grupo que mantém o autocontrole, independente do número de membros, pode causar danos infinitamente maiores em um inimigo morto-vivo do que qualquer multidão bem armada. Como este livro foi escrito para civis e não para uma guarnição militar, é difícil adquirir um nível alto de disciplina como este. Ao selecionar a sua equipe, certifique-se de que os homens e mulheres sob seu comando compreendam perfeitamente suas instruções. Faça uso de uma linguagem clara e concisa. Não recorra a nenhum tipo de jargão militar ou outros códigos, a não ser que sua equipe esteja familiarizada com seus significados. Certifique-se de que haja apenas *um* líder, e que este líder seja reconhecido e respeitado por todo o grupo. Certifique-se de que não haja nenhum tipo de diferença pessoal ou que, ao menos, elas sejam deixadas para trás. Se estas exigências significarem ter que diminuir a sua tropa, que assim seja. Sua equipe não só deve como precisa funcionar como equipe. Caso contrário, uma variedade de potenciais pesadelos o aguardará. Grupos grandes e bem equipados já foram completamente destruídos quando seus membros entraram em pânico, dispersaram-se ou voltaram-se uns contra os outros. Esqueça o que você já viu em filmes a respeito de bandos de habitantes locais embriagados, cervejas e armas de fogo nas mãos protegendo a humanidade da ameaça dos zumbis. Na vida real, um bando barulhento como aquele seria nada mais do que um bufê para zumbis – um bufê carregando armas.

3. **ESTEJA ALERTA:** Talvez você esteja comemorando uma luta bem-sucedida; talvez esteja cansado após várias noites sem dormir; talvez horas e horas de buscas infrutíferas tenham deixado sua mente entorpecida e entediada. Qualquer que seja a razão, *nunca* baixe a sua guarda. Os mortos-vivos podem estar em qualquer lugar, seus ruídos muito bem abafados, seus sinais completamente ignorados. Não importa o quão segura uma área pareça ser, fique alerta, fique alerta, fique alerta!

4. **USE GUIAS:** Nem toda batalha acontece em terreno conhecido. Antes de entrar em uma área com a qual você e sua equipe não estejam familiarizados, tente recrutar alguém que conheça o local. Ele poderá indicar todos os bons esconderijos, todos os obstáculos, todas as rotas de fuga, entre outras coisas. Sabe-se que os grupos que não têm um guia em geral causam desastres acidentalmente, por não saberem que um duto de gás estava em sua linha de tiro, ou que componentes químicos tóxicos estavam armazenados no edifício incendiado por eles. Os exércitos mais bem-sucedidos da história sempre contrataram habitantes locais do território que desejavam conquistar. Os exércitos que invadiram às escuras quase sempre encontraram a derrota.

5. **TENHA UMA BASE, TENHA SUPORTE:** Uma equipe nunca deve entrar em uma batalha sem que antes tenha determinado uma zona de segurança. Esta área deve se localizar bem distante da área-alvo. Ela deve conter uma equipe de suporte, com todas as instalações necessárias para mantê-los sempre prontos para a luta. Deve ser extremamente sustentável, caso aconteçam mudanças no rumo da batalha. Uma fortaleza, um hospital, um depósito de provisões, um centro de informações de

combate – todas essas imagens devem vir à cabeça quando você ordenar que seu grupo "retorne à base".

6. **APROVEITE A LUZ DO DIA:** Não é por acaso que a maior parte dos filmes de terror acontece à noite. A escuridão inspira e sempre inspirou horror, por uma razão muito simples: O *homo sapiens* não foi feito para participar de atividades noturnas. A falta da visão noturna, da audição e do olfato aguçados faz de nós criaturas do dia. Ainda que os zumbis não sejam mais capazes do que nós no que diz respeito a lutar durante a noite, sabe-se que nossa margem de segurança cai consideravelmente quando os confrontos acontecem à noite. A luz do dia não apenas nos permite ter maior visibilidade como também confere uma maior confiança psicológica em nossa raça.

7. **PLANEJE SUA FUGA:** Contra quantos zumbis você pretende lutar? A não ser que você saiba *exatamente* este número, certifique-se de que uma rota de fuga já esteja escolhida, reconhecida e sob guarda. Com freqüência vemos caçadores cheios de autoconfiança saracoteando em áreas infestadas, para depois serem completamente dominados por números com os quais nunca sonharam enfrentar. Tenha certeza de que seu caminho de fuga esteja limpo, próximo e livre de quaisquer obstáculos. Se for possível, deixe alguns membros de seu grupo responsáveis por manter aberta esta via de fuga. Grupos em retirada já foram encurralados quando sua fuga foi bloqueada por um grande número dos mortos que andam.

8. **DEIXE QUE ELES VENHAM ATÉ VOCÊ:** Mais do que qualquer outra, esta tática dá aos vivos a possibilidade de explorar completamente a vantagem da inteligência. Um exército humano, sabendo da iminência de um ata-

que, irá aguardar na defensiva, pacientemente e em segurança. É esta a razão pela qual, nas guerras convencionais entre homens, um atacante precisa ter sempre uma vantagem numérica de no mínimo três para um para que seu sucesso seja garantido. O mesmo não acontece com os mortos-vivos. Pelo fato de que os zumbis são guiados somente por seus instintos, eles atacarão independentemente da situação. Isto lhe dá a vantagem de simplesmente aguardar na área infestada e deixar que eles venham até você. Faça o máximo de barulho que puder, acenda fogueiras ao ar livre, se possível mande dois ou três de seus observadores mais rápidos até lá para servirem de isca. Quando os mortos se aproximarem, vocês estarão em uma posição de "defesa agressiva", prontos para acabar com a maioria antes de entrar para fazer a varredura. Por esta tática ser considerada a mais eficiente, os diferentes exemplos de como executá-la serão discutidos mais tarde neste capítulo.

9. **TOC, TOC!**: Antes de entrar em uma área, trancada ou não, procure sempre escutar para verificar se há alguma atividade lá dentro. Um zumbi pode estar do outro lado da porta – dócil, silencioso, pronto para atacar ao primeiro sinal de uma presa. Como isto é possível? Talvez seres humanos mordidos tenham sucumbido atrás de suas portas trancadas. Talvez tenham sido colocados lá por outros seres humanos, desinformados, que acreditavam estar protegendo seus entes queridos. Quaisquer que sejam as razões, a probabilidade de que esta cena aconteça é de pelo menos uma em sete. Se a princípio você não ouvir nada, experimente fazer algum barulho. Das duas uma: ou isto incitará quaisquer necrófilos silenciosos ou confirmará que a área está vazia. Não importa qual seja o resultado, esteja sempre a postos.

10. SEJA METICULOSO: Nos primeiros estágios de uma invasão, as pessoas tendem a capturar, e não matar, os zumbis cujos corpos pertenceram a pessoas que elas conheciam em suas vidas mortais. Quando quem os capturou tiver fugido ou sido devorado, os zumbis por eles controlados podem permanecer por anos, capazes de repetir o ciclo, se forem soltos. Depois que uma área for "varrida" em busca de necrófilos, varra novamente. E mais uma vez. Os zumbis podem estar em qualquer lugar – na tubulação de esgoto, em porões altos e baixos, em sótãos, em carros, dutos de ar, até mesmo dentro de paredes ou embaixo de montes de entulhos. Preste bastante atenção em corpos na água. Sabe-se que os zumbis que perambulam na beira dos lagos, rios e até represas vêm à tona logo após uma área ter sido considerada segura. Mais adiante neste capítulo, siga as instruções para executar a busca e destruição aquática apropriadas.

11. MANTENHA A COMUNICAÇÃO: Manter-se unido a cada membro do seu grupo é um dos fatores mais essenciais para que uma missão seja bem-sucedida. Sem a comunicação adequada, os caçadores podem se separar, se atropelar, ou até ser feridos por sua própria equipe (assim como nas guerras convencionais, este fato acontece mais do que supõe nosso vão conhecimento). Pequenos rádios de comunicação – mesmo as marcas mais baratas, à venda em lojas de produto eletrônicos – são a melhor maneira de permanecer em contato. É preferível utilizar walkie-talkies em vez de aparelhos de telefone celular, porque em walkie-talkies os sinais não dependem de satélites, retransmissora ou qualquer outro tipo de ajuda externa.

12. **MATE PRIMEIRO, OUÇA DEPOIS:** Após um conflito, esteja sempre alerta para o caso de um grupo secundário de zumbis aparecer. No momento em que um necrófilo for destruído, interrompa quaisquer atividades que estejam sendo executadas e ouça o mundo ao seu redor. É provável que, caso algum zumbi esteja ao alcance da voz, ele tenha ouvido por acaso a batalha e está, no momento, vindo em sua direção.

13. **DESCARTE TODOS OS CORPOS:** Uma vez que uma área seja considerada verdadeiramente segura, queime não apenas os corpos dos mortos-vivos, mas também os dos que foram mortos em sua equipe. Primeiro porque isto exclui a possibilidade de que corpos humanos infectados se reanimem como zumbis. Segundo, isto evitará quaisquer riscos de saúde associados com a carne em decomposição. Seres humanos recém-assassinados podem ser um grande atrativo para pássaros, animais carniceiros e, é claro, outros zumbis.

14. **CONTROLE DE INCÊNDIO:** Ao utilizar o fogo, certifique-se de ter consciência das maiores implicações. Você tem controle sobre as chamas? Se não, o fogo pode ser um perigo para seu grupo. A ameaça zumbi é tão grande a ponto de você arriscar destruir grande parte de uma propriedade privada? A resposta pode parecer óbvia, mas por que queimar meia cidade para matar três zumbis que poderiam ter sido destruídos com os tiros de um rifle? Como já foi observado previamente, o fogo pode ser tão poderoso como inimigo quanto como aliado. Use-o apenas quando for realmente necessário. Certifique-se de que seu grupo consiga escapar facilmente de chamas violentas. Tenha certeza de que você sabe exatamente onde todos os explosivos e compostos químicos venenosos estão armazenados e se a destruição

dos mesmos poderia causar perigo a sua equipe. Certifique-se de praticar com suas ferramentas incendiárias (maçaricos de mão, Molotovs, foguetes luminosos etc.) antes de entrar em uma zona de combate, para saber do que elas são capazes. Esteja atento a emanações inflamáveis, como um cano com vazamento de gás. Mesmo sem recorrer diretamente ao fogo como arma, o perigo dessas emanações, substâncias químicas derramadas, vazamentos em tanques de combustível de carros e infinitos outros riscos são o suficiente para que seja proibido fumar durante qualquer missão de busca e destruição.

15. NUNCA DEIXE A BASE SOZINHO!: Às vezes pode parecer uma idiotice mandar uma equipe inteira para fazer o trabalho de uma única pessoa. Cinco indivíduos não cobririam mais terreno do que um grupo amontoado? Em termos de eficiência, a resposta é sim. Em termos de segurança, prioridade de qualquer varredura em busca de zumbis, é obrigatório que todos fiquem e se mantenham juntos. Um indivíduo isolado pode facilmente ser encurralado e consumido. Ou pior, os caçadores terão que ir atrás de mortos-vivos que horas antes faziam parte de sua própria equipe!

ARMAS E ACESSÓRIOS

O processo de armar e equipar um grupo de civis antizumbis deverá seguir o mesmo padrão de uma unidade militar. Cada pessoa deve ter um kit padrão, além de certos itens necessários a toda a equipe.

Todos os membros devem ter:

- Arma de fogo primária (rifle ou carabina semi-automática)
- Cinqüenta cartuchos de munição

- Kit de limpeza
- Arma secundária (de preferência, uma pistola)
- Vinte e cinco cartuchos de munição
- Arma (grande ou pequena) para lutas corpo-a-corpo
- Faca
- Lanterna
- Dois foguetes luminosos
- Espelho sinalizador
- Rádio de comunicação
- Dois tipos de acessório para produzir fogo (fósforos, isqueiro etc.)
- Cantil de um litro
- Rações diárias
- Kit individual para refeições
- Botas de caminhada ou de combate
- Dois pares de meias
- Saco de dormir ou colchonete

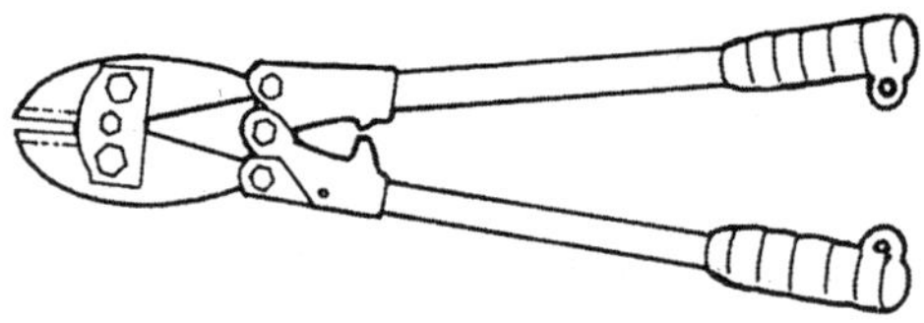

Cada grupo (de dez pessoas ou menos) deverá ter:

- Duas armas com silenciador (podem ser usadas como arma secundária)
- Três dispositivos explosivos
- Dois ganchos de escalada
- Quinze metros de corda (corpo de nylon, 0,5 cm de diâmetro, 3 ton. de tensão, absorção de carga de aproximadamente 900 m/kg)

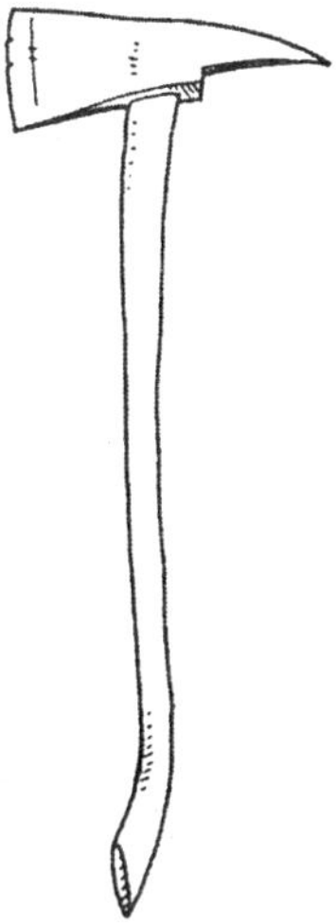

- Dois pares de binóculos (com lentes de no mínimo 50 mm/alcance de 10x)
- Dois pés-de-cabra (podem ser usados como armas para lutas corpo-a-corpo)
- Alicate de corte
- Kit de ferramentas (deve incluir: martelo e martelo-bola de 100 g, alicate de corte diagonal de 4", alicate de bico longo de 4" ou 6", chave Phillips de 3", 4" e toco, chave de fenda de ponta chata de 4" ou 5", conjunto de chaves de fenda de joalheiro, arco de serra fixo de 12" x 1/2", fita isolante 3M, chave inglesa ajustável e conjunto com furadeira manual e brocas de 2 a 5 mm)
- Machado ou machadinha (pode ser usado como arma em lutas corpo-a-corpo)
- Kit de primeiros socorros (deve incluir: ataduras, dois tipos de algodão, duas tipóias de braço, tesouras, esparadrapos, frascos de mertiolate, cotonetes anti-sépticos, lenços umedecidos anti-sépticos e de limpeza, sabonete bactericida, gaze/tampões estéreis, petrolato, lancetas estéreis)
- Três galões (aproximadamente 12 l) de água potável extra
- Duas bússolas
- Pilhas/baterias extras para todos os tipos de dispositivos eletrônicos
- Dez foguetes luminosos de emergência extras
- Quatro pás de trincheira compactas (podem ser carregadas como armas em lutas corpo-a-corpo)

TRANSPORTE

Ao contrário do cenário descrito no capítulo "A fuga", o objetivo desta seção é ajudá-lo não a escapar, mas a "limpar" a área. Os mortos-vivos não devem ser evitados, mas atraídos. Além disso, ao contrário do capítulo anterior, você não estará sozinho, e a área de assistência deverá tornar mais fáceis os serviços e o abastecimento de um veículo. Com isto em mente, o ronco do motor de um carro pode ser utilizado como isca (consulte a seção "Estratégias", na página 191). Nesta ocasião, remover a câmara de borracha dos pneus de uma bicicleta pode causar o mesmo efeito. Em todo caso, não dependa demais de seus meios de transporte. Exceto quando aplicados a uma estratégia específica (ver a seguir), utilize-os mais como uma forma de chegar e deixar uma área de batalha. Uma vez que estiver em uma área-alvo, saia do veículo e faça as buscas a pé. Isto permitirá maior flexibilidade, especialmente em áreas urbanas.

TIPOS DE TERRENO

A princípio, esta seção pode parecer redundante. No entanto, ao contrário do capítulo "A fuga", que ensina como utilizar um terreno para fugir, esta seção ensinará a utilizá-lo para caçar. Desta vez você não está apenas atravessando seu ambiente da forma mais rápida, silenciosa e simples possível. Como um caçador, você está aqui para recuperar esta terra – mantê-la sob controle, limpá-la, purificá-la até que quaisquer sinais de mortos-vivos desapareçam. Esta seção inclui somente as informações necessárias para que isto seja realizado.

1. FLORESTAS

Ao caçar, procure por carcaças recém-devoradas. Tente determinar se o predador era um animal ou um zumbi. Além disso, utilize as árvores para ampliar sua visibilidade: cada uma pode servir como torre de observação ou plataforma para um franco-atirador. Atire somente em último caso, em uma tentativa desesperada.

2. PLANÍCIES

As áreas vastas e abertas trazem maior visibilidade, possibilitando uma melhor utilização de armas de longo alcance com grande precisão. Uma equipe de cinco pessoas, com rifles de visibilidade adequada e uma grande quantidade de munição, pode "limpar" uma área de muitos quilômetros quadrados ao longo de um único dia. É claro que o fato de ter boa visibilidade faz com que os mortos-vivos possam vê-lo tão bem quanto você os vê. Os registros indicam que grupos de caçadores operando em planícies ou pradarias foram avistados e perseguidos por necrófilos a uma distância de 16 km. Outro risco pequeno, porém potencial, é o do zumbi desgarrado que pode estar deitado sobre a relva alta. Mortos-vivos que perderam as pernas ou que tiveram a espinha dorsal quebrada podem permanecer em suas posições sem serem detectados até que seja tarde demais. Se a sua equipe estiver atravessando uma área coberta por mato alto, viaje devagar, observe bem o chão e fique atento a quaisquer sussurros ou gemidos.

3. PLANTAÇÕES

Caçadores desavisados perseguem zumbis através de plantações somente para serem agarrados por outro que estará à sua espreita centímetros à frente! A não ser que tenha recebido ordens de proteger a colheita, ou a não ser que a comida propriamente dita seja de vital importância, esta é uma das situações onde o fogo deve ser usado primeiro. Embora quase todas as outras seções deste livro enfatize a importância do controle incendiário em situações de guerra, o bom senso indica que nenhuma vida humana vale um ou dois hectares de milho.

4. TUNDRAS

Um perigo em potencial que não pode ser vivido em nenhum outro tipo de ambiente é o da insurreição multigeracional. Devido à capacidade de preservação dos climas frios, os zumbis podem permanecer congelados por décadas. Quando descongelados, eles se juntarão à fila de reanimados e, em alguns casos, podem reinfectar áreas inteiras. As tundras congeladas, mais do que qualquer outro tipo de ambiente, exigem não apenas uma busca incessante, mas um estado de alerta elevado durante a primavera seguinte de descongelamento.

5. MONTANHAS

Terrenos desnivelados podem ser tão traiçoeiros e ameaçadores para zumbis como para qualquer inimigo humano. Se for possível, fique sempre com a área mais alta, e mantenha-se nela. Ela proporcionará maior visibilidade. Por mais absurdo que possa parecer, lembre-se de que os necrófilos têm uma destreza limitada. Isto vale para suas habilidades de escalada, e você terá um bando de zumbis lutando em vão para subir uma pequena ladeira enquanto você abate um a um.

6. DESERTOS

O problema discutido no capítulo "A fuga" é duplicado quando a operação é realizada em um deserto. Ao contrário dos fugitivos, sua equipe de caçadores enfrentará o inimigo durante a parte mais brilhante, quente e torturante do dia. Certifique-se de que todos os caçadores estejam equipados com água e acessórios bloqueadores de sol suficientes. O combate, ao contrário da viagem, exigirá uma quantidade maior de energia e, portanto, aumentará os riscos de desidratação. Não ignore os sinais. Um membro incapacitado pode enfraquecer uma equipe inteira, deixando que os mortos-vivos virem a mesa rapidamente. Perder contato com a sua base de abastecimento, ou mesmo isolar-se por um dia ou menos tem um significado completamente novo neste ambiente de grande ameaça à vida.

7. ÁREAS URBANAS

Se o objetivo fosse apenas o de matar zumbis, uma área urbana poderia simplesmente ser bombardeada ou queimada até que não restasse nada. Isto tornaria a área "segura",

mas onde os sobreviventes iriam morar quando suas casas fossem transformadas em uma pilha de entulho? O combate urbano é o mais difícil de todos, por uma série de razões. Para começar, é o tipo de combate que mais consome tempo, porque cada prédio, cada quarto, cada túnel subterrâneo, cada carro, cada tubo de esgoto, cada canto e cada fissura deste enorme labirinto deve ser percorrido. É provável que, dada a importância de uma cidade, seu grupo de civis vá trabalhar lado a lado com forças governamentais. No entanto, se este não for o caso, seja extremamente cuidadoso. Pense sempre de forma conservadora quando se tratar dos membros da sua equipe, do tempo e de recursos (comida, água, munição). As cidades sempre consomem tudo.

8. SELVAS

Este é o pesadelo do combate de curta distância. Rifles de franco-atiradores e outras armas de longa distância, como arcos, serão quase que completamente inúteis. Equipe seu grupo com carabinas e/ou escopetas. Cada caçador deve carregar seu próprio facão, tanto para abrir caminho entre as folhas como para combates corpo-a-corpo. O uso do fogo não será uma opção viável, pois o excesso de umidade impe-

dirá quase todas as tentativas de se criar fogo. Mantenha sua equipe unida todo o tempo, esteja extremamente alerta e ouça com especial cuidado os sons da vida selvagem ao seu redor. Como acontece com as florestas e pântanos, os animais serão seu único sistema de alerta.

9. PÂNTANOS

Muitos aspectos da guerra na selva também podem ser aplicados aos brejos. Nem sempre eles são tão quentes ou tão densos, mas isto não significa de forma alguma que sejam

mais seguros. Preste muita atenção à água. Todo e qualquer equipamento ou tática aplicados à guerra subaquática (e discutidos mais adiante) provavelmente serão empregados neste cenário.

ESTRATÉGIAS

1. ATRAIA E DESTRUA

Use um ou mais meios de transporte, grandes picapes ou utilitários esportivos com bastante espaço para entrar em uma área infestada. Uma vez dentro da área, faça o máximo de barulho possível para atrair os mortos-vivos. Saia da área devagar, numa velocidade equivalente à de seus perseguidores. Como o flautista de Hamelin, em pouco tempo haverá uma fila de zumbis atrás de você. Neste momento, atiradores de precisão posicionados atrás dos veículos podem começar a destruí-los. Os necrófilos na fila não entenderão o que estará acontecendo, pois seus cérebros primitivos não perceberão que os camaradas estão caindo ao seu redor. Continue a guiá-los pela área, diminuindo seu exército até que não reste nenhum. Utilize esta tática em áreas urbanas (onde as

estradas costumam ser mais vazias), ou em áreas onde o ambiente natural permite longas viagens de carro.

2. A BARRICADA

Esta tática funciona de maneira similar à anterior, só que, em vez de guiar os mortos-vivos por quilômetros, a isca será atraída para uma posição fixa. Esta posição pode ser construída com escombros, arame farpado, carros de ferros-velhos ou seus próprios veículos. A partir deste ponto fixo, sua equipe irá demarcar seu território, matando todos os zumbis antes que eles atravessem a barricada. Caso isto aconteça, o ideal é ter sempre à mão dispositivos incendiários. É provável que os zumbis que se aproximarem sejam empacotados antes de atingirem a sua posição. Coquetéis Molotov ou (apenas nestes casos) um lança-chamas poderão destruir completamente os exércitos de zumbis. O arame farpado ou outros obstáculos similares servirão para tornar o avanço mais lento, além de ajudar a concentrar o alvo. Se a incineração não for possível, a perícia no tiro ao alvo pode obter o mesmo efeito. Certifique-se de que suas distâncias estejam bem medidas e que a munição utilizada com sensatez. Preste muita atenção nas laterais (flancos). Se for possível, certifique-se de que a área de aproximação é estreita e contida. Tenha sempre uma rota de fuga pronta para ser usada, mas mantenha sua equipe sob controle para evitar uma retirada prematura ou desnecessária. Utilize a tática das barricadas em áreas urbanas ou naquelas que derem melhor visibilidade. Mais especificamente, exclua as selvas, os pântanos ou as florestas mais densas.

3. A TORRE

Encontre uma área alta, acima do nível do chão (árvores, prédios, torres de caixas d'água etc.). Faça um estoque de munição e necessidades básicas para uma batalha prolonga-

da (mais longa que um dia) nesta posição. Uma vez que todas estas tarefas tenham sido cumpridas, faça tudo o que for possível para atrair os mortos-vivos. Enquanto eles se reúnem ao redor da sua posição, dê início à matança. Tenha cuidado ao utilizar materiais incendiários, pois o fogo pode se espalhar até a torre ou a fumaça pode se transformar em um risco para a sua saúde.

4. A TORRE MÓVEL

Coloque um caminhão de lixo, caminhonete, ou qualquer outro veículo alto no centro de uma área infestada. Estabeleça uma zona de extermínio com boa visibilidade, estacione e comece a atacar. As vantagens desta tática incluem o fato de você nunca ficar preso a uma torre já existente, atrair os mortos com o som do motor do seu veículo, além de (considerando que a cabine do veículo esteja sempre vazia) servir como uma forma garantida de fuga.

5. A GAIOLA

Se você não aceita a crueldade com animais, não tente fazer isso em uma varredura. Basicamente, esta estratégia consiste em colocar um animal em uma gaiola, posicionando sua equipe a uma distância ao alcance das armas e, por fim, abatendo um a um os zumbis que se aproximarem para devorar o animal. É claro que diversos fatores devem ser considerados para que esta tática funcione. A isca viva precisa ser barulhenta o suficiente para atrair os necrófilos que estejam nas proximidades. A gaiola precisa ser suficientemente forte para resistir a um ataque e suficientemente bem apoiada para resistir a empurrões. Sua equipe precisa estar bem escondida para não atrair zumbis para a sua posição. Também é preciso tomar cuidado para não atingir e matar o animal engaiolado. Uma isca morta e silenciosa frustrará rapidamente a estratégia da gaiola. Os ambientes menos adequados para a abordagem da gaiola são aqueles em que há pouca ou nenhuma cobertura para sua equipe. Evite usar esta estratégia em planícies, tundras ou desertos abertos.

6. O TANQUE

Obviamente, um grupo de civis não terá acesso a um tanque de verdade ou a qualquer tipo de transporte blindado que comporte muitas pessoas. O que pode estar disponível é um carro blindado do tipo utilizado no transporte de valores. Nesse caso, o bem valioso será a sua equipe. O uso de um "tanque" é bastante parecido com o uso da tática da gaiola, no sentido de que seu objetivo é atrair os zumbis até um local específico e depois liquidá-los com tiros de rifle. Porém, ao contrário da gaiola, os membros de sua equipe dentro da cabine do tanque não são meras iscas vivas. As aberturas para as armas permitem aumentar o poder de fogo, somado ao dos atiradores externos. Tome cuidado, entretanto, com a possibilidade de os mortos-vivos tombarem o carro blindado.

7. O ESTOURO DE MANADA

De todos os métodos de caça utilizados contra os mortos-vivos, este talvez seja o mais teatral. Basicamente, o "processo" envolve dividir seu grupo em equipes a bordo de veículos motorizados, dirigir pela área infestada e atropelar todos os zumbis encontrados. Apesar da imagem de um estouro de manada em tempos modernos, de onde essa tática tira seu nome, ela foi praticamente abandonada por todos os grupos de caça suficientemente instruídos. Atingir um necrófilo com um veículo raramente resulta em sua morte. Mais provavelmente, o cadáver animado fica aleijado, engatinhando, com a coluna vertebral quebrada e as pernas inúteis. Sempre planeje dar seqüência à sua "caçada em alta velocidade" com o trabalho de limpeza feito por uma equipe de caçadores a pé. Se você decidir fazer uso da tática de estouro de manada, use-a em planícies, desertos, tundras e outras áreas abertas. As áreas urbanas têm obstáculos demais, como carros quebrados ou barricadas abandonadas. Com freqüência, muitos caçadores já encontraram os caminhos bloqueados e a situação radicalmente revertida. De forma alguma utilize essa tática em pântanos ou brejos.

8. VARREDURA MOTORIZADA

Quase que o oposto polar de um estouro de manada, a varredura motorizada é uma abordagem calma, lenta e metódica. Seus caçadores, viajando em veículos grandes, poderosos e bem protegidos, numa velocidade máxima de 20 quilômetros por hora, patrulham a área infestada. Atiradores de precisão abatem os mortos-vivos, um tiro por vez, até que não reste nenhum em pé. Os caminhões funcionam melhor porque o teto proporciona uma posição favorável para os atiradores. Embora essa tática reduza o tempo posterior de limpeza necessário, em contraste com o tempo dispensado em um estouro de manada, cada corpo ainda deverá ser inspecionado e descartado. As áreas abertas são ideais para varreduras motorizadas, ainda que uma menor velocidade permita uma utilização limitada desta tática em áreas urbanas. Como acontece com qualquer veículo motorizado, é recomendável evitar as áreas densas e/ou tropicais. Novamente, assim como o estouro de manada, você precisará planejar um longo período de limpeza da área. Dar tiros fáceis do teto do seu Chevrolet Suburban não fará com que sejam apanhados aqueles últimos zumbis do fundo de um tanque, em um quartinho trancado, perambulando pelos esgotos ou espreitando sorrateiramente em um porão.

9. VARREDURA AÉREA

O que poderia ser mais seguro do que atacar do ar o seu inimigo? Seu grupo não poderia cobrir uma área maior em menos tempo, sem correr nenhum risco, se tivesse diversos helicópteros? Em teoria, sim; na prática, não. Quem quer que estude as guerras tradicionais admitirá a necessidade de tropas terrestres, independente do grau de superioridade de uma força aérea. Isto é dez vezes mais verdadeiro na caça aos mortos-vivos. Não tente usar ataques aéreos em terrenos urbanos, florestas, pântanos ou qualquer outro local coberto. É bem provável que o seu índice de mortes caia para menos de 10%. Esqueça também a idéia de uma varredura indolor e sem restos, mesmo em uma zona de grande visibilidade. Sua equipe terá que fazer uma limpeza posterior em terra, mesmo que a área pareça segura. O apoio aéreo é útil, especialmente para reconhecimento e transporte. Aviões e helicópteros, fazendo reconhecimento em áreas abertas, podem fornecer informações sobre a localização de zumbis para múltiplas equipes de caçadores simultaneamente. Os dirigíveis têm a vantagem de poderem permanecer sobre a área infestada por dias inteiros, fornecendo um fluxo constante de informações e enviando alertas sobre possíveis emboscadas. Os helicópteros podem dar ajuda imediata a equipes em perigo, levando uma equipe para ajudar outra. É necessário cautela, entretanto, ao utilizar seu "olho no céu" muito à frente do grupo. Falhas mecânicas podem causar aterrissagens forçadas em áreas infestadas. Isto representava um perigo não apenas para a equipe do helicóptero como também para qualquer equipe envolvida em uma tentativa de resgate.

Que tal fazer caçadores descerem de pára-quedas em uma zona infestada? Esta teoria foi sugerida diversas vezes, embora nunca tenha sido posta em prática. É ousada, corajosa, heróica e, portanto, absolutamente insípida! Ignore a possibilidade de se machucar no impacto, ficar preso em galhos de árvores, sair do curso por causa do vento, se perder na aterrissagem – esqueça todas as possibilidades associadas com descidas de pára-quedas sob condições normais, de tempos de paz. Se você quiser descobrir o verdadeiro perigo de um ataque aéreo contra zumbis, experimente largar um pequeno pedaço de carne em um formigueiro fervilhante. Provavelmente, a carne nem chegará ao chão. Em resumo, o apoio aéreo não passa de uma coisa: "apoio". Quem acredita que ele seja um fator decisivo para vitória não tem o direito de planejar, orquestrar ou participar de qualquer conflito com os mortos-vivos.

10. A TEMPESTADE DE FOGO

Desde que a chama possa ser controlada, que a área em questão seja suficientemente inflamável e que não haja problemas para proteger a propriedade privada, nada funciona melhor do que uma chama artificial. Os limites da zona de fogo devem ser claramente delineados. Ateie fogo simultaneamente em todo o perímetro, para que a chama caminhe de maneira uniforme até o centro do círculo. Não permita que haja uma rota de fuga, mesmo a mais estreita. Fique atento para zumbis que possam ter atravessado o fogo. Em teoria, a tempestade de fogo vai agrupar os mortos em um pequeno perímetro, incinerando-os em questão de minutos. Um trabalho de limpeza da área ainda será necessário, entretanto, especialmente em áreas urbanas, onde porões e outros quartos podem ter protegido os zumbis das chamas. Como sempre, seja cauteloso e esteja preparado para lidar com o fogo como um segundo inimigo.

11. BATALHAS SUBAQUÁTICAS

Nunca se esqueça da possibilidade de os necrófilos acabarem caindo em águas próximas, antes que possa declarar que uma área é segura. Com freqüência, seres humanos repovoam áreas "seguras" e acabam sendo atacados dias, semanas, até meses depois, por zumbis que acabaram de reencontrar o caminho até a terra firme. Pelo fato de os mortos-vivos poderem existir, movimentar-se, e até matar em um ambiente aquático, ocasionalmente a caça pode exigir uma batalha subaquática. Isto pode ser extremamente perigoso, já que a água não é um ambiente natural dos seres humanos. Os problemas óbvios de respiração e falta de comunicação, mobilidade e visibilidade fazem com que uma zona subaquática seja a área mais difícil para a caça dos mortos-vivos. Ao contrário de escapadas aquáticas, onde você se encontra em vantagem, procurar e caçar neste ambiente estranho vira a balança em favor dos zumbis. Isto não quer dizer que uma caçada subaquática seja impossível. Longe disso. Ironicamente, sua dificuldade faz com que os caçadores fiquem mais atentos e concentrados do que em ambientes mais conhecidos. As regras a seguir se aplicam a qualquer caçada subaquática bem-sucedida.

A. Conheça sua área

Qual é a profundidade do local em questão? Qual a sua largura? É cercado por terras (tanque, lago, reservatório)? Se não, onde se localizam as saídas de água? Como é a visibilidade debaixo d'água? Existe algum obstáculo submerso? Responda a todas essas questões antes de iniciar a caçada.

B. Examine a área a partir da superfície

Colocar o equipamento de mergulho e mergulhar às cegas em águas infestadas por zumbis é uma excelente maneira de unir os dois maiores medos de infância: o de ser devorado e o de se afogar. Nunca afunde na água antes de fazer uma busca completa na área a partir da costa, da margem, de uma doca ou de um barco. Se estiver muito escuro ou se as águas forem muito profundas, impedindo a busca a olho nu, é recomendável utilizar os meios artificiais. Dispositivos de sonar, ou sensores de ruídos comuns, destes encontrados em barcos civis de pesca, podem facilmente detectar algo do tamanho de um corpo humano. As buscas a partir da superfície nem sempre confirmam se uma área está limpa ou infestada. Os obstáculos que se encontram sob a água, como árvores, formações rochosas ou lixo submerso, podem esconder a silhueta de um zumbi. No entanto, se por acaso surgir um único deles, é importante observar a próxima regra.

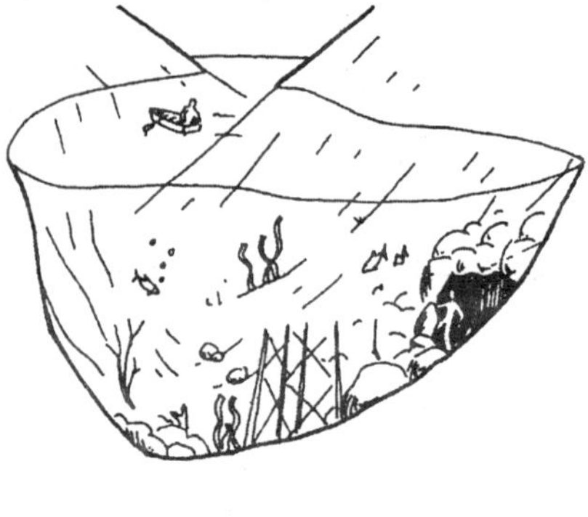

C. Considere a possibilidade de uma drenagem

Por que colocar sua equipe em um ambiente hostil se aquele ambiente pode ser retirado? Faça a si mesmo essa pergunta: é possível simplesmente esvaziar o local em questão? Se a resposta for sim, mesmo que isto demande mais tempo e esforço do que uma simples caça submarina, sem dúvida alguma o faça. Na maior parte do tempo, no entanto, esta não será uma opção viável. Para eliminar a ameaça submersa, sua equipe terá que segui-la água abaixo.

D. Encontre um especialista

Algum integrante de sua equipe é mergulhador profissional? Algum deles já usou uma máscara de mergulho alguma vez na vida? Talvez um simples tubo de respiração nas últimas férias? Mandar homens e mulheres inexperientes para dentro d'água pode fazer com que eles morram antes mesmo de avistarem algum zumbi. Afogamento, asfixia, narcose por nitrogênio ou hipotermia são apenas algumas das muitas maneiras pelas quais animais que respiram, como nós,

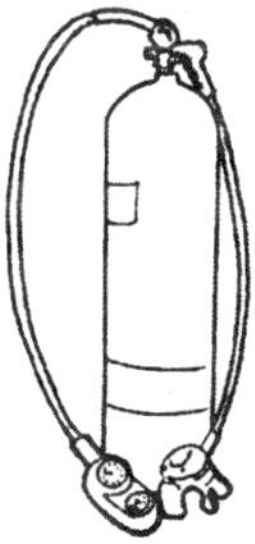

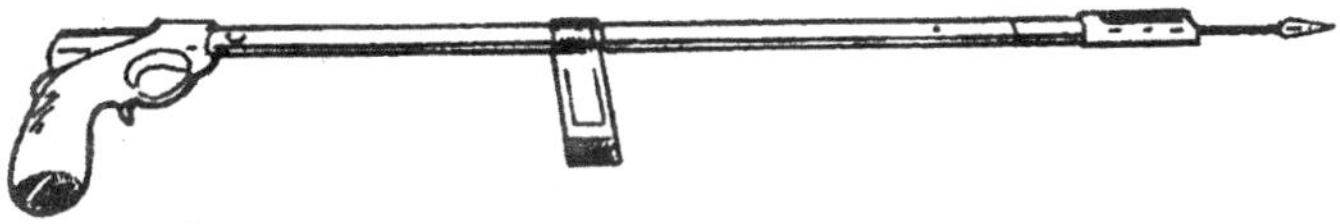

podem ir de encontro à morte abaixo das ondas. Se o tempo permitir – por exemplo, se os zumbis forem encurralados em uma área sem litoral – encontre alguém que possa treinar ou liderar sua equipe, ou mesmo incumbir-se da missão. Agora, se você acha possível que os zumbis tenham caído em um rio e que podem estar a caminho de outra cidade, levados pelas águas, não aguarde pelo especialista. Prepare-se para mergulhar, mas esteja preparado também para as conseqüências.

E. Prepare seu equipamento

Como nas guerras em terra firme, o equipamento e as armas corretas serão um ponto crucial para garantir sua sobrevivência. O recurso respiratório mais comum de todos é o Aparelho Respiratório Subaquático Auto-suficiente, ou SCUBA (*Self-Contained Underwater Breathing Apparatus*). Se não houver nenhum disponível, compressores e mangueiras de borracha improvisados podem ser uma substituição bastante útil, se não perfeita. As lanternas de mão são essencialmente necessárias. Mesmo nas águas mais claras pode haver zumbis à espreita em algum canto escuro ou coberto. Os arpões devem ser sempre considerados como uma arma primária. Nenhuma outra arma aquática equivale ao arpão na capacidade de penetrar um crânio a uma distância segura. Outro dispositivo bastante poderoso é o "bang stick", que consiste essencialmente em um bastão de alumínio de aproximadamente 90 cm equipado com balas de escopeta calibre .12, disparadas quando o dispositivo é "empurrado" contra uma superfície. No entanto, estas duas armas são raras e difíceis de se encontrar em áreas não-costeiras. Na falta delas, apele para redes, ganchos ou arpões artesanais.

F. Ataque integrado

Nada pode ser mais assustador do que voltar à superfície após uma varredura subaquática e encontrar zumbis dentro do seu barco! Sempre trabalhe em conjunto com a equipe que ficar na superfície. Se sua equipe é composta por dez pessoas, leve cinco para baixo e deixe o resto "no telhado". Isto permitirá um resgate rápido caso a maré da batalha não esteja boa para o seu lado. Uma equipe de superfície sempre será útil para observar, matar e pedir reforços por terra. Como regra geral para qualquer estratégia de combate, quanto mais perigoso for o ambiente, maior será o reforço necessário.

G. Observe a vida selvagem

Já dissemos anteriormente que os pássaros e outros animais podem alertar para a aproximação de zumbis. O mesmo é válido para os peixes. Foi comprovado que a vida selvagem aquática é capaz de detectar até os menores vestígios de carne infectada pelo vírus *Solanum* que se desprendem do corpo de um zumbi e bóiam para longe. Uma vez que estes vestígios são detectados, a área é imediatamente evacuada. Registros deixados por caçadores subaquáticos descrevem áreas sem peixe nenhum pouco antes do encontro com um zumbi submerso.

H. Métodos utilizados para matar

Não diminua nenhuma destas táticas, considerando-as fantásticas ou não-confiáveis. Por mais ridículas que algumas possam parecer, todas foram testadas repetidamente em combates subaquáticos antizumbi. E todas mostraram excelentes resultados.

1. Atirando de um local seguro: Substitua o arpão por um rifle; substitua a água por ar. Basicamente, a tática é a mesma. Como um arpão exige uma distância do alvo bem menor do que um rifle, o mergulhador estará numa situação

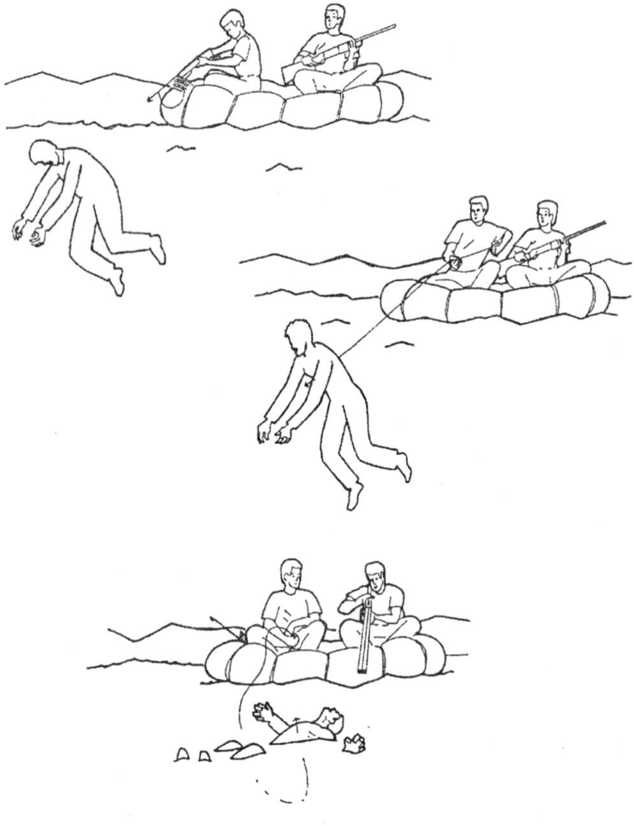

de extremo perigo. Caso erre o primeiro tiro, nunca recarregue o arpão na mesma posição. Nade até uma distância segura, trave um novo arpão na arma e só então volte para o alvo.

2. Pescando com o arpão: Este procedimento deve ser usado nos casos em que for muito complicado atirar na cabeça do zumbi. Amarre uma linha de metal na ponta do arpão e mire na caixa torácica. Quando o necrófilo estiver preso na lança, dê o sinal para que a equipe de superfície possa puxá-lo para cima, para o descarte. Não se esqueça de que, mesmo com um arpão atravessado em seu corpo, estes zumbis ainda podem atacar. Se for possível, tente dar um tiro na cabeça

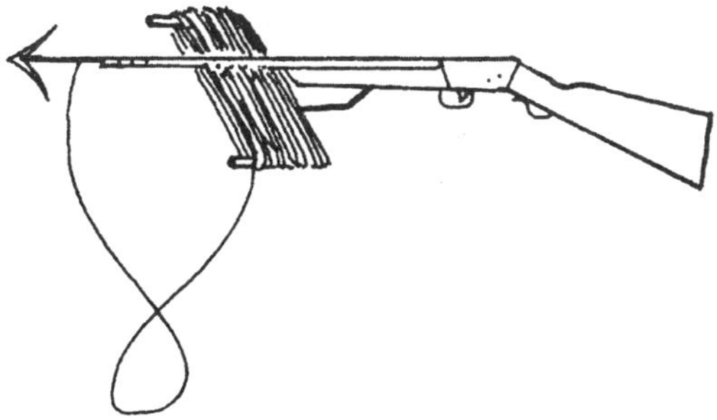

com um rifle assim que o corpo atingir a superfície. Esta tarefa exigirá muita coordenação entre o mergulhador e a equipe de superfície. Uma desordem causada por ineficiência já resultou em uma equipe desatenta puxando o que imaginava ser um zumbi completamente destruído para a superfície. Seus gritos não foram ouvidos pelo incompetente mergulhador submerso.

3. Anzol e linha: Amarre um arpão a um pedaço de corda. Use-o para atingir o zumbi-alvo, e em seguida peça para a sua equipe puxá-lo para cima. O uso de ganchos de pesca ou de carne (como os usados em açougues) presos à ponta do arpão reduz a possibilidade de perder o corpo durante a ascensão. Se a água estiver limpa e for pouca profunda, o processo pode ser controlado inteiramente de dentro do barco. É importante lembrar novamente que, assim como na pesca com arpão, o zumbi "fisgado" deve ser descartado antes de se aproximar o suficiente para atacar.

4. Usando a rede: As equipes de superfície comporão a principal origem dos ataques, enquanto os mergulhadores terão como função apenas patrulhar a área. Redes de peixe ou de carga podem ser atiradas sobre o necrófilo-alvo, e em seguida utilizadas para puxá-los até a superfície. A maior vantagem do uso das redes é que os zumbis puxados para cima estarão enrolados e será praticamente impossível partir para o ataque. É claro que "praticamente" é uma palavra extrema-

mente perigosa. Muitos caçadores já foram feridos e mortos por zumbis que já estavam "praticamente" liquidados.

I. Regras específicas

Pense nos locais aquáticos como se fossem diferentes tipos de terreno. Cada um terá seu próprio conjunto de condições e poderá ser tão diferente do outro como um deserto é de um pântano. A única coisa que locais com água têm em comum é o H_2O que os cobre. Você já terá de lidar com um inimigo mortal. Não arrume outro.

1. Rios: As correntezas constantes podem ser ao mesmo tempo uma bênção e uma maldição. Dependendo da força de sua correnteza, um rio pode arrastar um ou todos os zumbis para muito longe da área infestada inicial. Os necrófilos que caem no rio Mississipi, perto de Winona, no estado de Minnesota, podem facilmente aparecer uma semana depois às margens do centro de Nova Orleans. Isto cria uma urgência que não se têm em locais de água parada. Se for possível, prepare armadi-

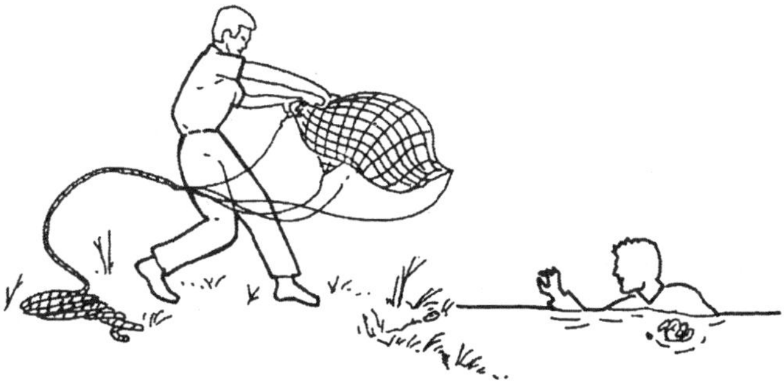

lhas com redes nos trechos mais estreitos. Monitore-as cuidadosamente, dando especial atenção ao enviar mergulhadores para investigá-las. Uma correnteza forte pode carregar mergulhadores direto para os braços e bocas de seus "alvos".

2. Lagos e lagoas: Por serem (em geral) cercados de terra por todos os lados, há pouca possibilidade de que os zumbis escapem de um lago ou lagoa. Qualquer morto-vivo que tentar perambular por terra deve ser perseguido e morto. O restante que permanecer submerso será por fim "pescado" e destruído. A falta de correnteza torna estes locais ideais para os mergulhadores. Os lagos e lagoas que congelam, no entanto, podem representar um problema. Se congelarem por inteiro, os zumbis submersos estarão sepultados durante o inverno, o que torna praticamente impossível sua busca. Se apenas a superfície congelar, os zumbis ainda poderão perambular pelas águas profundas.

3. Pântanos: Os pântanos são, sem sombra de dúvida, os lugares mais frustrantes quando se trata de caçadas subaquáticas. Suas águas escuras tornam as buscas quase impossíveis. Suas profundezas cheias de raízes confundem os aparelhos que medem sons e vibrações. Na maior parte dos casos, suas áreas rasas permitem que um zumbi possa alcançar ou mesmo agarrar um caçador, ou ainda afundar seu barco. A caçada feita com uma equipe numerosa e com o auxílio de muitas lanternas e varas ainda é o único método comprovado para varreduras neste tipo de ambiente. Após uma noite fazendo isto, você entenderá por que tantas histórias de terror acontecem em pântanos.

4. *Oceanos*: A não ser que a área em questão seja um porto ou outro tipo de área semifechada, esqueça qualquer coisa que já tenha ouvido sobre caçadas bem-sucedidas em mar aberto. Simplesmente há espaço demais para que uma varredura seja bem-feita, com uma profundidade além do alcance de todo e qualquer submersível, mesmo os mais caros e raros. Por mais problemático que isto seja para uma caçada mais agressiva, a ameaça causada por estes mortos-vivos submarinos será provavelmente insignificante. A maior parte deles irá simplesmente ficar vagando pelo fundo do oceano, sem jamais ver terra firme até decair ao nada, desaparecer. Mas isto não significa que esta ameaça deva ser ignorada. Uma vez confirmado que os zumbis foram puxados pelo mar, procure determinar as correntes mais profundas daquela área e se – e onde – elas podem levar os mortos-vivos até a terra firme. Todo e qualquer habitante costeiro deverá ser comunicado, e logo em seguida um sistema de vigilância deverá ser mantido. Por mais estranho que possa parecer, zumbis já foram vistos cambaleando para fora do mar meses depois de uma insurreição, em praias a milhares de quilômetros de distância.

Vamos então supor que você seguiu todas estas instruções corretamente. A batalha acabou, a área está segura, as mortes das vítimas já foram lamentadas, os zumbis já foram queimados. Com sorte, esta será a última vez que você terá que erguer as mãos para um pedaço de carne morta. Mas e se não for? E se a sua luta serviu apenas como uma pequena exibição do que será uma guerra maior e mais declarada entre os vivos e os mortos? E se – que os céus não permitam – for uma guerra em que a humanidade seja a parte perdedora?

VIVENDO EM UM MUNDO DE MORTOS-VIVOS

E se o impensável acontecer? Se as hordas de zumbis se multiplicarem de tal forma que consigam dominar o planeta? Esta seria uma insurreição de Tipo 4 ou como é melhor conhecida, a insurreição do juízo final, em que toda a humanidade chega à beira da extinção. Improvável? Sim. Impossível? Não. Os governos de todo o mundo não passam de grupos de seres humanos – seres humanos tão covardes, limitados, arrogantes, com pouca visão de mundo e geralmente tão incompetentes quanto o resto de nós. Por que eles seriam capazes de reconhecer e lidar com um ataque de cadáveres ambulantes, sedentos por sangue, se a maior parte da humanidade não o é? É claro que podemos argumentar que uma lógica como esta deveria ser considerada frente a insurreições de Tipo 1 ou até de Tipo 2, mas mesmo a ameaça imposta por um grupinho de 100 zumbis seria suficiente para levar nossos líderes à ação. Como não poderiam? Como poderiam aqueles que estão no poder, em especial vivendo em uma época tão moderna e esclarecida como a nossa, ignorar a epidemia de uma doença mortal até que esta atinja as proporções de uma praga? Pense na atitude do governo frente à epidemia da Aids e você terá sua resposta. Mas o que acontecerá se as autoridades de fato reconhecessem a ameaça com a dimensão que realmente tem – e não pudessem fazer nada para controlá-la? Recessões econômicas imensas, guerras mundiais, distúrbios civis ou desastres naturais poderiam facilmente desviar as atenções das fontes do governo em relação a uma insurreição rápida e crescente. Mesmo em condições perfeitas, é extremamente difícil conter qualquer revolta maior do que uma insurreição de Tipo 2. Imagine tentar colocar em quarentena uma cidade como Chicago, ou Los Angeles. Dos milhões que tentariam escapar, quantos já teriam sido mordidos, espalhando a infecção para muito além da área de quarentena?

Por outro lado, será que os vastos oceanos, que embelezam a maior parte do nosso planeta, não iriam nos salvar? Será que os habitantes da Europa, África, Ásia e Austrália não estariam seguros, longe de uma insurreição apodrecida na América do Norte? Talvez. Esta é uma suposição baseada na possibilidade de que todas as fronteiras estariam fechadas e vigiadas, todo o tráfego aéreo interrompido e que todos os governos do mundo estivessem conscientes e trabalhando para conter a insurreição. Ainda assim, considerando que o número de mortos-vivos já teria chegado a dezenas de milhões, será possível parar cada avião que contenha um passageiro infectado, cada barco com um marujo infectado? Será possível patrulhar cada centímetro da costa para vigiar cada necrófilo que inocular através da água? A esta altura, infelizmente, a resposta é não. O tempo está do lado dos mortos-vivos. A cada dia eles aumentarão em número, fazendo com que a contenção e o extermínio se tornem mais e mais difíceis. Ao contrário de seus colegas humanos, um exército de zumbis não depende de nenhum tipo de apoio. Eles não precisam de comida, munição nem cuidados médicos. Eles não sofrem de baixa auto-estima, cansaço de batalha ou liderança inadequada. Eles não sucumbem ao pânico, não passam por deserções ou motins. Assim como acontece com o vírus que lhe deu vida, a força dos mortos-vivos continuará a crescer, espalhando-se por todo o planeta até que nada mais reste a ser devorado. Para onde você iria? O que você faria?

O MUNDO DOS MORTOS-VIVOS

Quando os mortos-vivos triunfam, o mundo se degenera no caos completo. Todas as ordens sociais desaparecem. Aqueles que estão no poder, junto com suas famílias e amigos, abrigam-se em subterrâneos e outras áreas seguras pelo país. Protegidos nestes abrigos, originalmente construídos para a Guerra Fria, eles sobrevivem. Talvez mantenham a fachada de estrutura de comando governamental. Talvez haja tecnologia disponível para comunicarem-se com outros organismos ou até com outros líderes mundiais que também estejam protegidos. Para todos os efeitos, porém, eles não são e não devem ser vistos como nada além de um governo em exílio. Com o colapso total das leis e da ordem, pequenos grupos de indivíduos surgem para impor sua autoridade. Bandidos, saqueadores e assassinos comuns fazem dos sobreviventes suas presas, levando o que interessa e satisfazendo quaisquer prazeres que desejem ter. É bastante comum, no fim de qualquer civilização, que haja uma grande e sólida festa. Por mais inconveniente que isto possa parecer, orgias de pessoas que acreditam estar vivendo o último dia de suas vidas começam a brotar por todos os cantos do país.

O que resta à polícia e às forças militares é esconder e proteger o governo, abandonar seus postos numa tentativa de salvar suas famílias ou acabarem eles próprios como bandidos. Um colapso total na área das comunicações e do transportes assolará o globo. Cidades isoladas se transformarão em campos abertos de batalha, com grupos dispersos de cidadãos lutando para defender as áreas com barricadas construídas para se protegerem de necrófilos e de outros seres humanos renegados. Máquinas negligenciadas até então acabarão por parar de funcionar ou, em alguns casos piores, explodirão. O superaquecimento e derretimento do interior de reatores e outros acidentes industriais são comuns nestas ocasiões, poluindo o ambiente com produtos químicos tóxicos. Os zumbis começarão a encher as cidades do interior. Com as capitais sem seres humanos, os mortos-vivos se espalharão em busca de mais presas. Lares do interior e bairros suburbanos ficam aos trapos enquanto seus habitantes fogem, tentam ficar e lutar ou aguardam sem esperança pela chegada das multidões cambaleantes que os engolirão. A carnificina não é limitada às pessoas: o ar fica mais denso com o som dos gritos dos animais selvagens encurralados em suas cercas, ou mesmo animais domésticos lutando bravamente para proteger seus donos.

Com o tempo, apagam-se os incêndios, cessam as explosões, desaparecem os gritos. Os recursos das áreas fortificadas tornam-se escassos, obrigando seus ocupantes a enfrentarem os inimigos mortos-vivos em missões de pilhagem, evacuações ou batalhas geradas por pura insanidade desesperada. O número de mortes continuará a aumentar enquanto as pessoas bem protegidas e com recursos suficientes, porém sem nenhuma força de vontade, continuarem a tirar suas próprias vidas por puro desespero.

Os saqueadores mencionados não têm mais sorte do que os demais. Estes bárbaros do mundo moderno assim se tornaram devido ao desrespeito às leis, ao ódio pela organização, à preferência por destruir em vez de construir. Sua existência niilista e parasita tira a riqueza dos outros em lugar de produzir a própria riqueza. Esta mentalidade impede que se fixem em um lugar e construam uma nova vida. Eles estão sempre com pressa, atacando os zumbis onde quer que parem. Mesmo quando obtêm êxito ao rechaçar tal ameaça externa, sua necessidade de anarquia por fim os levará a lutarem entre si. Muitas destas sociedades se manterão unidas devido à personalidade forte de seus líderes. Uma vez que o líder os abandone, não haverá nada que mantenha o grupo unido. Uma gangue dispersa de assassinos, vagando sem rumo por ambientes hostis, não pode sobreviver para sempre. Após vários anos, pouco restará destes predadores humanos inescrupulosos.

É difícil prever o que acontecerá com o que restar do governo. Dependerá, em grande parte, do país do qual estamos falando, que tipo de recursos possuía antes da crise e qual era o tipo de governo adotado. Uma sociedade que vive sob ideais como a democracia ou o fundamentalismo cristão tem maior chance de sobreviver. Estes sobreviventes não precisarão depender do magnetismo (ou da intimidação) pessoal de um único indivíduo. Um ditador de um país subdesenvolvido pode manter seus subordinados unidos enquanto viver. Como acontece nas gangues de bárbaros, a sua morte ou uma simples demonstração de fraqueza pode significar o fim de um "governo" inteiro.

Mas não importa o que aconteça com os seres humanos sobreviventes, os mortos-vivos sempre existirão. Com os olhos vidrados e suas bocas desajeitadas, suas formas pútridas cobrirão a Terra, caçando todos os tipos de seres vivos que estejam a seu alcance. Algumas espécies de animais, sem dúvida nenhuma, serão extintas. Outras, capazes de escapar deste destino, encontrarão formas de adaptação ou, ainda, obterão sucesso em um ecossistema radicalmente alterado.

Este mundo pós-apocalíptico terá uma paisagem devastadora: cidades completamente queimadas, estradas silenciosas, casas degradadas, navios abandonados enferrujando próximos à costa, ossos esbranquiçados e corroídos espalhados por um mundo então regido por máquinas de carne morta-viva. Felizmente, você não terá que ver estas cenas, porque antes que isto aconteça você já não estará presente!

O RECOMEÇO

No capítulo "A defesa", aprendemos a preparar uma área para o que poderia ser um longo esforço até o resgate. No capítulo "A fuga", aprendemos a percorrer grandes distâncias até atingir a segurança. Agora é o momento de imaginar e se preparar para um cenário pior. Neste cenário, você, seus amigos e parentes mais próximos devem arrumar uma maneira de fugir da civilização, encontrar um canto remoto do planeta que esteja desabitado e reconstruir a vida a partir do zero. Imagine um grupo de sobreviventes de um naufrágio em uma ilha, ou uma colônia de seres humanos em um planeta novo. É assim que você deve pensar para sobreviver. Ninguém virá buscá-lo, não há planos de resgate. Não há tropas aliadas a quem recorrer, não há linhas de batalha atrás das quais se esconder. Sua antiga vida se foi, para sempre. Sua nova vida, em termos de qualidade e duração, estará inteiramente em suas mãos. Por mais horrível que esta perspectiva possa parecer, lembre-se de que as pessoas têm se adaptado e se reconstruído desde o início da história. Mesmo hoje, quando a sociedade parece nos ter amolecido de tal maneira que inviabiliza qualquer possibilidade de redenção, a vontade de sobreviver está incrustada em nossos genes. Ironicamente, na pior das hipóteses, seu maior desafio não será lidar com os mortos-vivos, mas com o seu dia-a-dia. Na verdade, caso sua estratégia de sobrevivência funcione perfeitamente, é possível que você jamais veja um zumbi. Seu objetivo é criar um microcosmo pequeno e seguro do mundo, equipado com tudo de que você precisa não apenas para sobreviver, mas para ter um mínimo de civilidade.

E qual é o melhor momento para começar? Imediatamente. Pode ser que nunca aconteça uma guerra aberta. Pode estar a anos de distância. Mas e se estiver próxima? E se uma insurreição de Tipo 1 já começou, sem encontrar resistência? E se uma insurreição de Tipo 2 ou até 3 tiver começado em um país totalitarista onde a imprensa é extremamente censurada? Se isto acontecer, uma guerra aberta pode estar a meses de distância. De qualquer forma, não é este o caso. Mas seria este um motivo para não estar preparado? Ao contrário de se abastecer para um possível estado de sítio, a preparação para recriar um cantinho do mundo requer uma quantidade enorme de tempo. Quanto mais tempo você tiver, melhor. Isto significa que você deve deixar de viver sua vida para se preparar para o fim do mundo? É claro que não. Este texto foi escrito para estar em conformidade com o estilo de vida convencional do cidadão comum. O tempo mínimo de preparação, no entanto, não pode levar menos que 1.500 horas. Mesmo que estas horas sejam gastas ao longo de vários anos, ainda assim é uma quantidade de tempo formidável. Se você acredita que pode deixar tudo para a última hora, tudo bem, não mova um dedo sequer agora. Mas pense duas vezes antes de começar a construir sua arca depois que a chuva já estiver caindo.

REGRAS GERAIS:

1. MONTE UM GRUPO: Como já detalhamos em capítulos anteriores, a reação coletiva é sempre preferível a uma tentativa individual. Um grupo aumentará seus recursos financeiros, permitindo a compra de uma quantidade maior de terras e equipamentos. Como no caso do estado de sítio, uma variedade maior de habilidades também estará disponível. Ao contrário do estado de sítio, em que você tem sorte com quaisquer talentos que encontrar, a preparação para o pior dos casos permite que se tenha tempo para treinar membros do seu grupo em quaisquer habilidades necessárias. Por exemplo, quantos ferreiros você conhece? Quantos médicos que podem criar remédios a partir de elementos da natureza? Quantos cidadãos urbanos reais que entendem alguma coisa de agricultura? A especialização também permite uma preparação mais rápida (uma equipe procura por terras em potencial enquanto outra fica res-

ponsável por adquirir equipamentos etc.). Durante a crise, um ou muitos membros do grupo podem ser enviados à área segura designada, a fim de prepará-la, caso a situação piore. É claro que existem perigos em potencial. Ao contrário dos cercos relativamente pequenos em áreas protegidas, este tipo de sobrevivência a longo prazo pode levar a problemas sociais desconhecidos da sociedade moderna. As pessoas que acreditam que o resgate virá têm uma propensão maior a se manterem leais do que aqueles que sabem que o futuro é feito por eles próprios. Descontentamento, motins e até derramamento de sangue são possibilidades sempre presentes. Como diz o mantra deste manual, esteja preparado! Faça cursos de liderança e dinâmica de grupo. Os livros e cursos de introdução à psicologia humana são sempre bem-vindos. Este tipo de conhecimento será fundamental para escolher os membros de seu grupo e governá-los depois. Reiterando afirmações anteriores, fazer com que um grupo de indivíduos coopere durante um longo período de tempo é a tarefa mais árdua do planeta. Em caso de sucesso, no entanto, este grupo será capaz de qualquer coisa.

2. ESTUDE, ESTUDE, ESTUDE!: É incorreto dizer que se está começando do zero. Nossos ancestrais encontravam-se nesta situação porque para eles o conhecimento demorava muito a ser descoberto, acumulado e compartilhado. Suas maiores vantagens sobre os primatas dotados de consciência serão os milhares de anos de experiência ao alcance de seus dedos. Mesmo que você se visse em algum ambiente desolado e hostil sem nenhum tipo de ferramenta, o conhecimento armazenado em seu cérebro ainda o colocaria anos-luz à frente do mais bem equipado neandertal. Como complemento aos manuais de sobrevivência em geral, é recomendável acrescentar

também estudos sobre outros casos extremos. Muitos livros que tratam da sobrevivência em locais desabitados durante uma guerra nuclear já foram publicados. Certifique-se de que eles sejam os mais atualizados possível. As histórias reais de sobrevivência também serão de grande ajuda. Relatos de naufrágios, acidentes de avião, até os primeiros colonizadores europeus serão uma riquíssima fonte de informações a respeito do que fazer ou não. Aprenda sobre nossos ancestrais, sobre como se adaptaram aos seus ambientes. Os relatos ficcionais, contanto que sejam baseados em fatos, também podem ser de grande ajuda, como por exemplo, *Robinson Crusoé.* A absorção destas histórias, sejam elas verdadeiras ou ficcionais, irá ajudá-lo a perceber que você não é o primeiro a fazer tal esforço. Saber que "isto já foi feito antes" será uma boa influência ao embarcar em sua nova vida.

3. **DESPRENDA-SE DOS SUPÉRFLUOS:** Todos nós sonhamos com uma dieta mais simples e mais nutritiva. "Estou cortando o café", "preciso diminuir o açúcar" ou "estou tentando comer mais vegetais folhosos" são frases que dizemos ou ouvimos com freqüência em nossa rotina diária. Viver durante uma insurreição de Tipo 4 o deixaria sem muitas opções. Mesmo sob condições ideais, seria impossível cultivar ou produzir qualquer tipo de comida e alimentos refinados que você aprecia hoje. Partir de tanta coisa para zero da noite para o dia já seria um choque significativo. Em lugar disso, comece já a reduzir os alimentos e supérfluos que você não terá em seu novo lar. Obviamente, você precisará saber que tipo de novo ambiente é este e o que será possível produzir lá. Mesmo sem enumerar muitos itens agora, o bom senso indicará exatamente do que você precisa e não precisa para viver. Por exemplo, por mais que você

os adore, o tabaco e o álcool não fazem parte da fisiologia humana. A necessidade de vitaminas, sais minerais e açúcar pode ser satisfeita com alimentos naturais. Até determinados tipos de medicamentos, como por exemplo os analgésicos leves, podem ser complementados por habilidades como a acupuntura, diversas técnicas de massagem ou simplesmente a meditação. Todas estas sugestões podem parecer por demais orientais ou "granola demais" para nossa sociedade ocidental pragmática. Lembre-se, entretanto, que muitas destas dietas e técnicas de cura não se originaram do estresse do norte da Califórnia, mas em sociedades de países subdesenvolvidos onde os recursos eram e são escassos. Tenha sempre em mente como os americanos são mimados em comparação com o resto do mundo. Pesquisar sobre os chamados "menos afortunados" pode ajudá-lo a entender como lidar com os problemas de forma mais simples e mais agradável.

4. MANTENHA A VIGILÂNCIA: A implementação de planos para uma insurreição de Tipo 4 deve começar nas primeiras fases de uma insurreição de Tipo 1. Ao primeiro sinal de insurreição (homicídios estranhos, pessoas desaparecidas, doenças insólitas, imprensa contraditória, envolvimento do governo), entre em contato com todos os membros do seu grupo. Comece a discutir seus planos de evacuação. Certifique-se de que nenhuma lei relacionada a viagens, autorizações, licenças de equipamentos etc. tenha sido alterada. Se a insurreição avançar para o Tipo 2, prepare-se para agir. Organize e embale todo o equipamento. Antes, envie uma equipe de reconhecimento para preparar a área. Ponha em prática o estágio inicial do seu álibi. (No caso do funeral de um ente querido, divulgue que ele está doente.) Esteja pronto para sair a qualquer momento. Assim que a insurreição atingir o Tipo 3, fuja!

5. **PARA OS CONFINS DA TERRA:** Você pode se sentir tentado a permanecer em sua casa ou na sua recém-construída fortaleza contra zumbis, em vez de rumar para locais desabitados. Isto não é aconselhável. Mesmo que você more em um condomínio cercado, bem protegido e bem equipado, capaz de produzir comida e água por décadas, a probabilidade de sobrevivência seria mínima. As áreas urbanas se tornarão, no futuro próximo, centros de violentos combates entre os vivos e os mortos. Mesmo que sua fortaleza resista a essas batalhas de rua, fatalmente será vítima de medidas militares extremas, como bombas nucleares. Como foi discutido em "A defesa", os centros urbanos são os locais mais propensos a acidentes industriais, grandes queimadas e assim por diante. Em poucas palavras: fique na cidade e você não terá nenhuma chance de sobreviver. As áreas suburbanas ou áreas urbanizadas do campo terão destino semelhante. O aumento do número de mortos-vivos fará com que eles, invariavelmente encontrem a sua habitação. Um cerco que começa com dezenas de zumbis passa a ter centenas, milhares e depois centenas de milhares em

um curto período de tempo. Uma vez que eles encontram você, nunca irão deixá-lo. No mínimo, seus gemidos, o guincho coletivo de muitos milhares de zumbis, alertarão outros a centenas de quilômetros de distância. É claro que pode ser que isto não aconteça. Se sua fortaleza estiver no Meio-Oeste americano, nas grandes planícies ou mesmo nas Montanhas Rochosas, são poucas (mas não impossíveis!) as chances de um cerco feito por milhares de zumbis. Nestes locais, no entanto, existe uma possibilidade maior de bandidos. Não é possível saber com exatidão como serão estes salteadores do futuro – se vão viajar em motocicletas ou a cavalo, carregando espadas ou armas de fogo. A única coisa da qual temos certeza é que eles sempre estarão em busca de ganhos ilícitos. Com o tempo, talvez passem a seqüestrar mulheres. Mais tarde, crianças para trabalho escravo ou novos guerreiros. E como se a ameaça dos zumbis já não fosse bastante ruim, um dia esses desordeiros poderão ver seus companheiros humanos como sua última fonte de comida. Se eles encontrarem seu grupo, irão atacá-los. Mesmo que um ataque seja repelido, só a presença de um sobrevivente será suficiente para colocar sua fortaleza no mapa para sempre. Até que estas gangues acabem se autodestruindo, você será sempre o alvo. Então, quando você fugir, terá que ser para longe de toda a civilização. Não apenas longe o bastante para que a única coisa em seu campo de visão seja uma estrada. Não devem haver estradas, energia ou linhas telefônicas – nada! Deve ser um lugar no fim do mundo, um lugar inabitado. Deve ser longe o suficiente para dificultar a migração de zumbis, tornar impraticável uma invasão de bandidos e reduzir ao mínimo o risco de acidentes industriais ou ataques militares. Exceto pela possibilidade de voar para outro planeta ou colonizar o fundo do oceano, este lugar deve se localizar à maior distância possível de vestígios da civilização.

6. CONHEÇA SUA POSIÇÃO: Quando é hora de fugir, não apenas prepare seu jipe, viaje para o norte e procure por algum recanto sossegado em Yukon. Ao planejar como fugir de mortos-vivos, *especialmente* em uma parte desabitada do mundo, você precisa saber *exatamente* para onde está indo. Passe um tempo estudando os mapas mais atualizados que encontrar. Os mapas mais antigos podem não conter todos os postos, estradas, passagens de água ou outras estruturas. Ao escolher sua posição, certifique-se de que as perguntas a seguir sejam respondidas:

A. O local é remoto – localiza-se a pelo menos algumas centenas de quilômetros da civilização?
B. Existe no lugar uma fonte de água potável não apenas para você, mas para quaisquer animais que decidir levar? Lembre-se, você precisará de água para inúmeros propósitos, inclusive beber, lavar, cozinhar ou cultivar alimentos.
C. O lugar pode produzir comida? Seu solo é bom o suficiente para o cultivo? E para a criação de gado ou a pesca? O cultivo será capaz de produzir sustento *contínuo* suficiente sem que o solo se esgote?
D. O lugar tem algum tipo de defesa natural? Ele se localiza no alto de uma montanha ou é cercado de falésias e rios? Durante um ataque de mortos-vivos ou de bandidos humanos, o terreno favorecerá a você ou a seu inimigo?
E. Quais são os recursos naturais do local? É possível encontrar material de construção como madeira, pedra ou metal? E combustíveis, como carvão, óleo, turfa ou, mais uma vez, madeira? Quanto material de construção seria necessário levar para que fosse possível a construção de um cercado? Quanto da flora local tem propriedades medicinais?

Todas estas perguntas devem ser respondidas antes mesmo de considerar um refúgio permanente. Materiais de construção e defesas naturais são negociáveis. Comida, água e distância extrema *não são*! Sem um destes três elementos essenciais, você estará comprometendo seriamente sua sobrevivência a longo prazo. Ao escolher seu novo lar, faça uma lista de pelo menos cinco possíveis locais. Visite todos, se possível na época do ano de clima mais rigoroso. Acampe por pelo menos uma semana com equipamentos primitivos e nenhum contato externo. Somente depois você deverá decidir que local será melhor para as suas necessidades.

7. **TORNE-SE UM PERITO:** Pesquise a fundo sobre seu novo lar em potencial. Leia todos os livros, todos os artigos, todas as frases escritas a respeito. Examine cada mapa ou fotografia. Cada tipo de terreno que você escolher terá seus próprios manuais de sobrevivência. Compre e estude todos eles. Além disso, pesquise sobre a população antiga, indígena, que vivia em locais semelhantes. Novamente visite os locais várias vezes, em diferentes estações do ano. Passe no mínimo algumas semanas no local, explorando e acampando em cada área. Familiarize-se com cada árvore ou pedra; cada duna de areia ou camada de gelo. Calcule a forma mais eficiente de produção de alimentos (gado, pesca, caça, coleta) e quantas pessoas o local pode manter com este método. A resposta será essencial para que se decida o tamanho do seu grupo. Se for legalmente possível, compre o local. Isto permitirá (se os recursos forem suficientes) que você comece a construção das habitações propriamente ditas. Não precisa ser sua residência permanente, mas é importante que ao menos sirva de abrigo durante a construção de sua futura área cercada. Se for pequena e funcional, pode servir de depósito de suprimentos. Se

for grande e confortável, pode funcionar como uma segunda casa ou um refúgio de férias. Muitas pessoas construíram casas de férias durante a Guerra Fria que também serviriam como possíveis locais para fugir do holocausto nuclear. Familiarize-se com a população local mais próxima. Caso falem uma língua diferente, aprenda-a, bem como os costumes locais e sua história pessoal. Os conhecimentos e a perícia que eles podem proporcionar deverão complementar sua educação sobre o ambiente. *Nunca* diga aos habitantes locais porque você está ali (voltaremos a este assunto mais adiante).

8. **PLANEJE SUA ROTA:** Siga as regras relativas a esta seção no capítulo "A fuga". Em seguida, multiplique-as por cem. Você não apenas enfrentará os perigos de estradas fechadas e barreiras naturais, mas atravessará uma paisagem cheia de zumbis, bandidos e todos os elementos caóticos de uma sociedade prestes a implodir. E tudo isso antes que seja declarado estado de emergência! Uma vez que aconteça, todos os seus problemas anteriores nada serão se comparados à ameaça de seu próprio exército. Ao contrário de simplesmente fugir de uma área infestada de zumbis, você não terá o luxo de escolher um entre vários possíveis destinos. Haverá apenas um, e você deverá alcançá-lo para sobreviver. Como já dissemos muitas vezes: *O planejamento feito com antecedência nunca deve ser subestimado!* Ele deve inclusive ser um fator importante na escolha da sua posição. Por exemplo, um oásis remoto no meio do deserto do Saara parece uma excelente idéia, mas como chegar até lá se os aviões pararem de voar? Até uma ilha a quilômetros de distância da costa pode parecer tão longe quanto o Saara se você não tem um barco. Todas as lições do capítulo "A fuga" são válidas para este cenário. O que o capítulo não menciona é a perspectiva internacional. E se,

digamos, você comprar um pedaço de terra nos confins da Sibéria e as linhas aéreas ainda estiverem ativas – mas que a Rússia tenha fechado suas fronteiras? Isto não significa que você não deve escolher um lugar na Sibéria, mas certifique-se de garantir seus meios (legais ou não) de entrar no país.

9. **PLANOS B-C-D-E!:** E se o seu principal meio de locomoção não funcionar? E se a estrada ou o rio estiverem bloqueados? E se você descobrir que o seu refúgio seguro tiver sido tomado por zumbis, bandidos, militares ou outros refugiados? E se outras tantas coisas derem errado? Tenha planos reserva. Mapeie perigos em potencial em seu caminho e desenvolva maneiras individuais e exclusivas de contê-los. Alterne veículos, rotas, e até tenha uma área segura de reserva, que mesmo que não seja tão ideal ou preparada quanto a primeira, irá ao menos mantê-lo vivo por tempo suficiente para pensar em uma nova estratégia.

10. **LISTE SEU EQUIPAMENTO E VÁ ÀS COMPRAS:** Qualquer manual competente de desastre ou sobrevivência deve enumerar tudo o que você precisará para começar uma nova vida. Mantenha sempre três listas detalhadas e atualizadas: 1. O que você realmente precisa para sobreviver; 2. Equipamentos que ajudam a construir e expandir sua moradia e adjacências; e 3. Se não tiver todos os confortos de uma casa, que ao menos se aproxime disso. Se as finanças permitirem, compre todos os itens imediatamente. Caso contrário, saiba onde encontrá-los. Confira preços e locais sempre que possível. Mantenha o controle dos fornecedores que se mudaram, e localize substitutos para os que fecharam seus negócios. Tenha sempre ao menos duas opções de reserva para o caso de seu fornecedor principal estar sem

estoque. Certifique-se de que os fornecedores estejam a uma distância máxima de algumas horas de carro. *Não* dependa de catálogos ou compras pela internet. O chamado frete "expresso" não é confiável o suficiente sob circunstâncias normais. Como seria no caso de uma emergência? Mantenha todas estas informações em sua lista. Ajuste-as como for melhor. Tenha sempre uma reserva monetária para os itens indispensáveis (a quantidade total dependerá do preço dos equipamentos escolhidos). Mesmo antes que a situação fique fora de controle, não haverá cheques ou cartões de crédito que se comparem ao conforto do dinheiro em espécie.

11. CONSTRUA DEFESAS: Nada é mais importante do que as estruturas para a sua proteção. Uma vez que você tenha estabelecido seu grupo em um canto silencioso de um local desabitado, comece a fortificá-lo imediatamente. Nunca se sabe quando um zumbi desgarrado aparecerá cambaleando pelo seu acampamento, atraindo outros com seus gemidos. Formule planos detalhados para sua defesa. O esboço deve ser observado e o material de construção comprado ou escolhido a partir do tipo de terreno. Tudo, inclusive o material de construção, ferramentas e suprimentos, já deve estar no local quando você chegar, para que não haja nada a fazer exceto construir. Lembre-se: suas defesas devem prote-

gê-lo não apenas de zumbis, mas também de bandidos. Lembre-se ainda de que aqueles vilões, pelo menos no início, terão armas de fogo e talvez explosivos. Caso consigam invadir suas defesas, sempre tenha um plano de retirada preparado. Esta defesa secundária pode ser uma casa fortificada, uma caverna ou mesmo outro muro. Mantenha-o sempre pronto para a ação. Uma retirada bem planejada pode ser o momento de virada em uma batalha considerada perdida.

12. **PLANEJE UMA ROTA DE FUGA:** E se suas defesas forem invadidas durante um ataque? Certifique-se de que todos conheçam a rota de fuga e possam chegar sozinhos até lá. Garanta que os suprimentos de emergência e as armas estejam embalados e prontos o tempo todo. Designe um ponto de reagrupamento para o seu grupo em fuga, um lugar de reunião, caso vocês se separem durante um ataque. Abandonar sua nova "casa" não será psicológica ou emocionalmente simples, em especial depois de gastar tanto tempo e energia em sua construção. Pessoas de vários lugares do mundo que vivem em situações precárias poderão lhe dizer como isto pode ser difícil. Por mais apegado que você fique a este local chamado casa, sempre será melhor deixá-lo e fugir do que morrer tentando defendê-lo. Um local alternativo também deve ser bem escolhido antes de mudar-se para seu novo lar. Deve ficar longe o suficiente para que zumbis ou invasores não consigam rastreá-lo de um lugar a outro. Também deve ficar perto o bastante para que seja possível viajar entre eles mesmo sob as piores condições (nunca se sabe quando será preciso abandonar a primeira base). Lembramos que ele precisa ser escolhido *antes* da insurreição. Buscar por uma nova área após uma insurreição não será fácil (ver a seção a seguir).

13. **ESTEJA EM GUARDA:** Uma vez estabelecido em um local, construídas as defesas, erguidas as habitações, plantados os alimentos, divididas as tarefas, não se deve nunca, de maneira alguma, relaxar. Deve-se usar sentinela o tempo todo. Mantenha-os vigilantes, camuflados e equipados com meios confiáveis de alertar o resto do grupo. Certifique-se de que os meios de alerta não chamem a atenção também dos atacantes. Designe um perímetro seguro fora de suas defesas estabelecidas. Mantenha este perímetro patrulhado dia e noite. As pessoas nunca devem se aventurar sozinhas ou desarmadas para fora do complexo. Aqueles que ficarem no acampamento devem sempre estar a segundos de distância do depósito de armas, prontos para a batalha em caso de ataque.

14. **PERMANEÇA ESCONDIDO:** Embora a topografia de sua posição deva diminuir a probabilidade de que você seja descoberto, nunca se sabe quando um zumbi ou invasor irá se aventurar para perto de seu acampamento. Certifique-se de que nenhuma luz possa ser vista durante a noite. Cuide para que a fumaça de suas fogueiras desapareça antes do pôr-do-sol. Se os elementos naturais da área não camuflarem seu complexo, faça-o artificialmente. Pratique "a disciplina do silêncio" todas as horas do dia e da noite. Grite somente quando for estritamente necessário. Isole suas instalações comunais para que a música, as conversas e outros sons não escapem. Durante a nova construção e sua manutenção diária, posicione outros patrulheiros nos limites externos da faixa de ruído. Lembre-se de que o mais ínfimo som pode ser carregado pelo vento e delatar sua posição. Verifique sempre a direção do vento, tanto na direção de possíveis habitantes (de onde você veio) quanto por uma área conhecida (uma grande massa de água, desertos extensos etc.). Se sua fonte de energia for barulhenta (por

exemplo, um gerador de combustível fóssil), certifique-se de que ela esteja isolada e que seja usada de forma econômica. No início, será difícil manter um estado constante de vigilância. Com o tempo, passará a ser natural. A vida tem sido vivida desta forma por séculos, da Europa medieval às estepes da Ásia central. Grande parte da história da humanidade tem sido a história de pequenas ilhas de ordem em um oceano de caos, pessoas que lutam para sobreviver sob a ameaça constante da invasão. Se eles puderam sobreviver desta forma por inúmeras gerações, então, com um pouco de prática, você também conseguirá.

15. **PERMANEÇA ISOLADO:** *Não* ceda à curiosidade sob *nenhuma circunstância.* Mesmo um patrulheiro experiente, altamente treinado na arte da espreita, pode acidentalmente guiar exércitos de mortos-vivos até o complexo. Se seu patrulheiro for capturado e torturado por salteadores, os bandidos podem tomar conhecimento de sua localização. Por trás das mais dramáticas ameaças de zumbis ou bandidos, há sempre um risco de que seu patrulheiro contraia alguma doença convencional e infecte o resto da população (com poucos remédios a sua disposição, qualquer tipo de epidemia pode ser arrasadora). Ficar parado não significa se manter ignorante a respeito do mundo exterior. Rádios operados por dínamos ou energia solar são maneiras perfeitamente seguras de coletar informações. Mas apenas ouça! A transmissão poderá revelar sua posição para qualquer um que possua o mais simples equipamento de localização. Por mais que você confie no seu grupo, não seria uma má idéia manter todos os transmissores, foguetes luminosos e outros dispositivos sinalizadores trancados a chave. Um momento de fraqueza pode dar fim a toda uma existência. Seu treinamento de liderança será sua

maior ajuda sobre como lidar com uma questão de tamanha delicadeza.

TIPOS DE TERRENO

Examine um mapa do mundo e procure pela melhor terra com o clima mais ameno. Preencha-a com uma densa população e você terá o casamento perfeito. Os primeiros humanos sabiam o que procurar quando começaram a construir suas comunidades: clima moderado, solo fértil, água potável e recursos naturais abundantes. Estes primeiros locais se transformaram nos primeiros centros de humanidade, expandindo-se para os centros populacionais modernos que conhecemos hoje. É esta forma de pensar, este processo perfeito de pensamento lógico, que você deve abandonar completamente ao escolher um novo lar. De volta ao mapa. Digamos que você encontre um novo local que pareça imediatamente atraente. É provável que milhões de pessoas pensem o mesmo que você quando chegar a hora de fugir. Combata este pensamento com o lema "quanto mais severo, mais seguro", e para ter a maior segurança possível você precisa encontrar os locais mais severos, mais extremos da Terra. Você terá que encontrar uma área que seja tão pouco atraente, tão inóspita, que a última coisa que você poderia querer seria chamá-la de casa. A lista de ambientes que se segue tem por objetivo ajudá-lo a fazer uma escolha consciente. Textos suplementares lhe darão informações mais detalhadas a respeito de seus exatos padrões climáticos, alimentos disponíveis, água, recursos naturais e assim por diante. Esta seção demonstra como estes terrenos se relacionam com todos os fatores associados ao mundo dos mortos-vivos.

1. DESERTOS

Perdendo apenas para as regiões polares, este é um dos ambientes mais severos e, portanto, mais seguros do mundo. Ao contrário do que se vê nos filmes, os desertos raramente são oceanos de areia. Pedras podem ser quebradas facilmente e modeladas para a construção de casas confortáveis e, mais importante, muros de defesa. Quanto mais remoto for o seu acampamento, maiores serão as chances de proteção contra os salteadores. Estes escamoteadores renegados não estarão interessados em atravessar desertos profundos se acharem que ali não existem grandes bases. Qual seria o propósito? Mesmo se alguns tentassem, o calor intenso e a falta de água os matariam antes mesmo que alcançassem seu acampamento. Os zumbis, por outro lado, não sofreriam com este problema. O calor e a sede não fazem parte de suas preocupações. O ar seco poderia retardar sua decomposição já lenta. Se o deserto escolhido se localizar entre áreas habitadas, como as do sudoeste dos Estados Unidos, haverá uma grande probabilidade de alguns encontrarem o seu complexo. A não ser que você construa seu forte no alto de uma montanha ou em uma ampla formação rochosa, o terreno plano aumentará a necessidade de defesas artificiais.

2. MONTANHAS

Dependendo da localização e da altitude, este ambiente proporciona excelentes condições de defesa contra os mortos-vivos. Quanto mais íngreme for a subida, mais difícil será a escalada. Se a montanha em questão não tiver estradas ou trilhas, os bandidos humanos também serão dissuadidos. Ainda que a elevação permita uma melhor visão das terras ao redor, ela também torna mais difícil a camuflagem. As medidas de proteção visual devem ser sua principal prioridade, especialmente ao se tratar de luzes e fumaça. Outra desvantagem da estratégia de terrenos altos é sua distância dos recursos utilizáveis. As viagens para conseguir comida, água e material de construção poderão comprometer sua segurança. Conseqüentemente, a montanha que você escolher pode não ser a mais alta nem tão fácil de defender, mas deve conter tudo o que você precisa para sobreviver.

3. SELVAS

O oposto dos desertos, as selvas ou florestas tropicais fornecerão toda a água, alimento e material de construção necessários, bem como uma grande quantidade de plantas medicinais, combustíveis inflamáveis e camuflagem instantânea. A densa folhagem age como isolamento acústico, isolando ruídos que poderiam viajar por quilômetros. Ao contrário do que vimos no capítulo "O ataque", onde o terreno pode atrapalhar uma equipe de caçadores, a ausência de visibilidade e a terra enlameada são perfeitas para uma atitude defensiva. Grupos de bandidos podem ser facilmente postos em uma emboscada e destruídos. Zumbis desgarrados podem ser despachados sem que os outros sejam alertados. Existem, é claro, desvantagens associadas a este ecossistema equatorial. A umidade traz vida, o que significa milhões de espécies de organismos biológicos. As doenças serão uma ameaça constante. Qualquer corte ou arranhão pode rapidamente gangrenar. Os alimentos irão se decompor com mais rapidez do que em ambientes mais secos. Equipamentos de metal devem ser armazenados com extremo cuidado, para evitar a ferrugem. Qualquer roupa que não seja emborrachada ou tenha recebido algum tipo de tratamento antimofo irá literalmente apodrecer. Vai haver bolor por todos os lugares. A população local de insetos será seu inimigo mais constante. Alguns não passarão de um mero aborrecimento; outros podem ter ferrões dolorosos e até fatalmente venenosos. Alguns poderão causar doenças horríveis como a febre amarela, a malária ou a dengue. Um aspecto natural positivo da sobrevivência na selva é que o excesso de umidade, somado à multiplicidade de vidas orgânicas microscópicas, pode acelerar o processo de decomposição dos mortos-vivos. Testes de campo mostram uma taxa de deterioração 10% mais alta em zumbis que andam pelas selvas. Em alguns casos, esta percentagem pode subir até 25%! O que estes fatores têm em comum é um ambiente com muitas privações naturais, mas com oportunidades de sobrevivência muito maiores em casos piores.

4. FLORESTAS TEMPERADAS

Esta zona comum em todo o mundo é, sem sombra de dúvida, a mais confortável para a sobrevivência a longo prazo. No entanto, um terreno tão atraente pode trazer muitos problemas. As áreas selvagens do norte do Canadá certamente estarão lotadas de refugiados. Por serem pegos despreparados, estes grupos apavorados fugirão para o norte. Pelo menos durante o primeiro ano, ficarão vagando pelas terras inabitadas, esgotando os alimentos, usando a violência para obter equipamentos, talvez até recorrendo ao canibalismo nos meses mais frios do inverno. Entre eles certamente haverá salteadores, ou estes surgirão com o passar do tempo. Além disso, há sempre a ameaça dos zumbis. As florestas temperadas são ainda relativamente próximas à civilização, bem como marcadas com várias bases de seres humanos. Os encontros com necrófilos seriam dez vezes mais prováveis do que em circunstâncias normais. Com o influxo de refugiados, é praticamente certo que os mortos-vivos os sigam até o norte. Lembre-se também da questão dos zumbis que congelam no inverno e que descongelarão no verão seguinte. Somente escolha uma área se esta for isolada por fronteiras naturais: montanhas, rios etc. Qualquer outro tipo de local – mesmo que seja suficientemente longe da civilização – é arriscado demais. Não pense que a vasta extensão da Sibéria será de forma alguma mais segura do que o norte do Canadá. Não se esqueça, logo abaixo desta terra praticamente inabitada estão a China e a Índia, as duas nações mais populosas do planeta.

5. TUNDRAS

Os refugiados sequer considerarão estas terras aparentemente infecundas, incapazes de sustentar a vida. Aqueles que tentarem perecerão com a falta de grandes lojas de suprimentos, equipamentos elaborados ou um amplo conhecimento do ambiente. Os bandidos também encontrarão dificuldades para sobreviver. Na melhor das hipóteses, nenhum deles irá se aventurar tão longe ao norte. Os mortos-vivos, no entanto, podem alcançar seu acampamento. Aqueles que migraram para o norte seguindo refugiados, ou que foram refugiados mas que reanimaram como zumbis, podem detectar sua presença e avisar aos outros. Eles não serão muitos e seu grupo pode dar conta de todos. Ainda assim, construa defesas fortes e mantenha constante vigilância. Como nas florestas temperadas, esteja preparado para a aproximação de zumbis com o passar das estações.

6. REGIÕES POLARES

Este ambiente é, sem dúvida alguma, o mais severo do planeta. As temperaturas extremamente baixas, agravadas pelo vento, podem matar um ser humano exposto em segundos. Os materiais de construção consistirão basicamente em gelo e neve. Os combustíveis serão escassos. Será impossível encontrar plantas medicinais ou de outro tipo. Há alimentos de sobra, mas é necessário habilidade e experiência para consegui-los. Mesmo no verão, há sempre o perigo da hipotermia. Todos os dias serão vividos nos limites da existência. Cometer um erro em relação a comida, vestimenta, abrigo ou mesmo higiene pode significar morte certa. Muitas pessoas já ouviram falar do Allariallak, o nativo cuja vida na região congelada de Hudson Bay foi documentada no filme *Nanook, o esquimó*. Poucos sabem que "Nanook" morreu de fome um ano depois de o documentário ser feito. Isso não quer dizer que seja impossível viver nas regiões polares. As pessoas têm feito isso por milhares de anos. Mas é necessário ter dez vezes o conhecimento e a determinação dessas pessoas para começar a tentar uma vida no topo ou na base do mundo. Se você não está preparado para passar pelo menos um inverno praticando sob estas condições, *não* tente fazê-lo na hora da fuga. Então, por que ir? Por que se arriscar a morrer em um ambiente tão hostil quando o objetivo é exatamente sobreviver? A verdade é que o ambiente deverá ser a sua *única* preocupação. Refugiados e bandidos nunca chegarão tão longe. A probabilidade de zumbis perambulando aleatoriamente tão ao norte é de 1 em 35 milhões (uma estatística calculadamente comprovada). Como nas florestas temperadas e nas tundras, existe o risco de um necrófilo desgarrado congelar e descongelar em suas viagens. Se você acampar próximo à costa, fique atento à possibilidade de que um deles seja trazido pela maré ou em um navio fantasma infestado. As costas marítimas também o tornam vulnerável, no início, aos piratas (retomaremos este assunto ao discutir as ilhas). Mantenha algumas formas de defesa estática e esteja sempre alerta, embora esta necessidade seja relativamente menor do que em qualquer outro ambiente.

7. ILHAS

O que pode ser mais seguro que um pedaço de terra cercado de água por todos os lados? Os zumbis não sabem nadar. Isso não deveria significar que viver numa ilha é a opção óbvia para um caso extremo? De certa forma, sim. Seu isolamento geográfico impossibilita a migração em massa de zumbis, algo que deve ser levado em consideração quando bilhões deles estarão espreitando cada continente no planeta. Mesmo as ilhas a poucos quilômetros de distância da costa irão salvá-lo das hordas cambaleantes e ruidosas. Por esta razão somente, as ilhas sempre são uma boa escolha. No entanto, sua sobrevivência não está garantida só porque você decidiu viver em uma pedra cercada de água. Ilhas próximas à costa serão sempre a escolha óbvia dos refugiados. Qualquer pessoa com um barco ou um bote chegará até lá. Rufiões as utilizarão como bases de partida para ataques em terra firme. As ilhas próximas à costa podem também ser destruídas por acidentes industriais, como por exemplo algum poço no continente que derrame poluição nos rios mais próximos. Para evitar estes perigos imediatos, escolha uma ilha que seja apenas acessível por embarcações fortes e navegação experiente. Procure por uma que não possua porto natural ou muitas praias acessíveis. Isto a tornará menos atraente a outros refugiados oriundos do mar que tentem usar a mesma estratégia que você. (Lembre-se de que comprar uma ilha irá manter as pessoas afastadas somente *antes* da crise! Nenhum navio de refugiados famintos e desesperados respeitará uma placa de "mantenha distância".) Procure por ilhas com altos picos e, se possível, rochedos extensos e perigosos.

Mesmo com estas fronteiras naturais, construa defesas e mantenha esconderijos. Os perigos ainda estão lá fora! Os piratas, nos primeiros estágios da crise, podem navegar de uma ilha a outra, na esperança de saquear o que puderem dos sobreviventes. Tenha sempre um observador atento a esses navios no horizonte. Os zumbis também podem vir de várias formas. Com um mundo completamente infestado, muitos certamente serão vistos vagando pelo fundo do oceano. Existe também a possibilidade, embora pequena, de algum morto-vivo subir a rampa submarina que leva até a sua pequena costa. Outros, ainda com coletes salva-vidas, remanescentes de sua existência anterior, podem ser carregados até a sua ilha pela correnteza. E existe a possibilidade de um navio infestado de zumbis, ou, em caso extremo, um navio que irá encalhar na costa e cuspir seu conteúdo morto. Não importa o que aconteça, não destrua seus meios de fuga. Arraste seu barco até a praia e mantenha-o camuflado próximo à costa. Perdê-lo significará transformar a sua fortaleza em uma prisão.

8. VIVENDO NO MAR

Já se sugeriu que, com um navio e a tripulação corretos, um grupo pode sobreviver unicamente no mar. Teoricamente isto é possível, mas a probabilidade de sucesso é ínfima. A curto prazo, muitas pessoas levarão para o mar embarcações que vão de veleiros para duas pessoas a cargueiros de 80 mil toneladas. Elas sobreviverão com aquilo que tiverem trazido a bordo, saqueando portos, pescando e destilando água, se possível. Piratas em barcos rápidos e armados rondarão os mares. Estes bucaneiros modernos já existem atualmente, roubando cargueiros e iates ao longo da costa de muitos países subdesenvolvidos e também em certos pontos estratégicos. Em um caso extremo, seu número atingirá a casa dos milhares, e seus alvos deixarão de ser selecionados. À medida que os portos militares forem infestados, os navios de guerra que não tiverem como função dar apoio a operações em terra irão em busca de águas mais calmas. Será nestes lugares remotos que as marinhas do mundo vão esperar que a crise passe. E esperar indefinidamente.

Após muitos anos, o tempo e outros elementos começarão a afetar estas populações específicas trazidas pelo mar. Os navios que dependerem de combustíveis fósseis acabarão sem recursos, fadados a vagar pelos mares, desesperançosos. Os que tentarem revirar portos abandonados e depósitos de combustíveis poderão acabar como comida de zumbi. Quando se esgotarem os medicamentos e as vitaminas, as doenças, como o escorbuto, começarão a atacar. Mares mais revoltos destruirão muitas embarcações. Os piratas por fim se matarão em meio a brigas internas, conflitos com vítimas inocentes e encontros com os mortos-vivos. Esta última contingência também levará à infecção de salteadores, aumentando o risco de mortos-vivos trazidos pelo mar. Abandonados, os navios fantasmas de zumbis flutuarão sem rumo pelas águas do mundo, seus gemidos levados pelos ventos salgados. Estes ventos acabarão por corroer máquinas importantes, como as que purificam água ou geram energia. Em alguns anos, pouquíssimas embarcações terão sobrevivido às ondas. Todas as outras terão afundado, batido, sua tripulação reanimada ou simplesmente ancorada em alguma praia distante, determinadas a tentar sobreviver em terra.

Qualquer pessoa que pensar na idéia de viver no mar deve ter as seguintes qualificações:

A. Um mínimo de dez anos de experiência no mar, em serviços comerciais ou militares. O simples fato de possuir um iate há dez anos não o qualifica.

B. Uma embarcação robusta, movida a vela com pelo menos três metros, feita de equipamento construído com materiais inorgânicos e não-corrosivos.

C. A capacidade de destilar água potável regularmente sem depender da chuva. Seu sistema e dispositivo não apenas precisam ser simples, de fácil manutenção e resistente à ferrugem, mas você também precisa ter a bordo um sistema de reserva.

D. A capacidade de conseguir comida e prepará-la sem o uso de combustível não-renovável. Ou seja, sem o uso de um fogão de propano.

E. Conhecimento profundo sobre todos os tipos de plantas ou animais aquáticos. Todas as vitaminas e sais minerais obtidos em terra podem ser substituídos por um equivalente do mar.

F. Equipamento completo de emergência para todos em seu grupo, caso seja necessário abandonar o navio.

G. Conhecimento preciso da localização de um abrigo seguro. Todos os barcos precisam de um porto, mesmo o mais primitivo. Pode ser um grupo de pedras no Canadá ou um atol infrutífero no meio do Pacífico. Não importa o que seja, a não ser que você possa encontrar seu porto em meio a uma tempestade, você está, literal e figurativamente, perdido.

Após todas estas considerações, ficará mais fácil ajustar suas condições de sobrevivência. Utilize seu barco como uma casa móvel enquanto se deslocar de uma ilha a outra, de uma costa a outra. Esta será uma existência mais confortável, mais segura do que a existência em uma área aberta. Ainda assim, mantenha suas atenções voltadas para zumbis em águas rasas, e sempre, *sempre*, preste atenção na corda da âncora! Teoricamente, este tipo de vida é possível, mas não é recomendável.

DURAÇÃO

Por quanto tempo será preciso agüentar essa existência primitiva? Quanto tempo você terá até que os mortos-vivos se desintegrem em pó? Quanto tempo até que a vida volte a, pelo menos, se assemelhar à normalidade? Infelizmente, não existe uma previsão exata. O primeiro zumbi a se levantar, a não ser que seja congelado, embalsamado ou preservado de alguma outra forma, terá se decomposto completamente após cinco anos. No entanto, quando os mortos-vivos dominarem o planeta, dez anos já terão se passado (lembre-se, você estará fugindo quando a guerra começar, não quando estiver terminando). Quando os zumbis realmente dominarem o planeta, e não houver mais carne humana para infectar, então após cinco anos eles realmente irão apodrecer. Os climas secos e gelados preservarão muitos deles, mantendo-os funcionais potencialmente por décadas. Os bandidos, refugiados e outros sobreviventes como você poderão se tornar futuras presas, criando uma nova geração menor da horda antiga e decadente. Quando estes se tornarem pó, os únicos mortos-vivos que restarem serão aqueles preservados artificialmente ou constantemente recongelados a cada inverno. Eles terão que ser vigiados por décadas. Seus filhos e até mesmo seus netos terão que ter cuidado com eles. Mas quando será seguro voltar?

Ano 1: É declarado estado de emergência. Você foge. Suas defesas são construídas; sua base é estabelecida. O trabalho é dividido. Uma nova vida se inicia. Durante todo este tempo, você monitora as transmissões de rádio e televisão, observando de perto os conflitos subseqüentes.

Anos 5-10: Em algum lugar neste período de tempo, a guerra termina. Os mortos venceram. Os sinais acabam. Você supõe que o mundo todo foi destruído. E continua sua vida, vigiando de perto suas defesas, pois bandidos e refugiados podem começar a invadir sua área.

Ano 20: Após duas décadas de isolamento, você considera a possibilidade de enviar uma equipe de observação. Para isto é necessário ter conhecimento dos riscos. Se a equipe não voltar na data combinada, você conclui que se perderam, que talvez até tenham entregado sua posição. Você se mantém escondido. Você *não* envia outra equipe, e se prepara para a batalha. Nenhum outro grupo será enviado por no mínimo cinco anos. Se os observadores da primeira equipe retornarem, suas descobertas determinarão seu próximo curso de ação.

Sua equipe descobrirá um novo mundo, onde um dos três cenários a seguir terá prevalecido:

1. Os zumbis ainda vagam pela terra. Entre os preservados artificialmente e os que foram congelados a cada inverno, milhões deles ainda existirão. Embora não sejam freqüentes, um para cada 3 km^2, eles ainda serão os predadores dominantes do planeta. Quase toda a humanidade terá desaparecido. Os que sobreviveram permanecerão escondidos.

2. Poucos mortos-vivos ainda restam. A decomposição e as guerras constantes venceram. Talvez seja possível encontrar um zumbi a cada 150 km ou mais. A humanidade começa a retornar. Grupos de sobreviventes se deslocam juntos e lutam para reconstruir a sociedade. Isto pode assumir várias formas, de um coletivo harmonioso de cidadãos que seguem a lei à sociedade caótica e feudal de bárbaros e guerreiros. Esta última seria razão suficiente para manter-se escondido. Existe a possibilidade, mesmo pequena, de que todos ou alguns governos exilados por fim mostrem a cara. Armados com o que restou das forças militares e policiais, equipados com tecnologia armazenada e conhecimentos arquivados, eles tentarão, com sucesso, colocar a humanidade em um curso lento, porém eficiente, para que a dominação do globo se reestabilize.

3. Nada sobreviveu. Antes de efetivamente se decomporem, os mortos-vivos limparão todos os vestígios da humanidade. Os refugiados terão sido devorados. Os bandidos terão matado uns aos outros ou sucumbido a ataques de necrófilos. Os campos de sobreviventes terão se reduzido por ataques, doenças, violência interna ou por simples tédio. É um mundo silencioso, sem sinais de atividade humana ou de zumbis. Salvo as árvores balançadas pelo vento, as ondas quebrando na costa e os sons que restaram da vida selvagem, a Terra encontrou uma paz misteriosa, desconhecida há milhões de anos.

Não importa qual seja a situação do ser humano (ou do morto-vivo), o reino animal passará por sua própria metamorfose. Qualquer criatura incapaz de fugir será devorada por mortos-vivos. Isto levará à quase extinção de diversas espécies de animais herbívoros – a dieta principal dos grandes predadores. As aves de rapina também enfrentarão a fome, assim como os pássaros carniceiros (lembre-se de que mesmo após a morte de um zumbi, sua carne permanece contaminada). Até insetos, dependendo de seu tamanho e velocidade, podem acabar virando alvo de zumbis errantes. É difícil saber que formas de vida selvagem herdarão a Terra. O que podemos dizer é que um mundo de mortos-vivos terá tanto impacto no ecossistema global quanto a última Era Glacial, se o impacto não for maior.

E DEPOIS?

As histórias de ficção pós-apocalíptica geralmente mostram os sobreviventes de uma nova era reconstruindo seu mundo num ritmo exagerado, como a retomada de uma cidade inteira. Embora o imaginário seja emocionante, especialmente nos cinemas, ele não representa, de forma alguma,

uma maneira segura ou eficiente de recolonização. Em vez de marchar sobre a ponte George Washington para repovoar a ilha de Manhattan, uma atitude mais segura, mais inteligente e mais cautelosa seria expandir o local em que se vive, ou migrar para um lugar melhor, contanto que seja também uma área isolada. Se, por exemplo, você construiu sua casa em uma pequena ilha, a melhor opção seria mudar para outra ilha, maior e previamente desabitada, limpar a área de zumbis que ainda possam restar e reivindicar as estruturas abandonadas como sua nova casa. Em terra, o equivalente seria migrar de, por exemplo, amplos desertos ou tundras congeladas para a cidade abandonada mais próxima. Os manuais que tratam de situações extremas, bem como diversos textos históricos, serão seu melhor guia para uma reconstrução total. O que estas leituras não poderão lhe dizer, e que deve ser feito, é que é preciso ter certeza de que sua casa, nova e mais civilizada, é segura. Lembre-se: o único governo, a única força policial e o único exército por perto serão os seus. A segurança será sua responsabilidade e, embora o perigo imediato possa ter passado, ele jamais deve ser subestimado. Não importa o que você poderá encontrar, e não importa que desafios irá enfrentar, tenha sempre em mente que você sobreviveu a uma catástrofe nunca vista desde a era dos dinossauros: um mundo dominado pelos mortos-vivos.

ATAQUES REGISTRADOS

Esta não é uma lista de todos os ataques de zumbis na história. Esta seção é apenas uma narrativa de todos os ataques cujas informações foram registradas, sobreviveram e foram divulgadas para o autor deste livro. Os relatos de sociedades com tradição histórica oral foram de aquisição mais difícil. Com muita freqüência essas histórias foram perdidas quando as sociedades fragmentaram-se como resultado de guerras, escravidão, desastres naturais ou simplesmente a corrupção resultante da modernização internacional. Quem sabe quantas histórias, quanta informação vital – talvez até uma cura – foi perdida com o passar dos séculos. Mesmo em uma sociedade tão preocupada com a informação quanto a nossa, apenas uma fração do número total de insurreições é registrada. Isto se deve, em parte, a várias organizações políticas e religiosas que juraram manter segredo de todo conhecimento sobre os mortos-vivos. Isto se deve também à falta de conhecimento sobre a insurreição dos zumbis. Aqueles que suspeitam da verdade, mas temem que sua credibilidade seja abalada, guardarão essa informação para si. Isto nos deixa com uma lista curta, porém detalhada. Observação: estes eventos estão listados em ordem cronológica de acontecimento, não de descoberta.

60.000 a.C., KATANDA, ÁFRICA CENTRAL

Recentes expedições arqueológicas descobriram uma caverna na margem superior do rio Semliki que continha 13 esqueletos. Todos tinham sido esmagados. Próximo a eles havia uma grande pilha de cinzas fossilizadas. Análises de laboratório determinaram que as cinzas eram os restos mortais de 13 *homo sapiens*. Na parede da caverna está a pintura de uma figura humana, as mãos erguidas de forma ameaçadora, os olhos fixos com maldade. Dentro de sua boca aberta está o corpo de outro ser humano. Este achado não foi aceito como um ataque genuíno de zumbis. Uma das escolas de pensamento afirma que os esqueletos esmagados e os corpos queimados eram a maneira de descartar os cadáveres, e que os desenhos serviriam como aviso. Outros acadêmicos exigem algum tipo de prova física, como algum traço de *Solanum* fossilizado, mas os resultados ainda estão pendentes. Se a autenticidade deste episódio em Katanda for confirmada, ela levanta a questão de por que existe um espaço de tempo tão grande entre esta primeira insurreição e a seguinte.

3000 a.C., HIERACONPOLIS, EGITO

Uma escavação britânica em 1892 desenterrou uma tumba sem descrição. Nenhuma pista foi encontrada que revelasse quem seria a pessoa que a ocupava ou a que posição na sociedade ela pertencia. O corpo foi encontrado do lado de fora da cripta aberta, encolhido em um dos cantos e só parcialmente decomposto. Centenas de marcas de arranhões adornavam todas as superfícies internas da tumba, como se o cadáver tivesse tentado encontrar uma maneira de sair. Peritos forenses revelaram que os arranhões foram feitos ao longo de um período de vários anos! O próprio corpo apre-

sentava diversas marcas de mordidas no rádio direito. As marcas de dentes correspondem ao tipo humano. Uma autópsia completa revelou que este cérebro seco e parcialmente decomposto não apenas tinha as mesmas características de um cérebro infectado pelo *Solanum* (o lobo frontal estava completamente derretido), mas também continha elementos do vírus. Surgiu um debate acalorado sobre a relação entre este caso e o motivo pelo qual os antigos egípcios retiravam o cérebro de suas múmias.

500 a.C., ÁFRICA

Durante sua viagem para explorar e colonizar a costa oeste do continente, Hanno o Navegador, um dos mais famosos navegadores da antiguidade ocidental, escreveu em seu diário de bordo:

> *Na costa de uma grandiosa selva, onde montes verdes escondem suas coroas entre as nuvens, enviei uma expedição à terra firme em busca de água potável. (...) Nossos adivinhos foram contra esta idéia. Aos olhos deles aquela era uma terra amaldiçoada, um lugar de demônios, abandonado pelos deuses. Ignorei estes avisos e paguei o mais alto preço. (...) Dos trinta e cinco homens que enviei, sete retornaram.*

> *(...) Os sobreviventes contaram em meio a choros e soluços uma história de monstros das selvas. Homens com presas de cobras, garras de leopardo e olhos que ardiam como o fogo do inferno. Espadas de bronze cortavam suas carnes, sem causar efeito. Eles banquetearam-se com nossos marinheiros, cujos gritos nos foram trazidos pelos ventos (...) nossos adivinhos nos avisaram sobre os sobreviventes que estavam feridos, alegando que eles trariam sofrimento a tudo que tocassem. (...) Fugimos para nossos navios, abandonando aquelas pobres almas naquela terra de homens-monstros. Que os deuses me perdoem.*

Como a maioria dos leitores tem conhecimento, grande parte dos escritos de Hanno é controversa e muito debatida entre acadêmicos da área de história. Já que Hanno também descreve um confronto com grandes criaturas símias que ele chamou de "gorilas" (quando os gorilas de verdade nunca habitaram aquela parte do continente africano), é possível dizer que ambos os incidentes podem ser fruto da imaginação do navegador ou de historiadores contemporâneos. Levando isso em consideração, e ignorando exageros óbvios como presas de cobras, garras de leopardos e olhos flamejantes, as descrições de Hanno são muito parecidas com as de um morto-vivo.

329 a.C., AFEGANISTÃO

Uma coluna macedônia construída pelo lendário conquistador Alexandre o Grande foi visitada diversas vezes por forças especiais soviéticas durante ocupações de guerra. A oito quilômetros do monumento, uma unidade descobriu restos antigos do que parecia ser uma tenda do exército helênico. Entre outros artefatos, havia um pequeno vaso de bronze. As gravuras ao seu redor mostravam: (1) um homem morden-

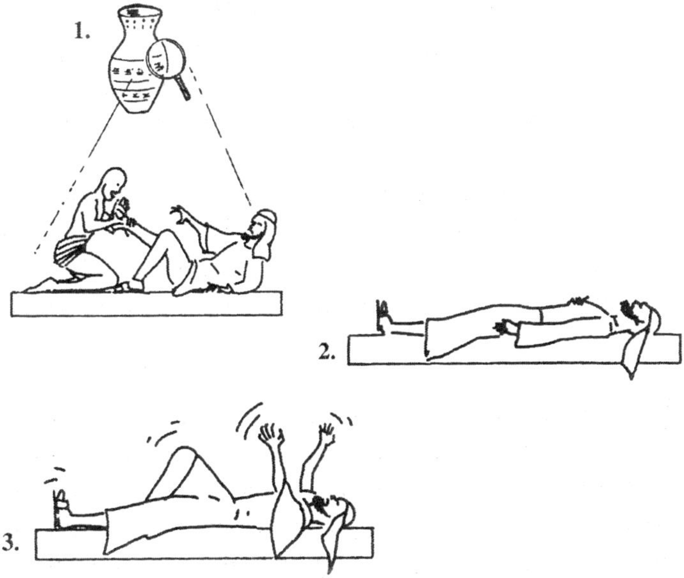

do outro homem; (2) a vítima deitada em seu leito de morte; (3) a vítima levantando-se novamente; e depois de volta a (1) mordendo outro homem. A natureza circular deste vaso, assim como as figuras, poderiam ser evidência de uma insurreição de zumbis testemunhada por Alexandre ou relatada a ele por uma das tribos locais.

212 a.C., CHINA

Durante a dinastia Qin, todos os livros não relacionados a questões práticas como agricultura ou construção foram queimados por ordem do imperador, para proteção contra pensamentos perigosos. Nunca saberemos se relatos de ataques de zumbis viraram cinza nessa época. Este fragmento de um obscuro manuscrito médico, preservado na parede de um estudioso chinês, pode, entretanto, ser prova de tais ataques:

O único tratamento para vítimas do eterno pesadelo acordado é o completo desmembramento seguido por fogo. O paciente deve ter seu corpo imobilizado, a boca enchida de palha e amarrada. Todos os membros e órgãos devem ser removidos, evitando-se o contato com qualquer fluido. Tudo isto deve ser queimado até as cinzas e depois espalhado aos quatro ventos. Nenhum outro remédio terá efeito, já que esta doença não tem cura (...) o desejo por carne humana, insaciável. (...) Se as vítimas forem encontradas em grande número, sem esperança de serem contidas, a decapitação imediata é o curso de ação a ser tomado (...) sendo a espada Shaolin a mais indicada para esta tarefa.

Não há nenhuma menção sobre as vítimas do "eterno pesadelo acordado" estarem mortas. Apenas a parte em que é mencionado o desejo pela carne humana e o "tratamento" aconselhado sugerem a presença de zumbis na China antiga.

121 d.C., FANUM COCIDI, CALEDÔNIA (ESCÓCIA)

Embora a origem da insurreição seja desconhecida, seus eventos estão bem documentados. O chefe local dos bárbaros, acreditando que os mortos-vivos fossem apenas insanos, enviou mais de 3.000 guerreiros para "dar fim àquela revolta de loucos". Resultado: mais de 600 guerreiros foram devorados, e o resto ferido e por fim transformado em mortos-vivos. Um mercador romano chamado Sextos Semprônio Tubero, que viajava por esta província na época, testemunhou a batalha. Apesar de não ter percebido que eram mortos-vivos, Tubero observou o suficiente para perceber que apenas zumbis decapitados deixavam de ser uma ameaça. Mal conseguindo escapar com vida, Tubero relatou suas descobertas para Marcos Lúcio Terêncio, comandante da guarnição de Roma na Bretanha. Os 9.000 zumbis encontravam-se a menos de um dia de distância. Seguindo o fluxo dos refugiados, esses necrófilos continuaram a rumar para o sul, movendo-se na direção do território romano. Terêncio tinha apenas uma coorte (480 homens) a sua disposição. Os reforços encontravam-se a três semanas de distância. Terêncio ordenou, inicialmente, que fossem cavadas duas valas de dois metros de profundidade. A largura das valas afinava à medida que a profundidade aumentava, de modo que quando terminadas elas pareciam grandes funis, com um quilômetro e meio de extensão. O fundo das trincheiras foi, posteriormente, preenchido com óleo de lampião, muito comum naquela parte do império. Quando os zumbis se aproximaram, o óleo foi colocado em combustão. Todos os zumbis que caíram nas trincheiras ficaram presos e foram incinerados. Os zumbis remanescentes foram empurrados para dentro do funil, onde não mais do que 300 deles podiam ficar lado a lado. Terêncio ordenou que seus homens desembainhassem as espadas, levantassem os escudos e avançassem para o inimigo. Após uma batalha de nove horas, todos os zumbis haviam sido decapitados, suas cabeças sendo atiradas na vala em chamas para serem cremadas. As baixas do lado romano chegaram a 150, sem feridos (os legionários mataram os camaradas que foram feridos).

As conseqüências desta insurreição foram imediatas e historicamente importantes. O imperador Adriano ordenou que todas as informações relacionadas com a insurreição fossem compiladas em um único volume. Este manual não só detalhava o padrão comportamental dos zumbis e instruções eficientes para descartar os corpos. O "guia" recomendava uma força numérica esmagadora "para lidar com o inevitável pânico geral da população". Uma cópia deste documento, conhecido apenas como "Ordem do Exército XXXVII", foi distribuída para cada legionário do império. Por esta razão, insurreições em áreas comandadas pelo império romano nunca mais atingiram números críticos, não tendo sido, portanto, novamente registradas detalhadamente. Acredita-se também que esta primeira insurreição tenha levado à construção da Muralha de Adriano, uma estrutura que efetivamente isolava o norte da Caledônia do resto da ilha. Este é exemplo claro de uma insurreição do Tipo 3, e é a maior insurreição já registrada.

140-41 d.C., THAMUGADI, NUMIDIA (ARGÉLIA)

Seis pequenas insurreições entre nômades do deserto foram registradas por Lúcio Valério Strabo, governador romano da província. Todas as insurreições foram esmagadas por duas coortes da III Augusta Base Legionária. Total de zumbis assassinados: 134. Baixas romanas: 5. Além do registro oficial, uma anotação de diário de um engenheiro do exército mostra uma descoberta importante:

> *Uma família local foi mantida prisioneira em casa por pelo menos doze dias, enquanto as selvagens criaturas arranhavam e batiam nas portas e janelas trancadas. Depois que nós assassinamos as criaturas da imundície e salvamos a família, eles estavam muito perto da insanidade. Pelo que pudemos perceber, a lamúria destas bestas, dia após dia, noite após noite, mostrou-se uma cruel forma de tortura.*

Esta é a primeira vez que se reconhece o dano psicológico causado por um ataque de zumbis. Os seis incidentes, dada a proximidade temporal, dão a impressão de que um ou mais necrófilos dos primeiros ataques "sobreviverem" por tempo suficiente para infectar novamente a população.

156 d.C., CASTRA REGINA, GERMÂNIA (SUL DA ALEMANHA)

Um ataque de 17 zumbis causou a infecção de um proeminente clérigo. O comandante romano, reconhecendo os sinais de um ser humano infectado, ordenou que suas tropas matassem o homem de Deus. Cidadãos locais ficaram enfurecidos e seguiu-se uma revolta. Total de zumbis assassinados: 10, incluindo o clérigo. Baixas romanas: 17, todas fruto da revolta. Civis mortos pela repressão romana: 198.

177 d.C., ACAMPAMENTO SEM NOME PERTO DE TOLOSA, AQUITÂNIA (SUDOESTE DA FRANÇA)

Uma carta pessoal, escrita por um mercador viajante ao seu irmão em Capua, descreve o assaltante:

> *Ele veio das árvores, um homem que fedia a podridão. Sua pele cinzenta exibia muitas feridas, mas delas não saía sangue. Ao ver a criança chorando, seu corpo pareceu tremer de excitação. Sua cabeça virou na direção do choro; sua boca aberta num gemido uivante. (...) Dário, o velho veterano legionário, aproximou-se (...) afastando a mãe aterrorizada, ele agarrou a criança com um dos braços e, usando o braço livre, golpeou a criatura com seu gládio. A cabeça da criatura caiu no chão e rolou morro abaixo, assim como o resto do corpo. (...) Dário insistiu que todos usassem roupas de couro na hora de jogar o corpo em uma fogueira (...) a cabeça, ainda mostrando uma expressão de desgosto, foi consumida pelas chamas.*

Esta passagem deve ser considerada um exemplo da atitude romana em relação aos mortos-vivos: sem medo, sem superstição, só outro problema que requeria uma solução prática. Este foi o último registro encontrado de um ataque durante o Império Romano. Insurreições subseqüentes não foram combatidas com a mesma eficiência ou não foram registradas com a mesma clareza.

700 d.C., FRÍSIA (NORTE DA HOLANDA)

Embora este evento dê a impressão de ter acontecido por volta de 700 d.C., suas evidências físicas são uma pintura recém-descoberta nos cofres do museu Rijks, em Amsterdã. Foi a análise química do material da pintura que fixou esta data. A pintura mostra uma série de cavaleiros de armadura completa, atacando uma turba de homens de pele cinza, estes últimos vestindo trapos, os corpos cobertos por feridas e flechas, sangue saindo de suas bocas. Quando as duas forças se enfrentam no centro da figura, os cavaleiros brandem suas espadas para decapitar seus inimigos. Três "zumbis" podem ser vistos no canto direito inferior, agachados sobre o corpo de um cavaleiro caído. Parte de sua armadura havia sido retirada e um de seus braços fora arrancado. Os zumbis alimentavam-se do corpo exposto. A pintura não tem assinatura e ainda não foi possível determinar de onde veio ou como foi parar no museu.

850 d.C., PROVÍNCIA DESCONHECIDA DA SAXÔNIA (NORTE DA ALEMANHA)

Bearnt Kuntzel, um frade em meio a uma peregrinação a Roma, registrou este incidente em seu diário pessoal. Um zumbi arrastou-se para fora da floresta negra para morder e infectar um fazendeiro local. A vítima se reanimou algumas horas após a morte e acabou por infectar sua própria família. A partir daí a insurreição espalhou-se por todo o vilarejo. Os poucos sobreviventes fugiram para o castelo do lorde, sem perceber que um entre os seus havia sido mordido. Com a insurreição estendendo-se cada vez mais, pessoas de vilarejos próximos rumaram para a área infestada. Os clérigos locais acreditavam que os mortos-vivos tinham sido infectados pelo espírito do diabo e que água benta e preces baniriam esses espíritos do mal. Esta "jornada sagrada" terminou em um massacre, sendo toda a congregação devorada ou transformada em zumbi.

Desesperados, lordes e cavaleiros vizinhos uniram-se para "purificar com fogo as crias do inferno". Esta força queimou todos os vilarejos e zumbis numa área de 80 km de raio. Nem mesmo as pessoas que não estavam infectadas conseguiram sobreviver à matança. O castelo do lorde, habitado por pessoas que haviam se trancado com os mortos-vivos, transformou-se em uma prisão para mais de 200 necrófilos. Pelo fato de que seus habitantes recolheram a ponte levadiça e trancaram os portões antes de sucumbir, os cavaleiros não conseguiam entrar no castelo para purificá-lo. Como resultado, a fortaleza foi declarada "mal-assombrada". Por mais de uma década, camponeses que passavam nas redondezas podiam ouvir os gemidos dos zumbis que ainda sobreviviam ali. De acordo com as contas de Kuntzel, 573 zumbis foram mortos e mais de 900 seres humanos devorados. Em suas notas, Kuntzel também conta que um vilarejo judaico, próximo ao foco da infecção, sofreu grandes represálias, por causa da "falta de fé" de seus moradores, culpada pela insurreição. A obra de Kuntzel permaneceu nos arquivos do Vaticano até ser acidentalmente encontrada em 1973.

1073 d.C., JERUSALÉM

A história do dr. Ibrahim Obeidallah, um dos mais importantes pioneiros no campo da psicologia dos zumbis, simboliza os grandes avanços e trágicos retrocessos acontecidos na tentativa da ciência de entender os mortos-vivos. Uma fonte desconhecida causou uma insurreição de 15 zumbis em Jaffa, cidade da costa da Palestina. A milícia local, fazendo uso de uma cópia traduzida da Ordem do Exército Romano XXXVII, exterminou as ameaças com um mínimo de baixas. Uma mulher recém-mordida foi levada até Obeidallah, um físico e biólogo proeminente. Embora a Ordem do Exército XXXVII apele para a imediata decapitação e queima de todos os humanos infectados, Obeidallah convenceu (ou talvez tenha subornado) a milícia para que esta permitisse o estudo da mulher. Chegou-se a um acordo e Obeidallah foi com o corpo e todo o seu equipamento até a cadeia local. Lá, em uma cela, sob o olhar atento da lei, ele observou a vítima até o seu último suspiro – e continuou a estudar o cadáver até que fosse reanimado. Ele realizou inúmeros experimentos no necrófilo preso. Descobrindo que todas as funções corporais necessárias para a vida não mais funcionavam, Obeidallah provou cientificamente que o seu objeto de estudo estava fisicamente morto, embora estivesse ativo. Ele viajou por todo o Oriente Médio, recolhendo informações sobre outras possíveis insurreições.

As pesquisas de Obeidallah documentaram toda a fisiologia dos mortos-vivos. Suas anotações incluem relatórios sobre o sistema nervoso, digestão, e até o grau de decomposição em relação ao ambiente. Este trabalho também inclui um estudo completo de padrões de comportamento dos mortos-vivos, uma façanha considerável, se provada verdadeira. Ironicamente, quando os cavaleiros cristãos tomaram Jerusalém em 1099, este homem surpreendente foi considerado um adorador do Satã e quase todo o seu estudo foi destruído. Algumas partes deste trabalho sobreviveram em Bagdá pelos séculos seguintes, mas eram apenas uma fração do original. A história de vida de Obeidallah, entretanto, roubada dos detalhes de seus experimentos, sobreviveu aos massacres dos cruzados, assim como seu biógrafo (um colega e historiador judeu). Este homem escapou para a Pérsia, onde o trabalho foi copiado, publicado e alcançou modesto sucesso em vários lugares do Oriente Médio. Uma cópia permanece no arquivo nacional de Tel Aviv.

1253 d.C., FISKURHOFN, GROENLÂNDIA

Seguindo a grande tradição nórdica de exploração, Gunnbjorn Lundergaart, um chefe tribal islandês, fundou uma colônia à beira de um fiorde isolado. Há notícia de que o grupo era formado por 153 colonos. Lundergaart voltou para a Islândia após um inverno, em busca de mantimentos e mais colonos. Cinco anos mais tarde finalmente retornou à colônia e encontrou o complexo de ilhas em ruínas. Dos colonos, ele encontrou apenas três dúzias de esqueletos, com a carne totalmente removida dos ossos. Diz-se também que ele encontrou três seres, duas mulheres e uma criança. Os ossos eram visíveis e os corpos eram marcados por um tom de cinza. As feridas eram evidentes, mas não havia nenhum sinal de sangue. Quando avistadas, as figuras viraram-se para se aproximar do grupo de Lundergaart. Sem responder a nenhuma forma de comunicação verbal, eles atacaram os vikings e foram imediatamente mutilados. Os homens nórdicos, acreditando que sua expedição estava amaldiçoada, ordenaram que todos os corpos e estruturas fossem queimados. Como sua própria família se encontrava entre os esqueletos, Lundergaart ordenou a seus homens que o matassem, desmembrassem seu corpo e o jogasse às chamas. O "Conto de Fiskurhofn", transmitido pelo grupo de Lundergaart a um grupo de monges irlandeses, sobreviveu nos arquivos de Reykjavik, Islândia. Este não somente é o relato mais detalhado de um ataque de zumbis na história da civilização nórdica, como também pode explicar o motivo pelo qual acampamentos vikings desapareceram do norte da Groenlândia no início do século XIV.

1281 d.C., CHINA

O explorador veneziano Marco Polo escreveu em seu diário que, durante uma visita ao palácio de verão do imperador em Xanadu, Kublai Khan exibiu uma cabeça cortada de zumbi, preservada em um jarro com um fluido alcoólico transparente (Polo descreveu o fluido como tendo "a essência do vinho, mas cujo cheiro incomodava o olfato"). Esta cabeça, Khan disse, era herança de seu avô, Genghis, trazida quando este retornou de suas conquistas no Ocidente. Polo escreveu que a cabeça tinha consciência da sua presença. Ela chegava a observá-lo com seus olhos em decomposição. Quando ele tentou tocar o jarro, a cabeça moveu-se bruscamente. O Khan o recriminou pelo ato desnecessário e contou a história de um oficial de baixa patente que havia tentado a mesma coisa e foi mordido pela cabeça. Este oficial, dias mais tarde, "pareceu morrer, mas logo reergueu-se para atacar seus servos". Polo escreveu que a cabeça permaneceu "viva" durante a sua estada na China. Não há, entretanto, informações sobre o destino desta relíquia. Quando Polo retornou da Ásia, esta história foi censurada pela Igreja Católica e, portanto, não apareceu em nenhuma das publicações oficiais de suas aventuras. Historiadores apresentaram a teoria de que, já que os mongóis chegaram a Bagdá, esta cabeça pode ter sido um dos objetos de estudo originais

de Ibrahim Obeidallah, o que daria a ela o recorde de relíquia mais antiga e melhor preservada dos zumbis.

1523 d.C., OAXACA, MÉXICO

Os nativos contam de uma doença que escurece a alma, causando uma sede pelo sangue dos irmãos. Eles contam de homens, mulheres e mesmo crianças cuja carne tornara-se cinza e podre e que tinha um cheiro profano. Uma vez que a alma tivesse sido escurecida, não havia cura, salvo a morte, e esta podia ser atingida somente pelo uso do fogo, já que os corpos tornavam-se resistentes a todas as armas dos homens. Eu acredito que esta é uma tragédia vinda dos homens pagãos, já que, sem o conhecimento do nosso senhor Jesus Cristo, não há cura para esta doença. Agora que nós abençoamos as massas com a luz e a verdade do Seu amor, precisamos buscar estas almas escurecidas para purificá-las com toda a força do Céu.

Este texto supostamente foi retirado dos relatos do padre Esteban Negron, um sacerdote espanhol e pupilo de Bartolomeu de las Casas, previamente editado de seus escritos originais e recentemente descoberto em Santo Domingo. As opiniões quanto a autenticidade deste manuscrito variam. Alguns acreditam que fosse ordem do Vaticano censurar todas as informações sobre este assunto. Outros acreditam que este seja uma fraude nas mesmas proporções que os diários de Hitler.

1554 d.C., AMÉRICA DO SUL

Um explorador espanhol, sob o comando de Dom Rafael Cordoza, penetrou na floresta amazônica na busca pela famosa El Dorado, a cidade de ouro. Guias tupis o alertaram para o perigo de entrar na área conhecida como "O vale do sono sem fim". Lá, segundo disseram, ele encontraria uma raça de criaturas que gemiam como o vento e que tinham sede de sangue. Muitos homens já haviam adentrado o vale, disseram os tupis. Nenhum jamais retornou. A maioria dos conquistadores ficava apavorado com este aviso e pedia para voltar para a costa. Cordoza, acreditando que os tupis tinham inventado esta história com o objetivo de esconder a cidade dourada, foi em frente com sua expedição. Após o escurecer, o acampamento foi atacado por dezenas de mortos-vivos. O que se passou naquela noite ainda é um mistério. O registro de passageiros do *San Veronica*, o navio que levou Cordoza da América do Sul a Santo Domingo, mostra que ele foi o único sobrevivente a alcançar a costa. Ninguém sabe se ele lutou até o fim ou abandonou seus homens. Um ano mais tarde, Cordoza chegou à Espanha, onde fez um relato completo deste ataque tanto à corte real, em Madri, quanto ao Santo Ofício em Roma. Acusado pela corte de fazer mal uso dos recursos da coroa e de blasfêmia, pelo Vaticano, o conquistador perdeu seu título e morreu na pobreza. Sua história é uma compilação de fragmentos de muitos textos existentes referentes a este período da história espanhola. Nenhum relato original foi encontrado.

1579 d.C., PACÍFICO CENTRAL

Durante a circunavegação do globo, Francis Drake, o pirata que mais tarde se tornaria um herói nacional, aportou em uma ilha sem nome para abastecer-se de suprimentos e água. Os nativos o alertaram para que ele não fosse até uma pequena ilhota próxima, habitada pelos "deuses dos mortos". De acordo com os costumes locais, os mortos e doentes terminais eram levados até a ilha, onde os deuses fariam com que eles, de corpo e alma, vivessem para sempre. Drake, fascinado com esta história, decidiu investigar. Observando de dentro de seu navio, ele assistiu a um grupo de nativos deixar o corpo de um morto nas praias desta ilha. Após soprar instrumentos feitos com conchas, os nativos voltaram para sua própria ilha. Momentos mais tarde, diversas figuras surgiram, arrastando-se em direção ao corpo. Drake observou essas criaturas alimentando-se do corpo, antes de voltarem para a selva. Para seu espanto, o corpo semidevorado levantou-se e foi, cambaleando, atrás dos outros seres. Drake nunca mencionou o incidente em sua vida. Estes fatos foram descobertos em um diário secreto que ele manteve escondido até o momento de sua morte. Este diário, passando de colecionador para colecionador, chegou até a biblioteca do almirante Jackie Fischer, o pai da marinha moderna. Em 1907 Fischer fez cópias e enviou-as a diversos amigos como presente de Natal. Com coordenadas exatas, Drake proclamou este pedaço de terra de "a ilha dos condenados".

1583 d.C., SIBÉRIA

Um grupo de reconhecimento do infame cossaco Yermak, perdido e enfraquecido pela fome no meio do deserto congelado, recebeu abrigo de uma tribo asiática nativa. Quando recuperaram suas forças, os europeus retribuíram a generosidade se autoproclamando reis do vilarejo, preparando-se para o inverno até que as tropas principais de Yermak chegassem. Após festejarem por várias semanas, com a comida armazenada no vilarejo, os cossacos voltaram sua fome para os próprios homens do vilarejo. Num ato selvagem de canibalismo, treze pessoas foram devoradas, enquanto as outras fugiram para todos os lados. Os cossacos acabaram com esta nova fonte de comida em poucos dias. Desesperados, foram até o local onde eram enterrados os corpos. Ali, segundo esperavam, a temperatura congelante teria conservado os corpos dos mortos. O primeiro corpo exumado foi o de uma mulher jovem, que fora enterrada amordaçada e com mãos e pés atados. Uma vez descongelada, a mulher morta reviveu. Os cossacos, sem reação e na esperança de entender como tinha conseguido tal feito, retiraram a mordaça. A mulher mordeu a mão de um dos cossacos. Mostrando sua contínua ignorância, brutalidade e falta de percepção, os cossacos desmembraram, assaram e comeram a carne da mulher. Apenas dois homens não o fizeram: o guerreiro ferido (já que seus camaradas acharam que não valia a pena gastar comida com os "mortos") e um homem muito supersticioso que acreditou que a carne estivesse amaldiçoada. De certa maneira ele estava certo. Todos aqueles que comeram a carne morreram durante a noite. O homem ferido também faleceu na manhã seguinte.

O único sobrevivente tentou queimar os corpos. Enquanto preparava uma pira funerária, o cadáver do homem mordido reviveu. Com o novo zumbi ameaçando-o, o último sobrevivente partiu em fuga pelas estepes. Após uma hora de perseguição, o zumbi congelou, enquanto o cossaco continuou vagando por vários dias até ser resgatado por outro grupo de Yermak. Seu relato foi documentado por um historiador russo, o padre Pietro Georgiavich Vatutin. O relato permaneceu obscuro por muitas gerações, dentro de um remoto monastério na ilha de Valam, no lago Ladoga. Só agora foi traduzido para o inglês. Nada se sabe sobre o destino dos homens daquele vilarejo asiático ou mesmo qual seria sua verdadeira identidade. O subseqüente genocídio destas pessoas pelas mãos de Yermak deixou poucos sobreviventes. Do ponto de vista científico, este relato é o primeiro registro de congelamento de um zumbi.

1587 d.C., ILHA DE ROANOKE, CAROLINA DO NORTE

Colonos ingleses, sem qualquer apoio da Europa, enviaram grupos de caça à terra firme em busca de comida. Um destes grupos desapareceu durante três semanas. Ao voltar, o único sobrevivente descreveu um ataque vindo de "um grupo de selvagens (...) que tinham uma pele podre e cheia de vermes e que era resistente à pólvora!". Ainda que apenas uma pessoa de um grupo de onze tivesse morrido, quatro outros foram espancados de maneira selvagem. Estes homens morreram no dia seguinte, foram enterrados e ergueram-se de suas covas poucas horas depois. O sobrevivente jurou que o restante do grupo foi devorado vivo por seus ex-companheiros e que apenas ele tinha conseguido escapar. O conselho da colônia declarou o homem um mentiroso e assassino e o sentenciou à morte por enforcamento. A sentença foi cumprida na manhã seguinte.

Uma segunda expedição foi enviada para recuperar os corpos "para que seus restos não fossem profanados pelos pagãos". O grupo de cinco homens retornou exausto, o corpo coberto de mordidas e arranhões. Foram atacados em terra, tanto pelos "selvagens" descritos pelo sobrevivente (vingado após a sua morte) quanto pelos membros perdidos do grupo inicial. Estes novos sobreviventes, após um período de exames, faleceram um após o outro. O enterro foi marcado para a alvorada seguinte. Naquela noite, eles reviveram. A partir deste ponto, os detalhes são confusos. Uma versão descreve a posterior infecção e destruição da cidade inteira. Outra menciona os nativos reconhecendo o perigo e queimando todos os colonos da cidade. Num terceiro relato, esses mesmos nativos salvam os colonos sobreviventes e exterminam os zumbis e os feridos. Todas as três histórias apareceram em relatos ficcionais e textos históricos durante os últimos dois séculos. Nenhum deles, entretanto, mostra porque o primeiro acampamento inglês na América do Norte desapareceu sem deixar vestígios.

1611 d.C., EDO, JAPÃO

Enrique Desilva, um mercador português que fazia negócios nas ilhas, escreveu esta passagem em uma carta para seu irmão:

> *Padre Mendoza, novamente podendo tomar um vinho castelliano, falou-me de um homem que recentemente converteu-se a nossa fé. Este selvagem era membro de uma das mais secretas ordens nesta terra exótica e bárbara, "a irmandade da vida". De acordo com este velho homem do clero, esta sociedade secreta treina assassinos com o propósito de, e ele disse isso com toda sinceridade, matar demônios. (...) Estas criaturas, de acordo com a explicação dada, haviam sido outrora humanos. Após a sua morte, um mal sem explicação fez com que eles retornassem (...) alimentando-se da carne dos vivos. Para combater este terror, "a irmandade da vida" foi formada, de acordo com Mendoza, pelo próprio Shogun. (...) Eles são escolhidos ainda jovens (...) treinados na arte da destruição. (...) Sua estranha maneira de combate desarmado dedica muito tempo a evitar o contato com os demônios, com movimentos sinuosos, como faz uma cobra para escapar da captura. (...) Suas armas, cimitarras de formas orientais, são feitas com o objetivo de decepar cabeças. (...) Acredita-se que em seus templos, ainda que suas localizações permaneçam secretas, exista uma sala onde as cabeças destruídas destes monstros, ainda vivas e lamuriantes, adornam as paredes. Os recrutas de maior nível, para que possam ascender dentro da irmandade, precisam passar uma noite inteira dentro desta sala, sozinhos com os objetos profanos. (...) Se a história do*

padre Mendoza for verdadeira, esta é uma terra, como sempre suspeitamos, do mal e sem Deus. (...) Não fosse pela seda e pelas especiarias, nós deveríamos evitá-la a qualquer custo. (...) Eu perguntei ao velho padre onde se localizava tal converso, para poder ouvir a história de sua própria boca. Mendoza me informou que ele tinha sido encontrado morto duas semanas atrás. "A irmandade" não permite que seus segredos sejam passados à frente, nem que seus membros renunciem a sua lealdade.

Muitas sociedades secretas existiram no Japão feudal. "A Irmandade da Vida" não aparece em texto algum, no passado ou presente. Desilva comete alguns erros históricos em sua carta, como por exemplo chamar a espada japonesa de "cimitarra" (a maioria dos europeus não se incomodava em aprender nenhum aspecto da cultura japonesa). Sua descrição das cabeças lamuriantes também não é precisa, já que a cabeça decepada de um zumbi não seria capaz de produzir nenhum som sem um diafragma, pulmões ou cordas vocais. Caso esta história seja verdade, entretanto, ela explicaria por que há tão poucos registros de insurreições no Japão, em comparação com o resto do mundo. Ou a cultura japonesa

criou uma barreira de silêncio em relação às insurreições lá ocorridas, ou a Irmandade da Vida atingiu seus objetivos. De qualquer forma, não houve mais nenhum relato de insurreições no Japão até a metade do século XX.

1690 d.C., SUL DO ATLÂNTICO

O navio cargueiro português *Marialva* partiu de Bissau, no oeste da África, com uma carga de escravos em direção ao Brasil. Mas ele nunca alcançou seu destino. Três anos mais tarde, no meio do Atlântico Sul, o navio holandês *Zeebrug* avistou o *Marialva* à deriva. Um grupo foi mandado até o navio português com o propósito de pilhar sua carga. Eles encontraram, para sua surpresa, uma carga de zumbis africanos, ainda acorrentados, debatendo-se e gemendo. Não havia nenhum sinal da tripulação, e cada um dos zumbis tinha sofrido pelo menos uma mordida que lhe arrancara uma parte do corpo. Os holandeses, acreditando estar o navio amaldiçoado, remaram apressadamente de volta ao seu navio e relataram a descoberta ao capitão. Este imediatamente afundou o *Marialva* com seus canhões. Como não há maneira segura de saber como a infestação subiu a bordo, só o que podemos fazer é especular. Nenhum bote salva-vidas foi encontrado. Apenas o corpo do capitão foi encontrado, trancado em sua cabine, morto com um tiro suicida de pistola na cabeça. Muitos acreditam que, já que os escravos ainda estavam acorrentados, quem iniciou a infecção deve ter sido um membro da tripulação portuguesa. Se isto for verdade, os escravos infelizes tiveram que agüentar seus captores infectando ou devorando uns aos outros após a sua lenta transformação em mortos-vivos, com o vírus infectando seus corpos. Pior do que isso é a forte probabilidade de que um desses membros da tripulação atacou e infectou um dos escravos acorrentados. Este novo necrófilo, depois, atacou e infectou o escravo indefeso acorrentado mais perto de si, e assim por diante até que finalmente os gritos foram silenciados e todos os escravos tivessem sido transformados em zumbis. Imaginar os zumbis no fundo, vendo seu futuro terrível aproximando-se é suficiente para invocar os piores pesadelos.

1762 d.C, CASTRIES, STA. LÚCIA, CARIBE

A história desta insurreição ainda é contada atualmente, tanto por caribenhos nativos quanto por imigrantes caribenhos no Reino Unido. Ela serve como um poderoso aviso, não só do poder dos mortos-vivos como também da incapacidade da humanidade de unir forças contra eles. Uma insurreição de fonte indeterminada teve início em uma parte pobre da pequena e populosa cidade de Castries, na ilha de Sta. Lúcia. Diversos negros e mulatos livres entenderam qual era a fonte da "doença" e tentaram alertar as autoridades. Foram ignorados. A insurreição foi diagnosticada como uma epidemia de raiva. O primeiro grupo de pessoas infectadas foi trancafiada na cadeia da cidade. As pessoas que foram mordidas nesse processo foram mandadas de volta para casa, sem tratamento. Em 48 horas, a cidade inteira de Castries mergulhou no caos. A milícia local, sem saber como dar fim a esta violenta investida, foi rapidamente devastada. Os homens brancos remanescentes fugiram para as plantações que rodeavam a cidade. Porque muitos deles já tinham sido mordidos, acabaram por espalhar a infecção por toda a ilha. No décimo dia, metade da população branca estava morta. Quarenta por cento, muitas centenas de pessoas, vagavam pela ilha como zumbis reanimados. O restante escapara em qualquer embarcação disponível ou estava encurralado em duas fortalezas remanescentes em Vieux Fort e Rodney Bay. Isso deixou uma grande quantidade de escravos negros, agora "livres", à mercê dos mortos-vivos.

Ao contrário dos habitantes brancos, os ex-escravos possuíam um profundo entendimento cultural do inimigo, um fator que fez com que lutassem com determinação em vez de medo. Escravos em todas as plantações organizaram-se em equipes de caça muito determinadas. Armados com tochas e facas para cortar cana (todas as armas de fogo foram levadas pelos brancos em fuga) e aliados aos negros e mulatos livres que permaneciam na ilha (Sta. Lúcia tinha comunidades proeminentes e pequenas dos dois grupos), eles varreram a ilha de norte a sul. Comunicando-se por tambores, as equipes trocavam informações e táticas de batalha. Em uma onda lenta e deliberada, eles limparam Sta. Lúcia em um período de sete dias. Os brancos que ainda se encontravam nos fortes recusaram-se a participar dos combates, com sua intolerância racial sendo apenas comparável a sua covardia. Dez dias após o último dos zumbis ter sido cremado, as tropas coloniais francesas e inglesas chegaram. Instantaneamente todos os ex-escravos foram novamente acorrentados e todos os que resistiram foram enforcados. O incidente foi registrado como uma revolta de escravos e todos os negros e mulatos livres foram enforcados por terem ajudado na suposta rebelião. Ainda que nenhum registro escrito tenha sido mantido, um relato oral foi transmitido até os dias atuais. Acredita-se que exista um monumento em algum lugar da ilha, embora nenhum residente possa afirmar a sua localização. Se podemos aprender alguma coisa com a lição de Castries, é que um grupo de civis, motivados e disciplinados, apenas com os métodos mais primitivos de comunicação e as armas mais simples, é um adversário formidável para qualquer ataque de zumbis.

1807 d.C., PARIS, FRANÇA

Um homem foi acolhido no Château Robinet, um "hospital" para pessoas com problemas mentais. O relatório oficial, preenchido pelo dr. Reynard Boise, administrador-chefe, diz: "O paciente está incoerente, quase selvagem, com um desejo insaciável por violência. (...) Com mandíbulas que estalam como um cão raivoso, ele conseguiu morder um dos nossos pacientes antes de ser contido." A história que se segue baseia-se no interno ferido recebendo tratamento padrão (ataduras nos ferimentos e uma dose de rum), depois sendo levado de volta à cela comunal com mais de cinqüenta outros homens e mulheres. Nos dias seguintes, uma orgia de violência aconteceu. Guardas e médicos, com medo por causa dos gritos vindos da cela, recusaram-se a entrar até que estes tivessem parado. Neste momento, só o que restou foram 5 zumbis infectados e parcialmente devorados, e partes espalhadas de várias dezenas de corpos. Boise prontamente pediu afastamento de seu posto e retirou-se da vida pública. Pouco se sabe sobre o que aconteceu com os mortos-vivos, ou sobre o zumbi original que foi levado ao hospital. O próprio Napoleão Bonaparte ordenou que o hospital fosse fechado, "purificado" e transformado em uma instituição para veteranos de guerra. Além disso, nada se sabe sobre o paradeiro anterior do zumbi original, como ele contraiu a doença ou se ele infectou mais alguém antes de chegar ao Château Robinet.

1824 d.C., SUL DA ÁFRICA

O trecho a seguir foi extraído do diário de H. F. Fynn, membro da expedição britânica original, que tinha como objetivo visitar, viajar e negociar com o grande rei zulu, Shaka.

> *[A aldeia] kraal zunia de tanta vida. (...) O nobre rapaz zulu deu um passo à frente em direção ao centro do curral. (...) Quatro dos maiores guerreiros do rei trouxeram para fora uma figura, carregada e sendo puxada por seus pés e*

mãos (...) uma bolsa feita com pele de vaca real cobria sua cabeça. Esta mesma pele cobria as mãos e os antebraços de seus guardas, para que suas carnes não tocassem a do condenado. (...) O rapaz nobre pegou a lança assegai *e correu para dentro do curral (...) o rei gritou, então, sua ordem, comandando seus guerreiros a arremessarem sua carga para dentro do kraal. O condenado bateu no solo duro, seu corpo caindo ao chão como o de um bêbado. A bolsa de couro escorregou de sua cabeça (...) seu rosto, para o meu horror, estava assustadoramente desfigurado, um grande pedaço de carne fora retirado de seu pescoço, como que arrancado por uma besta demoníaca. Seus olhos tinham sido arrancados e os restos que sobraram nas cavidades pareciam olhar para o inferno. De nenhuma ferida fluía a mais ínfima gota de sangue. O rei ergueu uma das mãos, acalmando a multidão em frenesi. Um silêncio estanque se deu sobre o kraal; um silêncio tão absoluto que até os pássaros pareciam obedecer às ordens do poderoso rei. (...) O rapaz nobre ergueu seu* assegai *na altura do peito e murmurou uma palavra. Sua voz era demasiado fraca e macia para atingir meus ouvidos. O homem, o pobre-diabo, no entanto, deve ter ouvido a voz solitária. Sua cabeça se virou para o jovem, a boca escancarada. De seus lábios feridos e rachados saiu um uivo tão assustador que fez tremer meus ossos. O monstro, porque agora eu já havia me convencido de que se tratava de um monstro, arrastou-se devagar em direção ao rapaz nobre. O jovem zulu exibiu ostensivamente seu* assegai. *Ele deu um golpe para a frente, mergulhando a lâmina negra no peito do monstro. O demônio não caiu, não morreu, não demonstrou o menor sinal de que seu coração acabara de ser perfurado. Ele simplesmente continuou com sua aproximação lenta e constante. O jovem nobre recuou, tremendo como folha ao vento. Ele tropeçou e caiu, a terra se agarrando a seu corpo coberto de suor. A multidão se manteve em silêncio, mil estátuas de ébano observando a trági-*

> *ca cena. (...) E, então, Shaka correu para dentro do curral e gritou: "Sondela! Sondela!" O monstro imediatamente virou-se do nobre rapaz para o rei. Com a velocidade de uma bala de mosquete, Shaka agarrou o* assegai, *que se encontrava ainda no peito do monstro, e mirou em uma das cavidades vazias dos olhos. Depois, girou a arma como faria um campeão de esgrima, rodando a ponta da lâmina dentro do crânio do monstro. A abominação caiu de joelhos, depois tombou para a frente, enterrando seu rosto horrendo no solo vermelho da África.*

A narrativa termina aqui, de forma abrupta. Fynn nunca explicou o que aconteceu ao nobre jovem amaldiçoado ou ao zumbi assassinado. Naturalmente, esta cerimônia de rito de passagem apresenta várias questões essenciais: Qual é a origem deste tipo de uso de zumbi? Será que os zulus tinham mais de um necrófilo guardado para este propósito? E, em caso afirmativo, como conseguiam atraí-los?

1839 d.C., LESTE DA ÁFRICA

O diário de viagem de Sir James Ashton-Hayes, um dos muitos europeus que buscam em vão a nascente do rio Nilo, revela a probabilidade de um ataque zumbi no leste da África e uma reação organizada e culturalmente aceita a este ataque:

> *Ele veio até a aldeia bem cedo naquela manhã, um jovem negro com ferimentos no braço. Obviamente, o pequeno selvagem havia errado o alvo com sua lança, e seu pretenso jantar lhe dera um "beijo" antes de fugir. Por mais engraçado que isto possa parecer, os acontecimentos que se seguiram me pareceram de extrema barbárie. (...) Tanto o médico/bruxo da aldeia quanto o chefe tribal examinaram o ferimento, ouviram a história do rapaz e confirmaram*

entre si alguma decisão não dita em voz alta. O homem ferido, em meio a lágrimas, despediu-se da esposa e da família (...) obviamente, em sua cultura o contato físico não era permitido, e ele então se ajoelhou aos pés do chefe. (...) O velho pegou um porrete com ponta de ferro e esmagou a cabeça do pobre condenado, quebrando-a como se fosse um ovo negro gigante. Quase que imediatamente, dez dos guerreiros da tribo atiraram suas lanças ao chão, desembainharam as cutelas primitivas e murmuraram um cântico um tanto bizarro, "Nagamba ekwaga nah eereeah enge". *Isto dito, simplesmente saíram da aldeia, rumo à savana. Em seguida, para o meu horror, o corpo do infeliz selvagem fora desmembrado e queimado, enquanto as mulheres da tribo lamentavam ao redor da coluna de fumaça. Quando pedi ao nosso guia por algum tipo de explicação, ele simplesmente encolheu seus diminutos ombros e respondeu: "Você quer que ele se levante novamente esta noite?" Que povo esquisito, esses selvagens.*

Hayes não diz exatamente que tribo é esta, e estudos posteriores revelaram que todos os dados geográficos por ele fornecidos são angustiosamente inexatos (alguns acreditam que ele, de fato, nunca encontrou o Nilo). Felizmente o grito de guerra mais tarde foi identificado como "*Njamba egoaga na era enge*", uma frase gikuyu que significa "Unidos lutamos, e unidos vencemos ou morremos". Esta informação deu aos historiadores uma pista de que ele estava, pelo menos, nos arredores de onde hoje se localiza o Quênia.

1848 d.C., MONTANHAS OWL CREEK, WYOMING

Embora este provavelmente não seja o primeiro ataque de zumbis nos Estados Unidos, foi o primeiro a ser registrado. Um grupo de 56 pioneiros, conhecidos como os "Knudhansen", desapareceu nas regiões rochosas a caminho da Califórnia. Um ano depois, uma segunda expedição encontrou os restos de um acampamento, que se acreditava ser seu último local de descanso.

> *Os sinais de batalha eram óbvios. Todos os tipos de equipamentos quebrados encontravam-se espalhados em vagões chamuscados. Encontramos também os restos de quarenta e cinco almas. Em meio aos seus inúmeros ferimentos, todos compartilhavam da maneira como seus crânios foram quebrados. Alguns desses buracos pareciam ter sido feitos por balas, outros por instrumentos de concussão, como martelos, marretas ou mesmo pedras. (...) Nosso guia, um homem experiente com muitos anos de selvageria, acreditava que aquilo não era trabalho de índios selvagens. Até porque, argumentou ele, por que eles matariam nossos homens sem levar os cavalos e bois? Nós contamos os esqueletos de todos os animais e vimos que ele estava certo. (...) Outro fato que achamos impressionante foi o número de ferimentos de mordidas encontrado em cada um dos mortos. Como nenhum animal, do lobo uivante das neves à minúscula formiga, tocou as carcaças, descartamos sua possível cumplicidade neste caso. As histórias de canibalismo sempre estiveram presentes na fronteira, mas nós ficamos horrorizados ao pensar que tais contos de selvageria pagã poderiam ser verdadeiros, especialmente depois de histórias tão horríveis como as dos Donner. (...) O que nós não conseguíamos entender, no entanto, era por que eles se voltaram uns contra os outros tão rapidamente se as reservas de comida estavam longe de acabar.*

Esta passagem vem de Arne Svenson, professor primário, fazendeiro e pioneiro da segunda expedição. Esta história, por si só, não necessariamente prova que houve uma insurreição do vírus *Solanum*. Evidências sólidas viriam a aparecer, mas não nos quarenta anos que se seguiram.

1852 d.C., CHIAPAS, MÉXICO

Um grupo de caçadores de tesouro norte-americanos de Boston, James Miller, Luke MacNamara e Willard Douglass, viajou até esta província selvagem remota com o objetivo de saquear o que os rumores indicavam ser ruínas maias. Enquanto estavam na cidade de Tzinteel, testemunharam o enterro de um homem que acreditavam ser "um apreciador do sangue de Satã". Eles viram que o homem estava amordaçado e que tinha seus pés e mãos amarrados, mas que ainda estava vivo. Acreditando ser este algum tipo de execução bárbara, os norte-americanos conseguiram sucesso em resgatar o homem condenado. Uma vez retiradas as correntes e a mordaça, o prisioneiro imediatamente atacou seus libertadores. Os tiros não surtiram efeito. MacNamara foi morto; os outros dois ficaram levemente feridos. Um mês depois, suas famílias receberam uma carta, com data de um dia após o ataque. Em suas páginas, os dois homens relatavam os detalhes de sua aventura, incluindo uma declaração seguida de um juramento, dizendo que seu amigo assassinado havia "voltado à vida" logo após o ataque. Eles também escreveram que seus ferimentos superficiais inflamaram e começavam a apodrecer, e que se instaurava sobre eles uma febre terrível. Prometeram repousar por algumas semanas na Cidade do México para receber tratamento médico e retornariam depois para os Estados Unidos o mais rápido possível. Nunca se teve notícia destes homens novamente.

1867 d.C., OCEANO ÍNDICO

Um navio a vapor inglês, o *RMS Rona,* transportando 137 condenados para a Austrália, ancorou próximo a ilha de Bijourtier para ajudar um navio não identificado que parecia estar preso a um banco de areia. O grupo que foi enviado à costa encontrou um zumbi, com a espinha quebrada, arrastando-se pelo deque deserto da embarcação. Quando tentaram oferecer ajuda, o zumbi lançou seu corpo para a frente e mordeu o dedo de um dos marinheiros. Enquanto um destes homens do mar decepava a cabeça do zumbi com o cutelo, os outros levaram o companheiro ferido de volta ao navio. Naquela noite, o marinheiro ferido foi colocado em seu beliche e recebeu, além de uma dose de rum, a promessa do cirurgião do navio de que ele seria examinado ao amanhecer. Antes disso, entretanto, o zumbi reanimou e atacou seus companheiros. O capitão, em pânico, ordenou que o compartimento de carga fosse trancado, selando os condenados juntos com o necrófilo, e continuou a viagem para a Austrália. Pelo resto da viagem, o compartimento de carga ecoou com gritos que acabaram por se tornar gemidos. Muitos dos membros da tripulação juraram ter conseguido ouvir os gritos dos ratos sendo comidos vivos.

Após seis semanas no mar, o navio ancorou em Perth. Os oficiais e a tripulação correram para terra para informar as autoridades do que havia acontecido. Aparentemente ninguém acreditou nestes marinheiros. Uma tropa foi chamada, para o serviço de rotina de escoltar os prisioneiros para fora do navio. O *RMS Rona* permaneceu ancorado por cinco dias, esperando a chegada destas tropas. No sexto dia, uma tempestade quebrou a corrente da âncora do navio, carregou o navio por vários quilômetros pela costa, onde acabou batendo em um recife. Os moradores e os tripulantes do navio não encontraram nenhum vestígio dos mortos-vivos. Tudo o que restou foram ossos humanos e trilhas na direção do interior. A história do *Rona* era comum entre marinheiros no final do século XIX e início do século XX. Os registros da marinha consideram o navio perdido no mar.

1882 d.C., PIEDMONT, OREGON

As evidências deste ataque vêm de um grupo de resgate, enviado para investigar uma pequena cidade de mineração, após dois meses de isolamento. Este grupo encontrou Piedmont destruída. Muitas casas tinham sido queimadas e as que ainda se encontravam em pé estavam cheias de buracos de balas. Estranhamente, estes indícios mostravam que os tiros tinham sido disparados de dentro das casas, como se as batalhas tivessem acontecido entre as paredes. Ainda mais chocante foi a descoberta de 27 esqueletos, contorcidos e devorados. A teoria inicial que considerou um ato de canibalismo foi descartada quando os depósitos da cidade foram encontrados ainda cheios de comida. Ao investigar a mina, o grupo de resgate fez a sua descoberta mais terrível. O poço de entrada tinha sido dinamitado por dentro, selando o acesso. Cinqüenta e oito homens, mulheres e crianças foram encontrados mortos de fome. O grupo conseguiu determinar que foram estocados alimentos suficientes para durar várias semanas, sugerindo que aquelas pessoas tinham permanecido enterradas por muito mais tempo do que isso. Após uma minuciosa contagem de corpos, restos e carcaças, pelo menos 32 pessoas continuavam desaparecidas.

A teoria mais aceita é a de que, por alguma razão, um necrófilo, ou um grupo deles, surgiu das florestas próximas e atacou Piedmont. Após uma curta e violenta batalha, os sobreviventes carregaram toda a comida que podiam para dentro da mina. Depois de fechar permanentemente a entrada, estas pessoas esperaram por uma ajuda que acabou por nunca chegar. Suspeita-se de que antes da decisão final de fugir para dentro da mina, um ou mais sobreviventes tenham tentado alcançar o posto militar mais próximo em busca de ajuda. Já que não existe nenhum registro desta tentativa e que nenhum corpo foi encontrado, é bastante provável que estes mensageiros tenham perecido na jornada ou tenham sido combatidos pelos mortos-vivos. Se os zumbis realmente fizeram parte desta história, seus restos nunca foram encontrados. Nenhuma tentativa oficial de encobrir este incidente se seguiu a estas descobertas. Os boatos iam de doenças, avalanches e revoltas internas a ataques de "índios selvagens" (embora nenhum grupo indígena vivesse naquela região). A mina em questão nunca mais foi reaberta. A Companhia Patterson de Mineração (dona tanto da mina quanto da cidade) pagou uma compensação de vinte dólares para cada parente das vítimas de Piedmont, em troca de seu silêncio sobre o acontecido. Evidências destas transações aparecem nos livros-caixa da companhia, descobertos quando esta declarou falência em 1931. Não houve nenhuma investigação posterior, à luz destas novas descobertas.

1888 d.C., HAYWARD, WASHINGTON

Esta passagem descreve a aparição do primeiro caçador profissional de zumbis na América do Norte. O incidente tem início quando um caçador de peles de animais, chamado Gabriel Allens, chegou até a cidade com uma ferida profunda em um dos braços. "Allens falava de uma alma que vagava tal qual um homem possuído, com a pele cinza como pedra e os olhos perdidos e sem vida. Quando Allens se aproximou do miserável, ele deu um gemido hediondo e mordeu o caçador no antebraço direito." Estas passagens foram retiradas do diário de Jonathan Wilkes, o médico local que cuidou de Allens após o ataque. Pouco se sabe sobre como a infecção se espalhou do primeiro hospedeiro para o resto da cidade. Fragmentos de informação sugerem que a segunda vítima tenha sido o próprio dr. Wilkes, seguido por três homens que tentaram prendê-lo. Seis dias após o primeiro ataque, Hayward era uma cidade sitiada. Muitas pessoas se esconderam nas casas ou na igreja da cidade, enquanto os zumbis atacavam suas defesas incessantemente. Embora não faltassem armas de fogo no local, ninguém percebeu a necessidade de mirar nas cabeças. Munição, água e comida acabaram poucos dias depois e ninguém tinha esperanças de agüentar mais do que a próxima semana.

No alvorecer do sétimo dia, um índio lakota chamado Elija Black chegou à cidade. Montado em um cavalo e com um sabre do exército dos EUA, ele decapitou uma dezena de necrófilos em menos de meia hora. Em seguida, Black usou um bastão em brasa para desenhar um círculo em volta da torre de água da cidade, antes de subir até o topo. Em meio aos seus gritos, o som de um velho clarim do exército e o seu cavalo como isca, ele conseguiu atrair a atenção de todos os mortos-vivos da cidade para a sua localização. Cada um deles que entrou no círculo desenhado por Black recebeu um tiro na cabeça, cortesia de sua espingarda Winchester. Desta maneira calma e disciplinada, Black eliminou todo o contingente de zumbis, 59 deles, em seis horas. Quando finalmente os sobreviventes perceberam o que tinha acontecido, seu salvador já havia partido. Os relatos posteriores conseguiram reunir partes do passado de Elija Black. Aos quinze anos, ele e seu avô estavam caçando quando eles encontraram o massacre do grupo de Knudhansen. Pelo menos um membro tinha sido infectado anteriormente e, uma vez zumbificado, acabou por atacar o resto do grupo. Black e seu avô destruíram os zumbis com golpes de machadinha na cabeça, decapitação e fogo. Uma das "sobreviventes", uma mulher de trinta anos, explicou como a infestação havia se espalhado e como metade do grupo de zumbis recém-transformados tinha rumado para dentro da floresta. Em seguida ela confessou que seus ferimentos e o das outras pessoas eram uma maldição incurável e, unanimemente, pediram por sua morte.

Após essa matança misericordiosa, o velho lakota revelou ao neto que ele próprio tinha escondido um ferimento sofrido durante a batalha. A última morte do dia seria a do avô de Black. A partir deste dia ele dedicou a sua vida à caça dos zumbis remanescentes do grupo de Knudhansen. A cada encontro, seu conhecimento e experiência aumentavam. Embora nunca tenha chegado até Piedmont, Black matou nove dos zumbis da cidade que se aventuraram pela natureza. Na época do evento de Hayward, Black havia se tornado, muito provavelmente, o maior estudioso e caçador de mortos-vivos do mundo. Pouco se sabe sobre o resto da sua vida ou de como terminou. Em 1939, sua biografia foi publicada em forma de livro e em uma série de artigos que apareceram em jornais ingleses. Como, a princípio, nenhuma das duas versões sobreviveu até os dias de hoje, é impossível determinar em quantas batalhas Black lutou, mas uma busca minuciosa está sendo realizada para localizar exemplares perdidos do livro.

1893 d.C., FORTE LOUIS PHILIPPE, NORTE DA ÁFRICA FRANCESA

O diário de um oficial de baixa patente na Legião Francesa relata uma das maiores insurreições da história:

> *Ele chegou três horas depois do alvorecer, um único árabe, a pé, à beira da morte pelo sol e pela sede. (...) Após um dia de descanso, com tratamento e água, ele relatou a história de uma praga que transforma suas vítimas em monstros canibais. (...) Antes que a nossa expedição até o vilarejo pudesse ser organizada, nossos postos avançados na muralha sul avistaram o que parecia ser uma manada de animais. (...) Com minha luneta, pude ver que eles não eram bestas, mas homens, cuja carne não tinha cor e cujas roupas estavam em trapos. O vento virou e trouxe consigo, primeiro um uivo de lamentos, e depois um fedor de decomposição*

> *humana. (...) Nós imaginamos que estes pobres miseráveis estivessem atrás do nosso sobrevivente. Como eles conseguiram atravessar tamanha distância sem água ou comida, não sabemos dizer. (...) Avisos e alertas de nossa parte não produziram respostas. (...) Explosões de nossos canhões não conseguiram fazer com que eles se dispersassem. (...) Tiros de rifle de longo alcance pareciam não ter nenhum efeito! (...) O cabo Strom foi enviado a cavalo a Bir-El-Ksaib enquanto nós trancamos os portões e nos preparamos para um ataque.*

O ataque transformou-se no maior cerco de mortos-vivos já registrado. Os legionários pareciam incapazes de perceber que seus adversários estavam mortos, gastando munição em tiros no tronco. Os tiros acidentais na cabeça não foram capazes de convencê-los da eficácia desta tática. O cabo Strom, enviado para conseguir ajuda, nunca mais foi encontrado. Presume-se que tenha encontrado seu fim nas mãos de árabes hostis no deserto. Seus camaradas permaneceram sitiados no forte durante três anos! Felizmente uma caravana de suprimentos finalmente chegou. A água não era um problema por causa do poço, em volta do qual o forte fora construído. Os animais e cavalos que se encontravam no forte foram sacrificados e tiveram sua carne racionada num último esforço para sobreviver. Durante todo este tempo, o exército de mortos-vivos, mais de quinhentos zumbis, continuava a cercar as muralhas do forte. O diário relata que, com o passar do tempo, muitos foram mortos com explosivos caseiros, coquetéis Molotovs improvisados e até grandes pedras arremessadas de cima das muralhas. Não foi suficiente, entretanto, para quebrar o cerco. Os gemidos incessantes enlouqueceram vários homens e fizeram com que dois deles cometessem suicídio. Diversos tentaram pular da muralha, numa tentativa de escapar. Todos os que tentaram foram cercados e massacrados. Uma tentativa de motim enfraqueceu ainda mais as forças legionárias, fazendo com que o número de sobreviventes chegasse a 27. Foi neste momento que o comandante da unidade decidiu tentar mais um plano desesperado:

> *Todos os homens foram equipados com um suprimento de água e com a pouca comida que restava. Todas as escadas que levavam ao parapeito da muralha foram destruídas. (...) Nós nos reunimos na muralha sul e começamos a gritar, atraindo quase todos os "atormentadores" para os nossos portões. O coronel Drax, com a coragem de um homem possuído, desceu ao nível da tranca e a abriu. Rapidamente uma multidão fétida adentrou o forte. O coronel tinha deixado iscas suficientes para eles, fazendo com que os miseráveis atravessassem toda a extensão do forte, até a enfermaria (...) ele foi resgatado são e salvo bem a tempo, com uma mão podre tentando agarrar a sua bota. Nós continuamos a chamar as criaturas, gritando e pulando como macacos selvagens, mas agora com todas as criaturas dentro do nosso próprio forte! (...) Dorset e O'Toole desceram pela parede norte (...) correram até os portões e o trancaram! (...) As criaturas que ficaram trancadas, em sua fúria insana, não conseguiram abrir o portão novamente! Quanto mais o empurravam, mais distantes ficavam da saída!*

Os legionários, então, desceram pelas paredes, enfrentaram os poucos zumbis remanescentes num violento combate corpo-a-corpo e depois marcharam quase 400 km ao oásis mais próximo, em Bir Ounane. As informações sobre este cerco não podem ser encontradas em registros militares. Não há nenhuma explicação sobre o porquê de nenhuma unidade ter sido enviada até o forte depois que as suas remessas pararam de chegar. A única pista oficial sobre qualquer pessoa envolvida no ocorrido é a prisão e o julgamento em corte marcial do coronel Drax. As transcrições deste julgamento, assim como as acusações, permanecem confidenciais. Os boatos desta insurreição continuaram a correr pela Legião, pelo exército e a sociedade francesa por décadas. Muitos relatos ficcionais foram escritos sobre o "cerco do diabo". Apesar de negar o incidente, a Legião Francesa nunca mais enviou expedições para o Forte Louis Philippe.

1901 d.C., LU SHAN, TAIWAN

De acordo com Bill Wakowski, um marinheiro americano que servia com a frota asiática, vários agricultores de Lu Shan levantaram de suas camas durante a noite para atacar o vilarejo. Devido à localização remota e à falta de comunicação (telefone ou telégrafo), a notícia só chegou até Taipei uma semana depois:

> *Estes missionários americanos, a congregação do pastor Alfred, acharam que era uma punição divina aos chineses por não aceitarem a palavra de Deus. Eles conheciam a fé, e o Nosso Senhor tiraria o demônio de dentro deles. Nosso emissário ordenou que eles ficassem parados até que ele conseguisse reunir uma escolta armada, mas o pastor Alfred o ignorou. Enquanto o homem buscava socorro, a congregação seguiu em direção ao rio. (...) Nosso grupo que vinha da costa e o pelotão de tropas nacionalistas chegaram ao vilarejo por volta do meio-dia (...) corpos, ou pedaços deles, estavam espalhados por toda parte. O chão estava grudento e o cheiro, ó meu Deus, o cheiro! (...) Quando aquelas coisas saíram da névoa, criaturas nojentas, diabos humanos, atiramos neles a uma distância de menos de cem metros, mas nada adiantou. Nem nossos rifles nem a metralhadora (...) Riley perdeu o controle, eu acho. Pegou a baioneta e tentou acertar uma das bestas, mas uma dezena de outras avançaram para cima dele. Rápidas como um*

relâmpago, elas rasgaram meu amigo, membro a membro. Roeram sua carne até os ossos, foi uma visão horrível! (...) E foi então que ele apareceu, pequeno bruxo careca ou monge, ou seja lá como você queira chamá-lo (...) girando o que parecia ser uma pá com uma lâmina nas costas (...) devia ter uns dez, vinte corpos aos seus pés (...) ele corria de um lado para o outro, gritando como louco e sinalizando para a própria cabeça e depois para as cabeças das bestas. O nosso homem, e só Deus sabe como ele entendeu o que o maldito chinês estava falando, nos mandou atirar nas cabeças. (...) Nós fizemos uma festa de tiro ao alvo. (...) Procurando entre os corpos, nós achamos, em meio aos chineses, alguns homens brancos, nossos missionários. Um de nossos homens encontrou o monstro cuja espinha tinha sido quebrada por um dos tiros. Ele ainda estava vivo, debatendo os braços, estalando os dentes sangrentos, soltando aquele gemido terrível! Nosso homem reconheceu a criatura como o pastor Alfred. Depois das devidas preces, ele atirou na cabeça do padre.

Wakowski vendeu esta história para a revista sensacionalista *Contos Macabros*, o que resultou em imediata perda de seu posto e em sua prisão. Quando foi solto, Wakowski se recusou a dar qualquer entrevista. Até os dias de hoje, a marinha americana nega esta história.

1905 d.C., TABORA, TANGANYIKA, LESTE DA ÁFRICA ALEMÃ

As transcrições de um julgamento dizem que um guia nativo, chamado apenas de "Simon", foi preso e acusado de decapitar o famoso caçador branco Karl Seekt. O conselheiro de defesa de Simon, um agricultor holandês chamado Guy Voorster, explicou que o seu cliente acreditava ter praticado um ato de grande heroísmo. De acordo com Voorster:

> *O povo de Simon acreditava em uma doença que roubava a força da vida de um ser humano. Sem ela o corpo fica morto, mas ao mesmo tempo vivo, sem nenhum autocontrole e tendo apenas o canibalismo como sua força motriz. (...) Além disso, as vítimas deste monstro morto-vivo se levantarão da própria cova para devorar ainda mais vítimas. Este ciclo se repetirá, de novo e de novo até que nada reste na face da Terra a não ser estes monstros comedores de carne. (...) Meu cliente afirma que a vítima em questão voltou ao seu acampamento com dois dias de atraso, sua mente delirante e um ferimento inexplicado no braço. Mais tarde, no mesmo dia, ele faleceu. (..) Meu cliente disse que, então, Herr Seekt levantou de seu leito de morte e começou a atacar o resto do grupo. Meu cliente usou a sua lâmina nativa para decapitar Heer Seekt e incinerou sua cabeça na fogueira do acampamento.*

O sr. Voorster também disse que ele não concordava com o testemunho de Simon, mas o enviou apenas como prova de que o homem era louco e que, portanto, não deveria ser condenado à morte. Infelizmente, como a defesa de insanidade era aplicável apenas aos homens brancos e não aos africanos, Simon foi sentenciado à forca. Todos os registros do julgamento ainda existem, embora em péssimas condições, em Dar es Salaam, na Tanzânia.

1911 d.C., VITRE, LOUISIANA

Esta é uma lenda comum nos EUA, contada em bares e escolas em todo o sul do país, mas tem suas origens em fatos históricos. Em uma noite de Halloween, vários jovens de ascendência franco-canadense participaram de uma brincadeira de "eu te desafio" a ficar uma noite inteira no Bayou, da meia-noite até o amanhecer. Segundo os costumes locais, os zumbis descendiam de uma família de colonos que espreitava os pântanos, comendo e reanimando qualquer pessoa que cruzasse o seu caminho. Até o meio-dia do dia seguinte, nenhum dos adolescentes havia retornado do desafio. Um grupo de busca foi formado para investigar o pântano. Eles foram atacados por pelo menos trinta necrófilos, entre eles os jovens. O grupo de resgate bateu em retirada, levando, sem querer, os mortos-vivos até Vitre. Enquanto a população se protegia dentro de casa, um deles, Henri De La Croix, achou que embeber os mortos-vivos em melaço faria com que milhares de insetos viessem para devorá-los. A estratégia falhou e De La Croix mal escapou com vida. Os mortos-vivos novamente foram encharcados, desta vez com querosene, e logo estavam todos em chamas. Sem perceber a conseqüência de seus atos, os moradores de Vitre só puderam assistir enquanto os mortos-vivos colocavam fogo em tudo em que tocavam. Diversas vítimas, presas em edifícios embarricados, foram queimadas vivas, enquanto outros fugiram para os pântanos. Muitos dias mais tarde, voluntários de busca contaram 58 sobreviventes (sendo 114 a população da cidade antes do ataque). A cidade de Vitre tinha sido reduzida às cinzas. O número de mortes entre mortos-vivos e seres humanos é variável. Quando somamos o número de baixas de Vitre com os corpos de zumbis encontrados, pelo menos 15 pessoas permanecem desaparecidas. Os registros oficiais do governo, em Baton Rouge, explicam o ataque como "comportamento revoltoso da população negra", uma explicação curiosa, ao considerarmos que a população de Vitre era inteiramente branca. Todas as provas de uma insurreição de zumbis vêm de cartas pessoais ou diários encontrados entre os descendentes dos sobreviventes da tragédia.

1913 d.C., PARAMARIBO, SURINAME

Embora o dr. Ibrahim Obeidallah possa ter sido o primeiro a expandir o conhecimento científico da humanidade em relação aos mortos-vivos, ele não foi (felizmente), o último. O dr. Jan Vanderhaven, já muito respeitado na Europa devido a seus estudos sobre a lepra, chegou a esta colônia na América do Sul para estudar uma insurreição bizarra desta doença tão conhecida.

> *As almas infectadas mostram sintomas similares àqueles encontrados em outras localidades: feridas apodrecidas, pele mosqueada, carne com a aparência de estar em decomposição. Todas as semelhanças com a doença conhecida, entretanto, terminam aqui. Estas pobres almas parecem ter enlouquecido completamente. (...) Eles não mostram nenhum sinal de pensamento racional ou de conseguir reconhecer um familiar. (...) Não dormem nem bebem água e rejeitam qualquer comida que não esteja viva. (...) Ontem, um dos funcionários do hospital, apenas por curiosidade e contra as minhas ordens, soltou um rato ferido dentro da cela de um dos pacientes. Ele prontamente agarrou o roedor e o engoliu inteiro. (...) Os pacientes infeccionados mostram uma hostilidade que beira a raiva. (...) Tentam morder qualquer pessoa que se aproxime, com os dentes à mostra, como animais. (...) Um visitante, uma mulher influente que desafiou o protocolo hospitalar, foi, por conseqüência, mordida e infectada por seu marido. Apesar de termos utilizado todos os tratamentos conhecidos, ela rapidamente sucumbiu ao ferimento, falecendo no mesmo dia. (..) O corpo foi enviado de volta à fazenda da família. (...) Contra todos os meus pedidos, uma autópsia foi negada devido a preocupações com decoro. (...) Na mesma noite o cadáver foi dado como roubado. (...) Experimentos com álcool, formalina e aquecimento até 90°C descartaram a*

possibilidade de infecção por bactéria. (...) deduzo, portanto, que este agente é um fluido vivo contagioso (...) chamado "Solanum".

("Fluido vivo contagioso" era uma expressão comum antes da adoção da palavra latina vírus.) Estas passagens foram extraídas de um estudo de 200 páginas, realizado ao longo de um ano, feito pelo dr. Vanderhaven em relação a sua nova descoberta. Neste estudo, ele documenta a tolerância à dor dos zumbis, a aparente falta de respiração, a baixa taxa de decomposição, a falta de velocidade, a agilidade limitada e a completa falta da faculdade de cura do corpo. Devido à natureza violenta de seus objetos de estudo e do aparente medo dos funcionários do hospital, Vanderhaven nunca conseguiu fazer uma autópsia completa. Por esta razão, ele foi impossibilitado de descobrir que os mortos-vivos eram apenas isso, mortos-vivos. Em 1914, ele retornou à Holanda e publicou seu trabalho. Ironicamente, não foi nem bem nem mal recebido na comunidade científica. A história dele, como tantas outras no período, foi eclipsada pela chegada da Primeira Guerra Mundial. Cópias do trabalho descansam esquecidas em Amsterdã. Vanderhaven voltou a praticar medicina convencional no leste das Índias Holandesas (Indonésia), onde acabou por morrer vítima da malária. A grande descoberta de Vanderhaven foi a percepção de que um vírus estava por trás da criação dos zumbis e ele foi, notadamente, a primeira pessoa a dar o nome "Solanum" ao vírus. Não se sabe por que ele escolheu este nome. Embora seu trabalho não tenha sido celebrado por seus contemporâneos europeus, ele é, atualmente, muito lido em todo o mundo. Infelizmente, um país fez uso das descobertas do bom doutor para um fim maligno (ver a seção "1942-45 d.C., Harbin, estado de Manchukuo (Manchúria), anexado pelos japoneses", nas páginas 288-290).

1923 d.C., COLOMBO, CEILÃO (ATUAL SRI LANKA)

Este relato vem de *The Oriental*, um jornal para britânicos que viviam nas colônias da Índia. Christopher Wells, um co-piloto da British Imperial Airways, foi resgatado em um bote salva-vidas após 14 dias no mar. Antes de morrer de insolação, Wells explicou que estava transportando um cadáver descoberto por uma expedição britânica no monte Everest. O cadáver pertencia a um europeu, suas roupas eram do século anterior e não havia nenhum documento de identificação. Como ele estava completamente congelado, o líder da expedição decidiu enviá-lo por avião até Colombo, para maiores estudos. Durante a viagem, o gelo derreteu e o corpo se reanimou, atacando em seguida a tripulação do avião. Os três homens conseguiram deter o adversário, esmagando a cabeça dele com o extintor de incêndio (como não foram capazes de identificar o tipo de criatura com que estavam lidando, é possível que a tentativa fosse de apenas incapacitar o zumbi). Apesar de estarem a salvo daquela ameaça, eles agora tinham que dar conta dos danos sofridos pela aeronave. O piloto enviou um sinal de socorro pelo rádio, mas não teve tempo de enviar as coordenadas do avião. Os três homens pularam de pára-quedas, com o líder da tripulação ferido, sem perceber as conseqüências futuras. No dia seguinte ele morreu, apenas para se reanimar horas mais tarde e imediatamente atacar os dois outros homens. Enquanto o piloto lutava com o morto-vivo, Wells, em pânico, chutou ambos para fora do bote. Após relatar, ou talvez confessar, esta história para as autoridades, Wells ficou inconsciente e morreu no dia seguinte. Sua história ficou registrada como delírio de uma vítima de insolação. Uma investigação subseqüente não descobriu nenhum vestígio do avião, sua tripulação ou do alegado zumbi.

1942 d.C., PACÍFICO CENTRAL

Durante o avanço inicial dos japoneses, um pelotão da marinha britânica foi enviado para ocupar Atuk, uma ilha no arquipélago de Caroline. Dias depois da aterrissagem, o pelotão foi atacado por uma multidão de zumbis vindos da selva local. As baixas foram muitas. Sem ter nenhuma informação sobre a natureza dos atacantes ou da melhor maneira de destruí-los, os fuzileiros navais foram levados a um local fortificado no alto de uma montanha, na parte norte da ilha. Ironicamente, enquanto os feridos foram deixados para morrer, os fuzileiros restantes acabaram por aumentar suas chances de sobrevivência. O pelotão permaneceu fixo na "fortaleza" no topo da montanha por vários dias, sem comida ou água, e sem qualquer possibilidade de contato com o mundo exterior. Durante todo este tempo, os zumbis estavam cercando a área. Mesmo impossibilitados de subir os morros íngremes, eles impediam qualquer possibilidade de fuga. Após duas semanas de aprisionamento, Ashi Nakamura, o atirador de elite do pelotão, descobriu que um tiro na cabeça era fatal para os zumbis. Este conhecimento possibilitou aos japoneses finalmente combaterem seus atacantes. Após eliminarem os necrófilos mais próximos com tiros de rifle, eles avançaram para dentro da selva com o intuito de varrer a ilha completamente. Testemunhas oculares relataram que o oficial comandante, o tenente Hiroshi Tomonaga, decapitou onze zumbis utilizando apenas a sua espada katana (um forte argumento para o uso desta arma). Um exame comparativo feito no pós-guerra mostrou que Atuk é, quase certamente, a mesma ilha que Sir Francis Drake descreveu como a "ilha dos condenados". O próprio testemunho do Tomonaga, dado a autoridades americanas após a guerra, relata que depois de as comunicações com Tóquio terem sido restabelecidas, o alto comando japonês deu ordens específicas para a captura, e não o extermínio, de qualquer zumbi sobrevivente. Uma vez que isto fosse feito (quatro necrófilos foram presos e amordaçados com sucesso), o submarino imperial I-58 seria enviado para retirar os prisioneiros. Tomonaga disse não saber nada sobre o destino dos prisioneiros. Ele e seus homens receberam ordens de não comentar o acontecido, sob risco de pena de morte.

1942-45 d.C, HARBIN, ESTADO DE MANCHUKUO (MANCHÚRIA), ANEXADO PELOS JAPONESES

Em seu livro de 1951, *The Sun Rose on Hell*, um ex-oficial da inteligência do exército dos EUA, chamado David Shore, relata uma série de experimentos biológicos realizados durante a guerra por uma equipe militar japonesa conhecida como "Dragão Negro". Um de seus experimentos, que recebeu o nome de "Botão de Cereja", foi organizado com o objetivo específico de criar e treinar zumbis para a formação de um exército. De acordo com Shore, quando as forças japonesas invadiram as Índias Ocidentais Holandesas em 1941-2, uma cópia da pesquisa de Jan Vanderhaven foi descoberta em uma biblioteca médica em Surabaya. A pesquisa foi então enviada para o quartel-general da Dragão Negro, em Harbin, para ser estudada minuciosamente. Embora em teoria eles tivessem um plano, nenhuma amostra de *Solanum* foi encontrada (prova de que a antiga "irmandade da vida" foi eficiente na matança de zumbis no Japão). Tudo isso mudou após o incidente em Atuk, seis meses mais tarde. Os quatro zumbis aprisionados chegaram a Harbin. Experimentos foram feitos com três deles, enquanto o último foi utilizado apenas para gerar mais zumbis. Shore afirma que os "dissidentes" (qualquer pessoa que discordasse do regime militar japonês) eram usados como "cobaias". Uma vez que um pelotão de quarenta zumbis foi reanimado, o pessoal da Dragão Negro tentou treiná-los como zangões obedientes. Esta tentativa teve resultados abissais: mordidas transformaram dez dos 16 instrutores em zumbis. Após dois anos de tentativas infrutíferas, a decisão final foi lançar essa arma contra o inimigo, sem importar as condições em que se encontravam. Dez necrófilos seriam atirados de pára-quedas sob as forças britânicas na Birmânia. O avião foi atingido por uma bateria antiaérea antes de chegar a seu alvo, explodindo numa bola de fogo que não deixou nenhum vestígio de sua carga. Uma segunda tentativa de descarregar os mortos-vivos por submarino foi feita no canal do Panamá (que era controlado pelos norte-americanos). Esperava-se que o caos gerado pelos zumbis impedisse que navios construídos no Atlântico chegassem ao Pacífico. O submarino, entretanto, foi afundado no meio do caminho. Uma terceira tentativa foi feita, novamente por submarino, desta vez com o objetivo de soltar os zumbis perto da Costa Oeste dos EUA, mas, enquanto o submarino navegava no Pacífico Norte, o comandante enviou uma mensagem de rádio dizendo que os zumbis tinham se libertado e estavam atacando a tripulação. Ele não tinha escolha a não ser abandonar a embarcação. Com a guerra próxima de seu fim, foi feita uma quarta e última tentativa de enviar os zumbis remanescentes de pára-quedas para combater um grupo de guerrilheiros chineses na província de Yonnan. Nove dos zumbis pára-quedistas foram eliminados com tiros na cabeça pelos atiradores de elite chineses. Estes atiradores não perceberam a importância de seus tiros. Suas ordens sempre foram para atingir a cabeça. O último zumbi foi capturado, preso e levado ao quartel-general de Mao Tsé-tung para estudos posteriores. Quando a União Soviética invadiu Manchukuo em 1945, todos os registros e evidências do projeto "Botão de Cereja" tinham desaparecido.

Shore afirma que seu livro é baseado em relatos de testemunhas oculares das operações da Dragão Negro, homens que ele entrevistou pessoalmente após o exército americano tomar a Coréia do Sul no final da guerra. A princípio Shore encontrou uma pequena editora independente para publicar seu livro, conhecida como Green Brothers Press. Antes de o livro chegar às prateleiras, o governo ordenou que todos os exemplares fossem confiscados. A Green Brothers Press foi acusada diretamente pelo senador Joseph McCarthy de publicar material "subversivo e obsceno". Sob o peso das taxas legais, a empresa declarou falência. David Shore foi acusado de violar a segurança nacional e foi sentenciado à prisão perpétua em Fort Leavenworth, no Kansas. Ele recebeu perdão em 1961, mas morreu vítima de um ataque cardíaco meses depois de deixar a prisão. Sua viúva, Sara Shore, guardou um exemplar secreto e ilegal do manuscrito até a sua morte em 1984 e a filha do casal, Hannah, recentemente ganhou na justiça o direito de republicar o livro.

1943 d.C., NORTE DA ÁFRICA FRANCESA

Este excerto vem da entrevista do soldado de primeira classe Anthony Marno, operador de metralhadora no bombardeiro B-24 do exército dos Estados Unidos. Voltando de uma incursão contra tropas alemãs concentradas na Itália, a aeronave se perdeu, voando sobre o território da Argélia. Com pouco combustível, o piloto avistou o que parecia ser um acampamento humano e ordenou que a tripulação pulasse. O que eles encontraram foi o Forte Louis Philippe.

> *Parecia algo saído do pesadelo de uma criança. (...) Nós abrimos os portões, não tinha tranca nem nada parecido. Andamos até o pátio principal e só o que vimos foi esse monte de esqueletos. Uma montanha deles, de verdade! Empilhados pra todo o lado, que nem um filme. Nosso capitão, ele só balançou a cabeça e disse: "Parece que deveria ter um tesouro enterrado aqui, né?" Felizmente nenhum dos corpos estava dentro do poço. Enchemos nossos cantis e pegamos alguns suprimentos. Não tinha nenhuma comida, mas eu acho que foi melhor assim, sabe?*

Marno e o resto da tripulação foram resgatados por uma caravana árabe, a 80 quilômetros de distância do forte. Quando perguntados sobre o lugar, os árabes se recusaram a responder. Naquele momento o exército dos Estados Unidos não tinha nem interesse nem recursos para investigar uma ruína abandonada no meio do deserto. Nenhuma expedição posterior foi organizada.

1947 d.C., JARVIE, COLÚMBIA BRITÂNICA

Uma série de artigos publicados em cinco jornais diferentes conta os sangrentos acontecimentos e o heroísmo individual associados com esta pequena cidade canadense. Pouco se sabe sobre a origem da insurreição. Historiadores suspeitam que o portador era Mathew Morgan, um caçador local que certa noite retornou para a cidade com um estranho ferimento no ombro. No alvorecer do dia seguinte, 21 zumbis estavam vagando pelas ruas de Jarvie. Nove pessoas foram inteiramente devoradas. Os 15 sobreviventes abrigaram-se no escritório do xerife. Um tiro de sorte por parte de um dos moradores mostrou aos sobreviventes o que uma bala no cérebro podia fazer. A esta altura, entretanto, a maioria das janelas estava fechada com tábuas, e assim ninguém podia mirar nos zumbis. Um plano foi concebido, para que os sobreviventes saíssem pelo telhado, com o objetivo de chegar ao escritório dos telégrafos, e mandar uma mensagem para as autoridades em Vitória. Os sobreviventes chegaram até a metade do percurso quando um necrófilo próximo os avistou e deu início à perseguição. Um dos membros do grupo, Regina Clark, mandou que o grupo continuasse enquanto ela retardaria o morto-vivo. Clark, armada com uma carabina M1, levou os zumbis a um beco sem saída. Testemunhas oculares insistem que Clark fez isso de propósito, para impedir que mais de quatro zumbis chegassem por vez. Com uma pontaria excelente e uma velocidade de recarga impressionante, Clark deu conta de toda a turba de zumbis. Várias testemunhas oculares observaram-na esvaziar um pente de 15 balas em 12 segundos sem errar nenhum tiro. Ainda mais impressionante é o fato de que o primeiro zumbi morto era o próprio marido de Clark. Fontes oficiais chamam o acontecimento de "uma demonstração inexplicável de violência pública". Todos os artigos de jornal são baseados nos depoimentos dos cidadãos de Jarvie. Regina Clark se recusou a dar entrevistas. Suas memórias permanecem guardadas como um segredo de família.

1954 d.C., THAN HOA, INDOCHINA FRANCESA

Este trecho foi retirado de uma carta escrita por Jean Beart Lacoutour, um homem de negócios francês que morava na ex-colônia.

> *O jogo é chamado de "dança do diabo". Um ser humano é colocado em uma gaiola com uma dessas criaturas. Nosso homem tem com ele apenas uma pequena lâmina, de, no máximo, oito centímetros. (...) Será que ele consegue sobreviver a esta valsa com o morto-vivo? Se não, quanto tempo ele agüentará? Apostas são aceitas para estas e muitas outras variáveis. (...) Nós temos um estábulo cheio deles, esses gladiadores fétidos. A maioria é transformada das vítimas dos jogos. Alguns são pegos na rua (...) nós pagamos bem às famílias deles. (...) Que Deus me perdoe por esse pecado inimaginável.*

Esta carta, junto com uma fortuna considerável, chegou a La Rochelle, na França, três meses após a queda da Indochina francesa para as guerrilhas comunistas de Ho Chi Minh. O destino da "dança do diabo" de Lacoutour é desconhecido e nenhuma outra informação foi descoberta. Um ano mais tarde, o corpo de Lacoutour chegou à França, quase que completamente decomposto, com uma bala no cérebro. A explicação do coronel vietnamita foi suicídio.

1957 d.C., MOMBASA, QUÊNIA

Este relato foi extraído de um interrogatório feito por um oficial do exército britânico a um rebelde gikuyu durante a revolta de Mau Mau (todas as respostas foram conseguidas através de um intérprete):

– Quantas pessoas você viu?
– Cinco.
– Descreva-as.
– Homens brancos, com a pele acinzentada e quebradiça. Alguns estavam feridos, com marcas de mordidas em algumas partes do corpo. Todos tinham marcas de balas nos corpos. Eles mancavam e grunhiam. Seus olhos não tinham visão e seus dentes estavam manchados com sangue. O cheiro de carniça os anunciava e os animais fugiam.

Ocorre uma discussão entre o intérprete e o prisioneiro. O prisioneiro acaba por ficar em silêncio.

– O que aconteceu?
– Eles vieram atrás da gente. Nós sacamos nossas lalems (arma nativa, similar a um facão) e cortamos as cabeças deles, depois as enterramos.
– Vocês enterraram as cabeças?
– Sim.
– Por quê?
– Porque queimá-las denunciaria nossa posição.
– Você não foi ferido?
– Eu não estaria aqui.
– Você não teve medo?
– Nós só tememos os vivos.
– Então esses eram espíritos do mal?

O prisioneiro ri.

– Por que está rindo?
– Espíritos do mal são invenções pra assustar crianças. Esses homens eram mortos-vivos.

O prisioneiro deu poucas informações adicionais no resto do interrogatório. Quando questionado sobre a existência de zumbis, permaneceu em silêncio. Toda a transcrição do interrogatório foi publicada num tablóide inglês, no mesmo ano, mas nenhuma atitude foi tomada.

1960 d.C., BYELGORANSK, UNIÃO SOVIÉTICA

Suspeita-se, desde o fim da Segunda Guerra Mundial, de que as tropas soviéticas que invadiram a Manchúria capturaram a maior parte dos cientistas, informações e objetos de estudo (zumbis) evolvidos no projeto especial Dragão Negro. Revelações recentes confirmaram que estes boatos são verdadeiros. O propósito deste novo projeto soviético era criar um exército secreto de mortos-vivos para a inevitável Terceira Guerra Mundial. A operação "Botão de Cereja", renomeado "Esturjão", foi realizada próximo a uma pequena cidade no leste da Sibéria em que a única outra estrutura presente era uma prisão para dissidentes políticos. Esta localização garantia não só total sigilo como também providenciava um suprimento contínuo de objetos para estudo. Com base em descobertas recentes, podemos dizer que, por algum motivo, os experimentos deram errado, causando uma insurreição de várias centenas de zumbis. Os poucos cientistas que sobreviveram conseguiram escapar para a prisão. A salvo atrás das suas muralhas, eles se acomodaram para o que parecia ser um curto cerco até que a ajuda chegasse, mas isso não aconteceu. Alguns historiadores acreditam que a natureza remota da localização (não existia nenhuma estrada e os suprimentos chegavam por avião) impediu qualquer resposta imediata. Outros acreditam que, já que o projeto tinha sido iniciado por Stalin, a KGB relutava em informar o premiê Nikita Khrushchev da sua existência. Uma terceira teoria diz que os líderes soviéticos sabiam do desastre, circundaram a área com tropas para impedir que a insurreição se alastrasse e estavam apenas observando os resultados do cerco. Dentro das paredes da prisão, a coalizão de cientistas, pessoal militar e prisioneiros sobrevivia com conforto. Estufas foram construídas; poços foram cavados; energia foi improvisada com moinhos de vento e dínamos humanos. Por fim o contato por rádio foi estabelecido diariamente. Os sobreviventes disseram que, pelas condições da prisão, eles poderiam agüentar até o inverno, quando, em teoria, os mortos-vivos congelariam. Três dias antes do início do inverno, um avião soviético soltou um dispositivo termonuclear em Byelgoransk. A explosão de um megaton destruiu a cidade, a prisão e toda área ao redor.

Por décadas o desastre foi explicado pelo governo soviético como um teste nuclear de rotina. A verdade só foi revelada em 1992, quando informações começaram a vazar para o Ocidente. Também apareceram boatos da insurreição entre veteranos da Sibéria, entrevistados pela primeira vez pela nova e livre imprensa russa. As lembranças de oficiais veteranos deram dicas sobre a verdadeira natureza da devastação ali ocorrida. Muitos reconheceram que a cidade de Byelgoransk realmente existiu. Outros confirmaram que ela era tanto uma prisão política quanto um centro de pesquisa de guerra biológica. Alguns chegaram a mencionar um tipo de insurreição, embora não dissessem exatamente o que se insurgiu. A evidência de maior importância apareceu quando Artiom Zenoviev, um mafioso russo e ex-arquivista da KGB, divulgou todas as cópias do relatório oficial do governo para uma fonte ocidental anônima (um ato pelo qual ele pagou integralmente). O relatório contém transcrições das comunicações de rádio, fotografias aéreas (de antes e depois da explosão) e depoimentos das tropas terrestres e da tripulação do avião, assim como confissões assinadas pelos responsáveis pelo projeto “Esturjão”. Junto com este relatório estão 643 páginas de informação de laboratório relacionadas com a fisiologia e os padrões de comportamento dos mortos-vivos. Os russos descartaram todas as informações como fraude. Se isso for verdade e se Zenoviev não for nada mais do que um brilhante e criativo oportunista, por que a lista por ele divulgada das pessoas responsáveis pelo caso vai ao encontro da lista oficial dos registros de cientistas, comandantes militares e membros do Politburo que foram executados pela KGB um mês após o dia em que Byelgoransk foi incinerada?

1962 d.C., CIDADE NÃO IDENTIFICADA, NEVADA

Os detalhes desta insurreição são surpreendentemente incompletos, considerando que ocorreram em uma parte relativamente sossegada do planeta, na segunda metade do século XX. De acordo com fragmentos de testemunhos de terceiros, pedaços de jornais amarelados e uma declaração policial suspeitosamente vaga, uma pequena insurreição de zumbis atacou e cercou Hank Davis, um fazendeiro local, e três homens contratados em um celeiro por cinco dias e noites. Quando a polícia estadual despachou os necrófilos e entrou no celeiro, encontrou os quatro homens mortos. Investigações subseqüentes declararam que os homens mataram uns aos outros. Mais especificamente, três deles foram assassinados, enquanto o quarto tirou a própria vida. Não foi dado nenhum motivo concreto para esta ocorrência. O celeiro era mais do que seguro contra ataques, e havia ainda metade de um pequeno estoque de água e comida. A teoria atual é de que os uivos incessantes dos zumbis, unidos a sentimentos de isolamento e total impotência, levaram a uma crise de nervos. Nenhuma explicação oficial foi dada para a insurreição. O caso ainda se encontra "sob investigação".

1968 d.C., LESTE DE LAOS

Esta história foi relatada por Peter Stavros, usuário de drogas e ex-franco-atirador das Forças Especiais. Em 1989, durante uma avaliação psicológica em um hospital para veteranos de guerra em Los Angeles, ele contou esta história ao psiquiatra atendente. Stavros declarou que sua equipe estava em uma missão de busca e destruição pela fronteira vietnamita. Seu alvo era uma aldeia que se suspeitava ser uma área de Pathet Lao (guerrilhas comunistas). Ao entrar no local, eles descobriram que os habitantes estavam no meio de seu próprio cerco contra muitas dezenas de mortos-vivos. Por motivos desconhecidos, o líder da equipe ordenou que eles recuassem e enviou um ataque aéreo. Patrulhas aéreas, armadas com napalm, se espalharam pela área, destruindo tanto os mortos-vivos como os sobreviventes humanos. Não existem documentos que confirmem o depoimento de Stavros. Os outros membros de sua equipe estão mortos, desaparecidos em ação, desaparecidos nos Estados Unidos ou simplesmente se recusaram a dar entrevistas.

1971 d.C., VALE NONG'ONA, RUANDA

Jane Massey, jornalista da vida selvagem de *The Living Earth*, foi enviada por sua revista para fazer um documentário da vida de gorilas em extinção. O trecho a seguir se espalhou como uma pequena anedota em meio à maior e mais popular história de primatas raros e exóticos:

> *Enquanto atravessávamos um vale extremamente íngreme, eu vi algo se mover nas folhagens abaixo. Nosso guia também viu e nos encorajou a seguir naquela direção. E naquele momento ouvi algo raríssimo naquela parte do mundo: silêncio total. Nenhum pássaro, nenhum animal, nem*

mesmo um inseto fazia barulho algum, e percebam que estamos falando de um lugar com insetos bem barulhentos. Perguntei a Kengeri e ele me disse que continuasse quieta. Mais para baixo no vale, eu pude ouvir um uivo assustador. Kevin [o fotógrafo da expedição] ficou ainda mais branco do que o normal e ficava repetindo para si que devia ser o vento. Eu já ouvi o vento de Sarawak, do Sri Lanka, da Amazônia e até do Nepal, e aquilo NÃO era o vento! Kengeri empunhou seu facão e nos pediu novamente para ficarmos quietos. Eu disse a ele que queria descer o vale e ver o que era o barulho, mas ele se recusou. Eu insisti e ele disse, "os mortos andam por lá", e foi embora.

Massey nunca explorou o vale nem descobriu a origem dos uivos. A história do guia pode ter sido superstição local. O uivo pode ter sido simplesmente o vento. No entanto, mapas do vale mostram que ele é cercado por altos picos em todas as direções, tornando impossível a fuga para os necrófilos. Teoricamente, o vale pode servir como um receptáculo para tribos que desejem isolar, porém não destruir, os mortos-vivos.

1975 d.C., AL-MARQ, EGITO

As informações a respeito desta insurreição foram coletadas de várias fontes: entrevistas com testemunhas oculares locais, nove depoimentos de militares egípcios de baixa patente, além dos relatos de Gassim Farouk (ex-oficial da inteligência da Força Aérea Egípcia que recentemente emigrou para os Estados Unidos), e vários jornalistas internacionais que pediram que suas identidades fossem mantidas em segredo. Todas as fontes confirmaram a história de que uma insurreição de origem desconhecida atacou e infestou esta pequena aldeia egípcia. Os pedidos de socorro foram ignorados, não apenas pela polícia de outras cidades como pelo comandante da base da Segunda Divisão Blindada de Gabal Garib, que se localizava a apenas 56 km dali. Por uma estranha ironia do destino, o operador de telefones de Gabal Garib era também um agente israelense do Mossad que passava informações para o quartel-general das IDF, as Forças de Defesa de Israel, em Tel Aviv. As informações foram consideradas uma fraude, tanto pelo Mossad como pela equipe geral israelense, e teria sido completamente esquecida se não fosse pelo coronel Jacob Korsunsky, um adido da primeira-ministra Golda Meir. Judeu norte-americano e ex-colega do falecido David Shore, Korsunsky tinha total conhecimento da existência de zumbis e da ameaça que representavam caso não fossem enfrentados. Surpreendentemente, Korsunsky convenceu Meir a criar uma missão de reconhecimento para investigar Al-Marq. Neste momento a infestação tinha chegado a seu décimo quarto dia. Nove sobreviventes tinham construído barricadas ao redor da mesquita da cidade, com pouca água e nenhuma comida. Um pelotão de soldados pára-quedistas, liderados por Korsunsky, desceu no centro de Al-Marq e, após uma batalha de 12 horas, eliminou todos os zumbis. Há várias especulações em torno do final desta história. Alguns acreditam que o exército egípcio cercou Al-Marq, capturou os israelenses e se preparou para executá-los imediatamente. Somente depois de implorar por seus sobreviventes, que mostraram aos soldados os corpos dos zumbis, os egípcios libertaram os israelenses para que retornassem a suas casas. Outros levam a possibilidade adiante, acreditando que esta é uma das razões da trégua entre Egito e Israel. Não existem evidências fortes que sustentem essa versão. Jacob Korsunsky morreu em 1991. Suas memórias, relatos pessoais, comunicados militares, artigos de jornal subseqüentes e até mesmo filmagens da batalha feitas por um câmera do Mossad foram confiscados pelo governo israelense. Se esta história for verdadeira, ela impõe uma questão interessante e perturbadora: por que o exército egípcio se convenceria da existência dos mortos-vivos simplesmente por testemunhar relatos e corpos aparentemente humanos? Será que um espécime intacto (ou vários), em bom funcionamento, não teria que existir para que uma história tão incrível tivesse crédulo? E, em caso afirmativo, onde estão estes espécimes agora?

1979 d.C., SPERRY, ALABAMA

Durante suas entregas diárias, Chuck Bernard, o carteiro local, parou na fazenda dos Henrichs e notou que a correspondência do dia anterior ainda não havia sido recolhida. Como isto nunca tinha acontecido antes, Bernard decidiu ele próprio levar a correspondência para dentro. A um metro da porta da frente, ele ouviu o que pareceram tiros, gritos de dor e pedidos de socorro. Bernard saiu correndo, dirigiu por aproximadamente 15 km até o telefone público mais próximo e chamou a polícia. Quando dois xerifes e uma equipe de paramédicos chegaram, a família Henrichs já havia sido brutalmente assassinada. A única sobrevivente, Freda Henrichs, exibia com clareza sintomas de uma infecção avançada. Ela mordeu dois dos paramédicos antes que os policiais conseguissem detê-la. Um terceiro policial, o último a chegar e novo na equipe, entrou em pânico e deu um tiro na cabeça de Freda. Os dois paramédicos foram levados ao hospital local para tratamento e morreram um pouco mais tarde. Três horas depois eles se reanimaram, durante a autópsia, atacaram o legista e sua assistente, e foram para a rua. À meia-noite, toda a cidade estava em pânico. Pelo menos 22 zumbis agora estavam espalhados, já tendo devorado completamente 15 pessoas. Muitos sobreviventes buscaram refúgio em suas casas. Outros tentaram sair da cidade. Três crianças conseguiram escalar até o topo de uma torre de caixa d'água. Embora cercadas (vários necrófilos tentaram escalar a torre, mas foram chutados de volta para o solo), estas crianças continuaram seguras até serem resgatadas. Um homem, Harland Lee, deixou sua casa armado de uma sub-Uzi modificada, uma espingarda de dois canos cortada e duas pistolas Magnum .44 (um revólver e uma automática). Testemunhas declararam ter visto Lee atacar um grupo de 12 zumbis, usando primeiro a Uzi e depois as outras armas, alternadamente. A cada vez, Lee mirava no tronco de um dos zumbis, causando grandes danos, mas nenhuma morte. Com pouca munição e cercado atrás de um ferro-velho, Lee tentou atirar nas cabeças dos zumbis com uma pistola em cada mão. Pelo fato de suas mãos estarem tremendo violentamente, ele não acertou nenhum dos tiros. O autoproclamado herói da cidade foi rapidamente devorado. Pela manhã, policiais de cidades vizinhas, juntamente com a polícia estadual e grupos de vigilância rapidamente organizados, se reuniram em Sperry. Armados com rifles de caça com mira e conhecimento sobre tiros fatais na cabeça (um caçador local aprendeu defendendo sua casa), eles rapidamente despacharam a ameaça. A justificativa oficial (fornecida pelo Departamento da Agricultura) foi "histeria em massa causada pelo derramamento de pesticida nas águas locais". Todos os corpos foram removidos pelo Centro de Controle de Doenças, o CCD, antes que autópsias civis pudessem ser realizadas. A maior parte das gravações de rádio, coberturas de notícias e fotografias particulares foi imediatamente confiscada. Cento e setenta processos foram registrados por vários sobreviventes. Destes casos, 92 foram resolvidos com acordos. Quarenta e oito ainda estão pendentes, e os restantes foram misteriosamente retirados. Um processo foi recentemente registrado requisitando acesso ao material de mídia confiscado. Anos se passarão até que o tribunal tome uma decisão.

OUT. 1980 d.C., MARICELA, BRASIL

As notícias desta insurreição vieram através da ONG Green Mother, um grupo ambiental que busca chamar a atenção do mundo para as condições de vida dos índios locais, sofrendo a apreensão e destruição de suas terras. Pecuaristas, procurando atingir seus objetivos pela violência, se armaram e partiram para a aldeia indígena. Ao entrarem na floresta tropical, foram atacados por outros inimigos, muito mais assustadores: uma horda de mais de trinta zumbis. Todos os pecuaristas foram ou devorados ou reanimados como mortos-vivos. Dois sobreviventes conseguiram chegar até a cidade vizinha de Santarém. Seus avisos foram ignorados, e registros oficiais descrevem a batalha como uma rebelião indígena. Três brigadas do exército entraram em Maricela. Sem encontrar nenhum indício dos mortos-vivos, avançaram para a aldeia indígena. O incidente que se seguiu foi oficialmente negado pelo governo brasileiro, assim como qualquer conhecimento de um ataque de mortos-vivos. Relatos de testemunhas oculares descrevem o massacre exatamente assim, com tropas do governo destruindo qualquer ser andante, zumbis ou humanos. Ironicamente, os membros da Green Mother também negam a história, alegando que, na verdade, foi o governo brasileiro que "fabricou" o boato dos zumbis como justificativa para o massacre dos índios. Uma evidência interessante vem de um major reformado do Estado-Maior do Exército Brasileiro. Ele se lembra de que, nos dias que precederam a batalha, quase todos os lança-chamas do país foram requisitados. Após a operação, as armas foram devolvidas sem carga.

DEZ. 1980 d.C., JURUTI, BRASIL

Este posto de observação, localizado a 450 km rio abaixo de Maricela, tornou-se o cenário de vários ataques cinco semanas depois. Zumbis surgindo das águas atacaram pescadores em seus barcos ou escalaram até a costa em diversos pontos da margem. O resultado destes ataques – números, respostas, baixas – ainda é desconhecido.

1984 d.C., CABRIO, ARIZONA

Esta insurreição, pequena se considerarmos a área e as pessoas envolvidas, dificilmente se qualifica como de Tipo 1. No entanto, as ramificações representam um dos eventos mais significativos dentre todos os estudos sobre o *Solanum*. Um incêndio em uma escola primária causou a morte de 47 crianças, todas por inalação de gás carbônico. A única sobrevivente, Ellen Aims, de nove anos, escapou porque saltou de uma janela quebrada, mas sofreu profundas lacerações e perdeu muito sangue. Uma transfusão do banco de sangue salvou sua vida. Meia hora depois, Ellen começou a apresentar os sintomas de uma infecção por *Solanum*. Este fato não foi compreendido pela equipe médica, que suspeitou de que o sangue transfundido estivesse contaminado por outras doenças. Enquanto os exames eram realizados, a criança morreu. Sob os olhares da equipe, das testemunhas e dos pais, ela se reanimou e mordeu a enfermeira atendente. Ellen foi amarrada e a enfermeira colocada em quarentena; o médico de plantão contou os detalhes do caso para um colega em Phoenix. Duas horas depois, chegaram médicos do CCD, escoltados por reforços de policiais e "agentes federais à paisana". Ellen e a enfermeira infectada foram levadas de avião a um local confidencial para "tratamentos complementares". Todos os registros hospitalares, bem como todo o estoque de sangue, foram confiscados. Os pais de Ellen não tiveram permissão para acompanhar a filha. Após uma semana sem notícias, eles foram informados de que a menina havia "falecido" e que o corpo havia sido cremado por "motivos de saúde". Este foi o primeiro caso registrado que provou que o *Solanum* é transferível por sangue armazenado. O que traz as seguintes questões: quem era o dono do sangue infectado, como ele foi retirado sem que o indivíduo soubesse que estava infectado e por que nunca mais se ouviu nada a respeito do doador infectado? E ainda, como o CCD ficou sabendo do caso Aims tão rapidamente (o médico em Phoenix se recusou a dar qualquer tipo de entrevista), e por que acudiu tão prontamente? Não é necessário dizer que teorias de conspiração continuam a rondar este caso. Os pais de Ellen entraram com uma ação contra o CCD, com o propósito de ter a verdade revelada. Seus depoimentos foram fundamentais para o pesquisador deste caso.

1987 d.C., KHOTAN, CHINA

Em março de 1987, grupos dissidentes chineses alertaram o Ocidente a respeito de um desastre iminente na usina nuclear de Xinjiang. Após vários meses negando a história, o governo chinês anunciou oficialmente que teria havido uma "falha de funcionamento" nas instalações. Um mês depois, a história tinha mudado para "tentativas de sabotagem (...) feitas por terroristas contra-revolucionários". Em agosto, o jornal sueco *Tycka!* publicou a história de que um satélite espião do governo norte-americano posicionado sobre Khotan, havia fotografado tanques e outros veículos blindados atirando a esmo no que pareciam ser turbas desorganizadas de civis tentando invadir a usina. Mais fotografias revelaram que alguns dos "civis" que rondavam certos indivíduos pareciam atacá-los, parti-los em pedaços e se alimentarem dos corpos. O governo norte-americano nega que um satélite seu tenha produzido estas imagens, e o jornal *Tycka!* desmentiu a história. Se Khotan realmente sofreu uma insurreição zumbi, então mais perguntas devem ser feitas.

Como começou a insurreição? Qual foi a sua duração? Como foi contida? Quantos zumbis estavam envolvidos? Eles chegaram a entrar na usina? Qual o tamanho do estrago? Por que não houve um derramamento nas proporções de Chernobyl? Algum zumbi escapou? Houve outro ataque desde então? Uma informação que dá crédito à história da insurreição vem do professor Kwang Zhou, um dissidente chinês que, depois do ocorrido, começou a trabalhar para os Estados Unidos. Kwang conhecia um dos soldados envolvidos no incidente. Antes de ser enviado para um campo de reeducação junto com outras testemunhas, o jovem declarou que o codinome para a operação era "Eterno Pesadelo Acordado". Uma pergunta permanece, no entanto: como esta primeira insurreição começou? Após ler o livro de David Shore, mais especificamente a seção sobre como um zumbi Dragão Negro foi capturado pelas tropas comunistas chinesas, é natural supor que o governo chinês teve, ou ainda tem, a sua própria versão do "Botão de Cereja" e do "Esturjão", seu projeto próprio para criar um exército de mortos-vivos.

DEZ. 1992 d.C., MONUMENTO NACIONAL JOSHUA TREE, CALIFÓRNIA

Vários mochileiros e excursionistas deste parque deserto declararam ter visto uma barraca e equipamentos abandonados próximos à estrada principal. Os patrulheiros do parque que investigaram os relatos descobriram uma cena horrível, a mais ou menos dois quilômetros de distância do acampamento abandonado. Uma mulher de aproximadamente vinte anos foi encontrada morta, seu crânio amassado por uma grande pedra e o corpo cheio de marcas de mordida humana. Investigações mais detalhadas pela polícia local identificaram a vítima como Sharon Parsons, de Oxnard, Califórnia. Ela e o namorado, Patrick MacDonald, tinham ido acampar no parque na semana anterior. Um mandado de prisão foi imediatamente expedido para MacDonald. Uma autópsia completa revelou fatos que impressionaram o legista. A taxa de decomposição do tecido cerebral da mulher não acompanhava a do corpo. Além disso, o esôfago continha traços de sangue do mesmo tipo do de MacDonald. Entretanto, amostras de pele encontrada sob as unhas da vítima eram de uma terceira pessoa, Devin Martin, um ermitão e fotógrafo da natureza selvagem que tinha passado pelo parque no mês anterior. Como ele tinha poucos amigos, nenhum familiar e trabalhava como *freelancer*, seu desaparecimento não tinha sido notado. Uma busca completa no parque não trouxe nenhuma informação extra, mas uma fita de vigilância de um posto de gasolina revelou que MacDonald passara rapidamente por lá. O funcionário do posto descreveu MacDonald como um homem frenético, de aspecto selvagem e que tinha um pano ensangüentado por cima do ombro. MacDonald foi visto pela última vez rumando para o oeste, na direção de Los Angeles.

JAN. 1993 d.C., CENTRO DE LOS ANGELES, CALIFÓRNIA

Uma investigação ainda tenta determinar os estágios iniciais desta insurreição, inclusive como se espalhou na área. A insurreição foi detectada inicialmente por um grupo de jovens, membros de uma gangue de rua conhecida como os VBRs (Venice Boardwalk Reds). O motivo para que eles entrassem nesta área da cidade era a vingança pela morte de um de seus membros, assassinado pela gangue rival conhecida como Los Peros Negros. Por volta de uma hora da madrugada, eles entraram em uma área abandonada de uma fábrica, onde os Peros costumavam se encontrar. Sabia-se que a área abrigava uma grande favela num estacionamento vazio. As caixas de papelão, carrinhos de supermercado e outros tipos de parafernália pertencentes aos vagabundos estavam todos ali, mas não havia nenhum sinal de gente. Prestando pouca atenção à rua, os motoristas dos veículos dos Reds acidentalmente atropelaram um pedestre que andava muito devagar. O motorista perdeu o controle do carro e bateu na lateral de um prédio. Antes que os Reds pudessem consertar o carro ou reclamar o suficiente com seu companheiro pela falta de habilidade, viram o pedestre atropelado se mover. Apesar de ter a espinha dorsal quebrada, a vítima estava engatinhando até a gangue. Um dos Reds ergueu sua pistola de 9 mm e atirou bem no peito do homem, mas não só isto não impediu que o homem continuasse seu movimento em direção a eles como também enviou um eco estrondoso por muitas quadras. Os Reds atiraram muitas vezes mais, sempre acertando o alvo, mas sem nenhum resultado. O último tiro acertou o homem na cabeça, finalmente encerrando a sua vida. Os Reds nem tiveram tempo de entender exatamente o que era aquilo que tinham matado, porque inesperadamente começaram a ouvir gemidos que pareciam vir de todos os lados. O que antes pareciam sombras, agora se revelava um pequeno exército de mais de quarenta zumbis, aproximando-se de todos os lados.

Com seu carro quebrado, os Reds fugiram pelas ruas, literalmente correndo contra a menor concentração de mortos-vivos. Depois de várias quadras, eles encontraram, ironicamente, os membros restantes do Los Peros Negros, também a pé, depois que o veículo deles tinha sido tombado pelos mortos-vivos. Deixando de lado a rivalidade e tendo em mente a sobrevivência, as duas gangues estabeleceram uma trégua e partiram em busca da melhor maneira de escapar ou de encontrar um abrigo seguro. Embora a maioria das construções – depósitos bem construídos e sem janelas – fossem ótimas opções para uma "fortaleza", estavam todas ou trancadas ou (no caso dos edifícios abandonados) fechadas com tábuas e não podiam ser arrombadas. Como os Peros conheciam melhor aquela região, tomaram a liderança e sugeriram a escola primária De Soto, uma pequena construção não longe dali. Com os mortos-vivos a poucos minutos de distância, as duas gangues chegaram até a escola e entraram por uma janela forçada no segundo andar. Isso disparou o alarme contra ladrões, alertando todos os zumbis da área, aumentando a quantidade deles para mais de cem. O alarme, entretanto, foi o único ponto negativo deste formidável reduto. Em termos de fortificação, a De Soto foi uma excelente escolha. Construção sólida de concreto, janelas com grades e cobertas por telas e portas de madeira sólida tornavam esta construção de dois andares uma posição de fácil defesa. Uma vez dentro da escola o grupo agiu com muita prudência, estabelecendo uma rota de fuga, checando todas as portas e janelas, enchendo tudo o que podiam com água e fazendo uma contagem rápida de suas armas e munições. Já que consideravam que a polícia era um inimigo ainda pior que os mortos-vivos, as duas gangues usaram os telefones da escola para convocar aliados e não as autoridades. Nenhuma das partes contatadas acreditou no que ouviu, mas todos prometeram chegar o mais rápido possível.

Este último acontecimento foi, em mais uma ironia do destino, um dos poucos casos em que houve excesso de defesa contra uma revolta de zumbis. Bem protegidos, armados, liderados, organizados e extremamente motivados, os membros das duas gangues conseguiram liquidar todos os zumbis com tiros das janelas do segundo andar, sem sofrer nenhuma baixa. Os reforços (as gangues aliadas que cumpriram a promessa de aparecer) chegaram, infelizmente ao mesmo tempo em que os policiais, resultando na prisão de todos os presentes.

O incidente foi oficialmente explicado como "um tiroteio entre gangues locais". As duas gangues, entretanto, tentaram contar a verdade para qualquer pessoa que quisesse ouvir. A história deles foi explicada como uma alucinação causada pelo uso de "Ice", um entorpecente muito popular na época. Como os policiais e os membros das outras gangues só viram os cadáveres e nenhum zumbi ainda "vivo", nenhuma dessas pessoas pode ser considerada testemunha ocular. Os corpos dos mortos-vivos foram removidos do local e cremados. Quase todos eram moradores de rua, e assim nenhum deles foi identificado. Os membros das gangues originais envolvidas no conflito foram condenados por assassinato em primeiro grau e sentenciados à prisão perpétua em várias instituições diferentes no estado da Califórnia. Todos foram assassinados, menos de um ano após o encarceramento, supostamente por membros de gangues rivais. A história destas pessoas teria terminado ali se não fosse por um detetive da polícia de Los Angeles, que prefere permanecer anônimo. Ele leu sobre o caso Parsons-MacDonald dias antes e ficou intrigado com os detalhes bizarros. Isto fez com que acreditasse parcialmente na história dos membros das gangues. Mas foi o relatório do legista que trouxe o argumento principal. Ele se encaixava precisamente com a autópsia de Parsons. A gota d'água foi uma carteira encontrada em um dos mortos-vivos. Pertencia a um homem de trinta e poucos anos, e que estava mais bem vestido do que o resto dos vagabundos de rua. A carteira pertencia a Patrick MacDonald. Como seu dono tinha recebido um tiro no rosto, cortesia de uma escopeta de um dos membros das gangues, não foi possível fazer a identificação do corpo. O detetive anônimo sabia que não deveria levar tais questionamentos para seus superiores. Temendo uma ação disciplinar, em vez disso, decidiu copiar os arquivos sobre o caso e apresentá-los ao autor deste livro.

FEV. 1993 d.C., LESTE DE LOS ANGELES, CALIFÓRNIA

Às 4:45h da manhã, Octavio e Rosa Melgar, donos do açougue local, foram acordados por gritos desesperados vindos debaixo da janela do quarto, que ficava no segundo andar. Temendo que a loja estivesse sendo saqueada, Octavio pegou sua pistola e desceu a escada prontamente, enquanto sua esposa ligava para a polícia. Jogado no chão perto de um bueiro aberto, estava um homem aos prantos, com o corpo tremendo, completamente coberto de lama e vestido num uniforme do Departamento Sanitário. Ele sangrava muito pelo toco que tinha se tornado sua perna, onde antes estava o pé direito. O homem, sem se identificar, gritou repetidamente para que Octavio fechasse a entrada do bueiro. Sem saber o que fazer, Octavio assentiu. Antes que a tampa de metal se fechasse completamente, Octavio pensou ter ouvido um gemido distante. Enquanto Rosa fazia um torniquete na perna do homem ferido, ele meio chorava, meio contava que seu grupo de seis pessoas estava inspecionando uma vala de drenagem quando foi atacado por "malucos". Ele descreveu os assaltantes como pessoas cobertas de feridas e usando trapos como roupas, gemendo em lugar de falar, e que se aproximaram com um mancar metódico. As palavras do homem tornaram-se ininteligíveis antes que ele caísse inconsciente. A polícia e os paramédicos chegaram uma hora e meia mais tarde. Naquele momento o homem ferido foi dado como morto e seu corpo foi levado pela ambulância, enquanto os policiais recolhiam depoimentos dos Melgar. Octavio mencionou ter ouvido gemidos. Os policiais anotaram isso, mas nada disseram. Seis horas mais tarde, os Melgar ouviram no noticiário matinal que a ambulância que levava o corpo tinha sofrido um acidente e explodido no caminho para o hospital. Uma comunicação por rádio dos paramédicos (e como a estação de TV conseguiu isso ainda é um mistério) consistia basicamente em gritos de pânico sobre o corpo ter rasgado o saco de autópsia. Quarenta minutos após a transmissão, quatro viaturas da polícia, uma ambulância e um caminhão da guarda nacional tinham estacionado em frente ao açougue dos Melgar. Octavio e Rosa viram a área ser isolada pela polícia e uma grande barraca verde-oliva ser erguida no local do bueiro, com uma saída dando para dentro de um dos caminhões. Os Melgar, assim como um sem-número de curiosos, ouviram o distinto barulho de armas de fogo sendo disparadas dentro do bueiro. Em apenas uma hora, a barraca foi desmontada, a área liberada e os veículos partiram apressadamente. Restam poucas dúvidas que este incidente foi uma conseqüência do ataque ocorrido no centro de Los Angeles. Os detalhes sobre as ações do governo, assim como exatamente o que aconteceu dentro daquele labirinto subterrâneo, podem jamais ser divulgados. Os Melgar, citando "motivos pessoais", não fizeram mais perguntas sobre o assunto. A polícia de Los Angeles explicou o incidente como "uma inspeção de manutenção e rotina", enquanto o Departamento Sanitário negou a morte de quaisquer funcionários.

MAR. 1994 d.C., SAN PEDRO, CALIFÓRNIA

Se não fosse por Allie Goodwin, uma operadora de guindaste neste estaleiro ao sul da Califórnia, e sua câmera de 24 quadros por segundo, o mundo talvez nunca teria tomado conhecimento da verdadeira história desta insurreição de zumbis. Um contêiner sem registro foi descarregado do S.S. *Mare Caribe*, um cargueiro de bandeira panamenha que viera da cidade de Davao, nas Filipinas. Por vários dias ele permaneceu ancorado, esperando para ser descarregado. Em uma das noites, um dos vigias ouviu sons emanando do contêiner. Ele e mais um bom número de guardas de segurança, suspeitando de que o contêiner estivesse carregado de imigrantes ilegais, imediatamente abriram suas trancas. Quarenta e seis zumbis saíram rapidamente dali. Todas as pessoas nas proximidades foram devoradas, enquanto alguns sobreviventes foram buscar abrigo em armazéns, escritórios e outras construções próximas. Algumas destas construções mostraram-se abrigos adequados, enquanto outras foram armadilhas fatais. Quatro intrépidos operadores de guindaste, entre eles Goodwin, usaram suas máquinas para construir uma fortaleza de contêineres. Esta barreira protegeu 13 trabalhadores pelo resto da noite. Os operadores usaram suas máquinas como armas, jogando contêineres em grupos de zumbis próximos. Quando a polícia finalmente chegou (e a entrada nesta área foi dificultada por diversos portões trancados), apenas onze zumbis estavam à solta. Estes foram liquidados com uma saraivada de tiros (inclusive alguns tiros involuntários nas cabeças). Estimou-se o total de vítimas humanas em 20, enquanto o número de zumbis mortos chegou a 39. Acredita-se que os sete zumbis restantes caíram no mar e foram carregados pela correnteza.

Todos os noticiários relataram o incidente como uma tentativa de assalto. O governo não se pronunciou em nenhum momento. O controle das docas, a polícia – e até a empresa de segurança que perdeu oito de seus guardas – permaneceram em silêncio. A tripulação do *Mare Caribe*, a capitã e a empresa responsável pela carga negaram qualquer conhecimento do conteúdo do contêiner, que desapareceu misteriosamente. O porto em questão pegou fogo misteriosamente, no dia seguinte ao ataque. O que torna o abafamento desta história tão incrível é o fato de o porto de San Pedro se localizar numa das áreas mais povoadas dos Estados Unidos. A capacidade do governo de censurar todo tipo de informação é surpreendente. O depoimento de Goodwin, assim como suas imagens, foram considerados fraudulentos por todas as partes envolvidas. Ela foi demitida de seu emprego por incapacidade mental.

ABR. 1994 d.C., BAÍA DE SANTA MÔNICA, CALIFÓRNIA

Três moradores de Palos Verdes, Jim Hwang, Anthony Cho e Michael Kim, contaram à polícia que foram atacados enquanto pescavam na baía. Os três homens juraram que Hwang estava tentando pegar algo no fundo quando sua linha agarrou em alguma coisa pesada. O que veio até a superfície era um homem, nu, parcialmente queimado e decomposto, mas ainda vivo. O homem atacou os três pescadores, agarrando Hwang e tentando morder-lhe o pescoço. Cho puxou o amigo de volta enquanto Kim bateu na criatura com um remo. O atacante afundou e os pescadores rumaram rapidamente para a costa. A polícia de Palos Verdes fez testes de drogas e álcool com os três, mas não foi encontrada nenhuma substância ilícita. Os pescadores ficaram presos durante a noite, para averiguações, mas foram soltos pela manhã. O caso ainda está oficialmente "sob investigação". Dada a data e o local do ataque, é lógico pressupor que esta era uma das criaturas da insurreição em San Pedro.

1996 d.C., LINHA DE CONTROLE, SRINAGAR, ÍNDIA

Este trecho foi extraído de um relatório feito pelo tenente Tagore, da Força de Segurança da Fronteira:

> *O sujeito aproximou-se mancando lentamente, como se estivesse doente ou intoxicado.* [Por meus binóculos] *pude observar que ele vestia um uniforme completo da guarda paquistanesa, fato estranho, já que a presença deles era desconhecida nessa área. A uma distância de 300 metros, nós ordenamos que ele parasse e se identificasse. Ele não respondeu e um segundo aviso foi dado. Ainda assim, nenhuma resposta. Ele parecia estar gemendo, sem fazer sentido. Após*

os nossos gritos de aviso, seu passo aumentou levemente. À distância de 200 metros, ele tropeçou pela primeira vez numa mina terrestre americana. Nós vimos o sujeito receber ferimentos de estilhaços nas partes superiores e inferiores do tronco. Ele balançou e caiu, mas logo em seguida levantou e continuou a seguir em frente. (...) Eu deduzi que ele estivesse usando algum tipo de armadura corporal. (...) Esta mesma cena aconteceu novamente, a uma distância de 150 metros. Desta vez um dos estilhaços arrancou a mandíbula do sujeito. (...) A esta distância, eu pude ver que os ferimentos dele não sangravam. (...) Quando o vento mudou, passando a soprar em nossa direção (...) nós sentimos um cheiro pútrido vindo do sujeito, muito parecido com o cheiro de carne em estado de decomposição. À distância de 100 metros, ordenei que o soldado Tilak [pelotão dos atiradores] *eliminasse o sujeito. Tilak atingiu-o com um tiro na têmpora, e o sujeito caiu imediatamente. Ele não mais se levantou, nem fez nenhum outro movimento.*

Relatórios subseqüentes documentam a autópsia inicial feita do corpo em um hospital em Srinagar. Pouco tempo depois o corpo foi levado pela Guarda Nacional, mas nenhuma outra informação foi liberada.

1998 d.C., ZABROVST, SIBÉRIA

Jacob Tailor, aclamado documentarista da Canadian Broadcast Company, chegou à pequena cidade de Zabrovst com a intenção de fotografar uma carcaça intacta, e possivelmente clonável, de um tigre dente-de-sabre. O corpo de um homem de vinte e poucos anos, cujas roupas pareciam a de um cossaco do século XVI, também foi encontrado. As gravações estavam marcadas para começar em julho, mas Tailor chegou com uma equipe em fevereiro para se familiarizar com o local e suas nuanças. Tailor acreditava que o cadáver humano não seria o foco de mais do que uns poucos segundos em seu filme, mas pediu que ele fosse conservado junto com o tigre até o seu retorno. Tailor e seu pessoal voltaram para Toronto, para um descanso merecido. No dia 14 de junho, alguns membros da equipe de Tailor retornaram a Zabrovst para preparar os objetos congelados e escavar a área para as filmagens. Esta foi a última vez que se teve notícia deles.

Quando Tailor chegou de helicóptero com o resto da sua equipe de filmagem, no dia 1º de julho, encontrou todos os edifícios da cidade desertos. Havia sinais de violência e arrombamentos, inclusive janelas quebradas, móveis revirados, sangue e pedaços de carne nas paredes e no chão. Um grito trouxe Tailor de volta à área onde estava o helicóptero, onde ele encontrou um grupo de 36 necrófilos, inclusive cidadãos locais e os membros desaparecidos de sua equipe, devorando os pilotos. Tailor não entendeu completamente a cena que estava vendo, mas percebeu o suficiente para fugir.

A situação era complicada. Tailor, seu câmera, o operador de som e pesquisador de campo não tinham armas, nem suprimentos e, estando no meio do nada na Sibéria, também não tinham como procurar ajuda. Os documentaristas buscaram abrigo numa casa de fazenda com dois andares, no próprio vilarejo. Em vez de tentar selar as portas e janelas, Tailor decidiu destruir as duas únicas escadas. Eles se abasteceram com toda a água e comida que puderam encontrar. Um machado, um martelo e outras ferramentas foram usadas para destruir a primeira das escadas. A chegada dos zumbis impediu a destruição da segunda. Tailor agiu rápido. Ele pegou as portas dos quartos do segundo andar e pregou-as na escada. Isso criou uma rampa que impedia que os zumbis subissem. Um por um eles tentaram subir a rampa, mas foram rechaçados pela equipe de Tailor. Esta pequena batalha se seguiu por dois dias; metade da equipe mantinha os zumbis fora de alcance enquanto os outros descansavam (com chumaços de algodão enfiados nos ouvidos para não ouvir os gemidos).

No terceiro dia, um acidente estranho deu a Tailor a idéia que seria a salvação do grupo. Por medo que os zumbis agarrassem suas pernas, os documentaristas utilizavam apenas uma vassoura de cabo de madeira para afastar os zumbis. O cabo da vassoura, já fraco após o uso intenso, finalmente se partiu, ao ser agarrado por um dos zumbis atacantes. Tailor conseguiu chutar o zumbi para baixo e assistiu, empolgado, quando o cabo quebrado e pontiagudo da vassoura, ainda na mão do necrófilo em queda, acabou por perfurar seu crânio, entrando pela cavidade de um dos olhos. Não só Tailor, sem querer, matou seu primeiro zumbi, como também percebeu qual era a maneira correta de acabar com eles. Agora, em lugar de tentar forçar os seus atacantes a descerem a rampa, a equipe de filmagem os encorajava a subir. Cada um que chegasse perto o bastante recebia um golpe mortal na cabeça, dado pelo machado da equipe. Quando esta arma se perdeu (presa na cabeça de um dos zumbis), eles passaram a utilizar o martelo. Quando a empunhadura deste quebrou, usaram um pé-de-cabra. A batalha durou várias horas, mas ao terminar, a equipe de documentaristas canadenses tinha exterminado cada um de seus opositores.

Até hoje o governo russo não tem uma explicação oficial para o que aconteceu em Zabrovst. Qualquer funcionário questionado sobre o incidente dirá que ele está sendo "investigado". Entretanto, em um país com tantos problemas sociais, econômicos, ambientais e militares como a nova Federação Russa, há pouco interesse nas mortes de alguns poucos estrangeiros e lenhadores da Sibéria.

Tailor, inacreditavelmente, deixou suas câmeras registrando todo o incidente. O resultado são 42 horas das imagens mais emocionantes já feitas. Tailor vem tentando, nos últimos anos, fazer com que pelo menos uma parte destas imagens chegue ao grande público, mas todos os "peritos" internacionais que viram o vídeo rotularam-no de uma fraude experiente. Tailor acabou por perder toda a credibilidade na indústria do cinema, que no passado o considerava um dos grandes. Ele agora passa por um processo de divórcio e responde a vários processos na justiça.

2001 d.C., SIDI-MOUSSA, MARROCOS

A única evidência deste ataque vem de um curto artigo publicado em um jornal francês:

> *Insurreição e Histeria em Massa em um Vilarejo Pesqueiro no Marrocos – Fontes confirmam que um problema neurológico até então desconhecido afetou cinco moradores do local, fazendo com que atacassem parentes e amigos, numa tentativa de devorar sua carne. De acordo com os costumes locais, os infectados foram amarrados a pesos e levados para o mar, e depois jogados no oceano. O governo ainda não começou a investigar o caso. As acusações vão de assassinato a chacina.*

Nenhum julgamento aconteceu e nenhuma outra notícia foi divulgada.

2002 d.C., S. TOMÁS, ILHAS VIRGENS (TERRITÓRIO AMERICANO)

Um zumbi – inchado e cheio de água, com a pele completamente dissolvida – surgiu na costa noroeste da ilha. Os moradores não tinham certeza do que fazer com o corpo, então mantiveram distância e chamaram as autoridades. O zumbi, chegando até a praia, começou a perseguir seus observadores. Embora a curiosidade a mantivesse perto, a multidão continuou a recuar à medida que o necrófilo avançava. Dois membros da polícia de S. Tomás chegaram e ordenaram que o "suspeito" parasse. Sem obter nenhum tipo de resposta, deram um tiro de advertência. O zumbi ainda não respondeu, e os policiais dispararam duas vezes no tronco, sem nenhum resultado. Antes que mais tiros pudessem ser disparados, um menino de seis anos, empolgado com os acontecimentos e sem perceber o perigo que estava correndo, aproximou-se do morto-vivo e começou a cutucá-lo com uma vareta. O morto-vivo imediatamente agarrou a criança e tentou levá-la à boca. Os dois policiais correram até o zumbi e começaram a lutar pelo controle da criança. Neste exato momento, Jeremiah Dewitt, um imigrante recém-chegado da República Dominicana, saiu do meio da multidão, pegou uma das armas reserva do policial e atirou na cabeça do zumbi. Incrivelmente, nenhum ser humano foi infectado pelo zumbi. Um julgamento inocentou Dewitt de todas as acusações, considerando o ato legítima defesa. Fotografias do cadáver mostram, embora esteja em um avançado estado de decomposição, que o homem era do Oriente Médio ou do norte da África. As roupas parecem indicar que esta criatura era uma daquelas que foram jogadas no oceano na costa do Marrocos. Teoricamente, seria possível para um morto-vivo atravessar o Atlântico, carregado pelas correntes marítimas, embora este seja o único caso registrado. Como uma das conseqüências mais estranhas de uma insurreição até o momento, este caso alcançou o status de celebridade, na mesma linha do Pé Grande no noroeste do Pacífico ou o Monstro do Lago Ness, na Escócia. No centro de Charlotte Amalie (a capital da ilha) os turistas podem comprar lembranças, fotografias, esculturas, relógios, e até livros para crianças com a história do "Zumbi de S. Tomás". Dezenas de motoristas de ônibus competem todos os dias pela oportunidade de levar os turistas, recém-chegados ao aeroporto Cyril E. King, até o local onde o famoso zumbi chegou à praia. Após o julgamento, Dewitt deixou a ilha rumo a uma nova vida nos Estados Unidos. Seus amigos e familiares nunca mais tiveram notícias dele.

ANÁLISE HISTÓRICA

Até o final do século XX, aqueles que estudavam os mortos-vivos estavam convencidos de que a freqüência das insurreições permanecia constante, com o passar do tempo. As sociedades que sofreram um maior número de ataques aparentemente apenas mantinham registros melhores. O exemplo mais usado é o caso da Roma antiga, em comparação com a Idade Média. Esta teoria também foi utilizada para acalmar os "alarmistas", dizendo que, à medida que a humanidade passasse a depender mais da palavra escrita, seria fácil identificar se o número de insurreições aumentasse bruscamente. Esta linha de pensamento, embora comum, tem caído em conceito ultimamente. A população mundial está crescendo. A balança já virou completamente das zonas rurais para os centros urbanos. Os meios de transporte ligam o planeta numa velocidade impressionante. Todos esses fatores trouxeram de volta doenças infecciosas que há muito foram consideradas erradicadas. A lógica diz que o *Solanum* pode prosperar num ambiente como este. Embora as informações sejam gravadas, compartilhadas e armazenadas como nunca foram, é inegável que o número de ataques de zumbis está crescendo e sua freqüência aumentando na mesma proporção que o "desenvolvimento" do planeta. Nesse ritmo, o número de ataques só irá aumentar, culminando em duas possibilidades diferentes. A primeira é que os governos do mundo terão que reconhecer, em todos os níveis, a existência dos mortos-vivos, criando assim organizações especiais para lidar com esta ameaça. Neste cenário, os zumbis se tornarão parte do cotidiano das pessoas – marginalizados, sob controle, talvez até com uma vacina para prevenir infecções. Um segundo cenário, muito menos atraente, resultaria numa guerra campal entre os vivos e os mortos: uma guerra na qual você, agora, está apto a participar.

APÊNDICE: DIÁRIO DE INSURREIÇÕES

Este espaço é dedicado à criação de um diário de acontecimentos suspeitos, que possam indicar possíveis insurreições (ver a seção "Detecção", páginas 50-52, para possíveis indícios). Lembre-se: detectar uma insurreição no início e preparar-se antecipadamente lhe dará a maior possibilidade de sobreviver. A seguir, um exemplo de anotação no diário:

DATA: 5/7/14

HORA: 3h51min

LOCAL: Qualquer lugar, qualquer país

DISTÂNCIA EM RELAÇÃO A MIM: 450 km

ESPECIFICIDADES: O noticiário local (canal 5) relatou que uma família foi cruelmente massacrada e parcialmente devorada por um "maníaco" ou um grupo deles. Os corpos tinham fortes marcas de luta: cortes, ossos quebrados e contusões. Todos apresentavam marcas de mordida pelo corpo e todos morreram com tiros de escopeta na cabeça. Dizem que é algum tipo de culto. Por quê? Que culto? De onde? Quem são "eles"? Tudo o que foi informado pela repórter é que as declarações vêm de "fontes oficiais". Uma caçada aos assassinos está em andamento. Eu percebi que as imagens só mostravam policiais (nenhum cidadão comum) e que metade deles era de atiradores de elite. A imprensa não pode participar das investigações porque a polícia "não pode garantir a segurança deles". A repórter disse que os corpos foram levados para Cidadegrande, em vez de ao necrotério local, porque eles passavam por uma "autópsia completa". O hospital para onde foram levados fica *somente a 80 km de distância*!

O QUE FOI FEITO: Preparei a lista de verificação e liguei para Tom, Gregg e Henry. Vamos nos reunir na casa de Gregg hoje, às sete e meia. Amolei minha machadinha, limpei e passei óleo na carabina e me matriculei em um curso de prática de tiro ao alvo amanhã, antes de ir para o trabalho. Enchi os dois pneus da bicicleta e telefonei para o parque para ter certeza de que o nível de água nos rios ainda está normal. Se alguma coisa acontecer no hospital, tomarei medidas mais sérias.

DATA: ____________________

HORA: ____________________

LOCAL: ____________________

DISTÂNCIA EM RELAÇÃO A MIM: ____________________

ESPECIFICIDADES: ____________________

O QUE FOI FEITO: ____________________

DATA: ______________________________

HORA: ______________________________

LOCAL: ______________________________

DISTÂNCIA EM RELAÇÃO A MIM: ______________________________

ESPECIFICIDADES: ______________________________

O QUE FOI FEITO: ______________________________

DATA: ___

HORA: ___

LOCAL: ___

DISTÂNCIA EM RELAÇÃO A MIM: ___

ESPECIFICIDADES: ___

O QUE FOI FEITO: ___

DATA: __________

HORA: __________

LOCAL: __________

DISTÂNCIA EM RELAÇÃO A MIM: __________

ESPECIFICIDADES: __________

O QUE FOI FEITO: __________

AGRADECIMENTOS

Antes de tudo, agradeço a Ed Victor por acreditar.

A David, Jan, Sergei, Jacob, Alex, Carley, Sarah, Fikhirini, Rene, Paulo e Jiang pelas traduções.

Ao dr. Zane e sua equipe pela pesquisa de campo.

A James "Coronel" Lofton por sua perspectiva estratégica.

Ao professor Sommers pelos dados.

A Sir Ian pela permissão de usar sua biblioteca.

A Red e Steve por sua ajuda com a cartografia.

A Manfred pela espiada no porão de um antigo museu.

A Artiom por sua honestidade e coragem.

A "Joseph" e "Mary" por fazerem um estranho se sentir bem-vindo em seu país.

A Chandara, Yusef, Hernan, Taylor e Moishe pelas fotos.

A Avi pelas transcrições.

A Mason pelas gravações.

A M.W. pelas ilustrações.

A Tatsumi por seu tempo e paciência.

A "Sra. Malone" por pular a burocracia. (OBRIGADO!)

A Josene pelo giro.

A Tron pelo passeio no "lugar".

Ao capitão Ashley e sua tripulação do *Sau Tome* por provar que era verdade.

A Alice, Pyotr, Hugh, Telly, Antonio, Hideki e ao dr. Singh pelas entrevistas.

Aos rapazes (e à moça) do laboratório por "vocês sabem o quê".

A Annik por seu brilhantismo na caneta e na espada.

E, é claro, a todos que preferiram permanecer anônimos. As vidas que vocês ajudaram a salvar serão o seu maior mérito.

Este livro foi impresso na Editora JPA Ltda.,
Av. Brasil, 10.600 – Rio de Janeiro – RJ,
para a Editora Rocco Ltda.